Matteo La Gras~~~ ~~~oli

L'italiano all'università 2

Corso di italiano per università e istituti di lingua

B1 - B2

EDILINGUA

www.edilingua.it

L'Italiano all'università è un corso ideato da Matteo La Grassa. Per il presente volume la responsabilità di redazione finale va ripartita nel modo seguente: Matteo La Grassa è autore delle unità 2, 9, 11, 12; Marcella Delitala è autrice delle unità 5, 6, 7, 8; Fiorenza Quercioli è autrice delle unità 1, 3, 4, 10.

MATTEO LA GRASSA attualmente è titolare di un assegno di ricerca, presso l'Università per Stranieri di Siena, per la realizzazione di un *social network* per lo sviluppo delle competenze interculturali di adolescenti immigrati. È stato Giovane Ricercatore in un progetto FIRB finalizzato all'insegnamento dell'italiano a sordi tramite l'*e-learning*. Si occupa di diversi ambiti di ricerca relativa alla didattica dell'italiano L2 e di produzione di materiali didattici. Ha realizzato materiali didattici nell'ambito dei progetti dell'Università per Stranieri di Siena *Lingua e cittadinanza. Insegnamento di italiano L2 per cittadini stranieri* (vincitore del Label Europeo 2010) e *Lingua italiana e comunicazione bancaria* (vincitore del Label Europeo 2009). È ideatore e autore del volume *L'italiano all'università 1*.

MARCELLA DELITALA ha ottenuto la Specializzazione in Didattica dell'italiano come lingua straniera presso l'Università per Stranieri di Siena; è esaminatrice certificata per gli esami CELI e CILS; si è successivamente formata presso la *DiLIt* di Roma e la *Pilgrims teacher training* di Canterbury, UK. Ha partecipato al Progetto di ricerca interuniversitario COFIN 2005 sui materiali nell'insegnamento della lingua italiana con l'Università per Stranieri ed è co-autrice del volume *Il lessico dei materiali, il lessico nei materiali* e del libretto *Amarcord*. Attualmente è docente di livelli da A1 a C2 presso diverse sedi di università statunitensi a Firenze.

FIORENZA QUERCIOLI è *Language Resource Person* presso la "Stanford University-Florence Program" dove, oltre a insegnare in corsi di lingua, mette a punto programmi linguistici individualizzati e attività linguistiche extracurricolari. Dopo essersi specializzata nell'insegnamento dell'italiano L2 presso l'Università per Stranieri di Siena e presso l'Università "Ca' Foscari" di Venezia, nel 2011 ha conseguito il titolo di dottore di ricerca in Linguistica presso l'Università degli Studi di Firenze. Autrice di materiali didattici e articoli sull'insegnamento dell'Italiano L2, ha svolto attività di formazione per enti pubblici e privati.

Desideriamo ringraziare il Professor Andrea Villarini per aver scritto la prefazione al volume indicando in maniera sintetica ed efficace i principali bisogni linguistici e comunicativi degli apprendenti universitari di livello indipendente.

Ringraziamo, inoltre, tutti gli studenti e i direttori dei programmi universitari che ci hanno permesso di sperimentare le attività presenti in questo volume, consentendoci in questo modo di apportare le necessarie modifiche.

Infine, un sincero ringraziamento alla redazione di Edilingua per l'attento lavoro di revisione e, più in generale, per la sempre costruttiva collaborazione.

© Copyright edizioni Edilingua

Sede legale
Via Alberico II, 4 00193 ROMA
Tel. +39 06 96727307
Fax: +39 06 94443138
info@edilingua.it
www.edilingua.it

Deposito e Centro di distribuzione
Via Moroianni, 65 12133 Atene
Tel. +30 210 5733900
Fax: +30 210 5758903

I edizione: agosto 2013
Redazione: Laura Piccolo, Viviana Mirabile, Antonio Bidetti
Impaginazione e progetto grafico: Edilingua, Edigraf
Illustrazioni: Paola Baldanzi e Linda Macario
Voci delle registrazioni: Livia Aversa, Massimiliano Bartolini, Luca Biasizzo, Lidia Galli, Michelangiolo Severini, Deborah Trombetta (un particolare ringraziamento va agli insegnanti e al personale dell'IIC di Osaka per la loro collaborazione)
ISBN: 978-960-693-069-0

Edilingua sostiene

Grazie all'adozione dei nostri libri, Edilingua adotta a distanza dei bambini che vivono in Asia, in Africa e in Sud America. Perché insieme possiamo fare molto! Ulteriori informazioni sul nostro sito.

Stampato su carta priva di acidi, proveniente da foreste controllate.

Un grazie anche a tutti coloro che volessero farci pervenire eventuali suggerimenti, segnalazioni e commenti sull'opera (da inviare a redazione@edilingua.it).

Prefazione

L'italiano all'università 2 (per i livelli B1-B2) prosegue un cammino iniziato già con il primo volume (dedicato ai livelli A1-A2 curato da Matteo La Grassa) di sostegno ai percorsi guidati rivolti a studenti stranieri inseriti nelle università italiane o che puntano a studiare nelle nostre università.

L'opera, quindi, è rivolta a quel sempre più vasto numero di apprendenti interessati all'italiano per scopi universitari.

Come si sa, il livello richiesto ad uno straniero per accedere ai nostri corsi universitari di laurea triennale è il B2 con riferimento ai livelli proposti nel Quadro Comune Europeo di Riferimento del Consiglio d'Europa. Ecco allora, che il volume di La Grassa, Delitala e Quercioli si colloca, come livelli di riferimento, in uno snodo cruciale della competenza. Quello che, appunto, segna il passaggio ad un livello di competenza (il B2) direttamente spendibile per coloro che vogliono inserirsi in un programma universitario italiano.

Ci immaginiamo, quindi, un'utenza ancora più motivata che frequenta i corsi avendo magari l'obiettivo concreto di vedersi ammessa a frequentare un corso di laurea triennale italiano. Oppure, studenti che già sono inseriti in percorsi guidati gestiti dai Centri Linguistici Universitari italiani e possono puntare a fare il salto nei corsi curricolari frequentati anche da ragazzi italiani.

Quest'opera assume su di sé il compito di assistere nella formazione proprio questo target di apprendenti accompagnandoli in un delicato snodo del loro cammino verso l'italiano.

Delicato per almeno due motivi.

Il primo è di natura più interna al percorso di sviluppo della loro competenza linguistica; essi, infatti, si iscrivono nei corsi che adottano questo manuale per fare il salto dal livello iniziale a quello ben più articolato e complesso detto dell'autonomia. Il livello, cioè, dove l'apprendente deve cominciare ad essere in grado di sopravvivere agevolmente in Italia e cominciare a svolgere compiti comunicativi anche abbastanza complessi. Non a caso, con il conseguimento del livello B2 – come detto – è consentito di accedere ad un corso universitario.

Proprio le possibilità offerte dal conseguimento del livello B2 rimandano per via diretta all'altro motivo. Ovvero, la torsione degli assi motivazionali che da genericamente culturali o di primo contatto con la nostra lingua e cultura diventano, in chi frequenti corsi di questo livello, molto più mirati e specifici. La spinta motivazionale non è più solo quella di migliorare genericamente il proprio italiano, ma diventa in moltissimi di loro quella di raggiungere un obiettivo concreto come può essere quello di iscriversi ad un corso universitario. Questo cambiamento degli assetti motivazionali ha certamente delle ricadute nella didattica in aula.

Possiamo dire che gli autori sono perfettamente coscienti del compito che si sono assunti e sono stati in grado di realizzare un'opera perfettamente centrata sui bisogni linguistici, comunicativi e motivazionali di questo specifico pubblico di apprendenti.

L'attenzione per l'individuazione dei domini entro i quali "far muovere" la classe, la selezione delle attività didattiche operata testimoniano come non sia sfuggita affatto la complessità dei fattori in gioco e la necessità di tener conto di questioni che sono specifiche di questo pubblico.

Proprio per corrispondere a questo obiettivo gli autori, infatti, oltre ad individuare contesti comunicativi e campi semantici tipici per la nostra utenza, si veda ad esempio le unità sulla letteratura, sulla musica o quella su tecnologia e comunicazione, hanno elaborato innovative strategie didattiche centrate esattamente sui bisogni comunicativi dell'utenza degli studenti universitari stranieri. Ci riferiamo, in particolare, a *Parole che usi all'università* e *Strategie che usi all'università*, le quali puntano, per l'appunto, ad incrementare particolari aree di lessico e una serie di strategie comunicative utili per muoversi agevolmente nel dominio rappresentato dalla formazione di ambito universitario svolta in lingua italiana.

Nel complesso un'opera moderna nelle strategie e negli usi linguistici proposti, nelle situazioni comunicative ipotizzate per far lavorare gli studenti e concentrata sui bisogni linguistici di una utenza sempre più vasta ed importante.

Un'opera dove i tre autori hanno avuto modo di sperimentare e mettere in pratica la grande esperienza accumulata sul campo nella gestione di percorsi di formazione in italiano sia in presenza che a distanza.

Andrea Villarini
Direttore della Scuola di Specializzazione in Didattica dell'italiano come lingua straniera
Università per Stranieri di Siena

Introduzione

Con questo volume si completa il corso *L'italiano all'università* dedicato specificatamente ai vari gruppi di apprendenti stranieri che studiano la lingua italiana in ambienti universitari. Anche se questi studenti possono svolgere il loro percorso formativo in italiano L2 o LS in contesti in parte diversi (presso i Centri Linguistici di Ateneo in Italia, presso i Centri Linguistici delle università straniere, presso programmi di studio di università straniere in Italia, presso le scuole private di lingua), essi sono assimilabili almeno per macro-motivazioni e per bisogni linguistici e di apprendimento.

Molti studenti che decidono di apprendere l'italiano in contesti di formazione universitari non si fermano a livelli di competenza elementare, ma scelgono di proseguire fino a conseguire almeno un livello di competenza indipendente che permette loro non soltanto di agire linguisticamente nei più comuni domini comunicativi, ma anche di accrescere le proprie abilità ampliando gli ambiti di competenza d'uso della lingua.

Il secondo volume de *L'italiano all'università* intende rispondere alle esigenze di questi apprendenti presentando contenuti coerenti con i loro interessi all'interno di situazioni comunicative in cui essi verosimilmente saranno chiamati ad agire. La complessità dei testi orali e scritti, diversificati per tipi e generi testuali, è adeguata con il livello di competenza che si intende far conseguire a quanti utilizzeranno questo volume; inoltre, ponendo particolare attenzione alle situazioni che possono realizzarsi in contesti formativi universitari, sono state inserite alcune attività specifiche per lo sviluppo di competenze da poter riutilizzare in tali ambiti (come le sezioni *Parole che usi all'università*, che si focalizza sulla presentazione e il reimpiego di lessico tecnico-specialistico tipico dei testi universitari, e *Strategie che usi all'università*, incentrata su attività per lo sviluppo delle abilità di studio).

Il volume consiste in un *Libro di classe* formato da 12 unità, in un *Eserciziario* con altrettante unità corredato dalle chiavi, in 6 *test di verifica* delle competenze linguistico-comunicative e in 6 *schede di autovalutazione* delle abilità di studio e metacognitive.

La progressione delle dodici unità che compongono questo secondo volume è progettata in modo da favorire lo sviluppo di una competenza linguistico-comunicativa che raggiungerà il livello intermedio superiore.

Nelle sezioni che compongono ogni unità del *Libro di classe* sono infatti proposte attività che mirano all'espansione e al potenziamento dei principali piani e abilità nei quali si articola tale competenza: comprensione e produzione linguistica, analisi di aree lessicali, di strutture grammaticali e dei tratti costitutivi della testualità, senza trascurare approfondimenti culturali, nella sezione *Conosciamo gli italiani* e in diversi box informativi, e come detto poco sopra, aspetti strategici e microlinguistici specifici dell'ambito accademico.

Gli elementi linguistici, siano essi lessicali, grammaticali o testuali, sono presentati attraverso testi, sia orali che scritti. Gli apprendenti affronteranno dunque ogni testo input della sezione *Comunichiamo* dopo aver svolto il lavoro preparatorio della precedente sezione *Entriamo in tema*; tali attività di precontatto innescano i processi di anticipazione e facilitano la comprensione attraverso la definizione del contesto e l'esplorazione di parole chiave ed espressioni idiomatiche.

All'interno dei testi, poi, gli apprendenti, svolgendo le attività presenti in *Impariamo le parole*, *Facciamo grammatica* e *Analizziamo il testo,* sono invitati a scoprire i meccanismi e a riflettere sui significati e sulle norme di funzionamento e di organizzazione testuale della lingua italiana, per poi sistematizzarli in griglie e tabelle che sosterranno la memorizzazione, il reimpiego e il consolidamento della competenza d'uso.

L'approccio prevalentemente testuale dell'intero corso favorisce inoltre l'acquisizione di una competenza comunicativa effettiva, costantemente sostenuta e implementata, dopo la fase di comprensione, con attività di produzione orale e scritta; in particolare in *Scriviamo insieme* gli apprendenti sono guidati all'approfondimento collaborativo dei temi socio-culturali presentati in ogni unità, attività che porterà alla scrittura di un testo.

Infine le sezioni *Si dice così!* e *Sintesi grammaticale* che chiudono ogni singola unità, riepilogano in maniera schematica funzioni, strutture grammaticali ed elementi testuali analizzati nelle pagine precedenti.

Gli aspetti comunicativi e pragmalinguistici trattati all'interno delle unità sono ripresi nell'*Eserciziario* che come nel primo volume rispetta la divisione in sezioni dell'unità. Rispetto alle sezioni presenti nel primo volume (*Funzioni, Vocabolario, Grammatica, Per concludere, Parola chiave*) ne sono state aggiunte due: *Testualità* (che riprende la sezione *Analizziamo il testo* dell'unità) e *Preposizioni*, un aspetto grammaticale che necessita di particolare esercizio a qualsiasi livello di competenza.

L'opera è completata dalla Guida per l'insegnante che fornisce una descrizione analitica delle varie sezioni del volume, rende espliciti gli obiettivi di ciascuna attività proposta e ne suggerisce una modalità di realizzazione.

Ricordiamo che il primo volume del corso è disponibile anche nella versione per studenti anglofoni e germanofoni.

Infine, sulla multi-piattaforma **i-d-e-e** è disponibile la versione interattiva delle attività dell'*Eserciziario* più tutta una serie di risorse e strumenti per studenti e insegnanti.

Ci auguriamo che anche questo secondo volume del corso *L'italiano all'università* possa risultare uno strumento utile per tutti i profili di studenti universitari e per gli insegnanti che lavorano con loro.

Gli autori

Legenda dei simboli

Produzione scritta

Attività di coppia o di gruppo

7   Ascolto della traccia 7 del CD audio allegato

Unità 1 Hai visto come sono vestiti?

Funzioni comunicative	Elementi grammaticali	Elementi testuali	Elementi lessicali	Elementi culturali
Descrivere come è vestita una persona. Descrivere un'abitudine o uno stato d'animo tipico del passato. Narrare due azioni contemporanee nel passato. Narrare una sequenza di azioni passate. Narrare un evento passato dinamico, ripetuto e interotto da un'azione più breve.	Ripresa del passato prossimo (ausiliare e accordo) e dell'imperfetto. Rapporto imperfetto/ passato prossimo.	La coordinazione: la punteggiatura e le congiunzioni *e*, *ma*, *quindi*, *o/oppure*.	Abbigliamento, calzature, accessori.	La moda italiana. La *Benetton*. *Il filo d'oro. 50 anni di moda italiana.* 

Parole che usi all'università	L'industria della moda.

Unità 2 Allora, ti sei iscritto in palestra?

Funzioni comunicative	Elementi grammaticali	Elementi testuali	Elementi lessicali	Elementi culturali
Fare un paragone. Esprimere una qualità al massimo grado. Dare un consiglio. Fare un'ipotesi. Esprimere un desiderio. Esprimere un dolore fisico.	Condizionale presente. Ripresa del futuro e del presente con funzione di futuro. Valore modale del futuro. Il secondo termine di paragone, comparativi e superlativi irregolari.	Correlazione in frasi affermative e negative: *sia … sia*; *né … né*.	Attività sportive. Le parti del corpo.	Sport e attività sportive in Italia. *Campioni d'Italia.* 

Parole che usi all'università	La salute; le patologie.

Unità 3 La mia ex moglie…

Funzioni comunicative	Elementi grammaticali	Elementi testuali	Elementi lessicali	Elementi culturali
Parlare di un decennio Narrare azioni accadute nel passato con rapporto di anteriorità e posteriorità. Narrare eventi del passato emotivamente vicini. Esprimere disagio o difficoltà.	Trapassato prossimo. Condizionale passato come futuro nel passato. Pronomi relativi: *chi*, *che*, *cui*, *il quale*. Presente storico.	Connettivi additivi (*in seguito, inoltre, oltre a, poi*) e avversativi (*ma, però, tuttavia, mentre, a differenza di*). Struttura testo descrittivo.	Separazione, divorzio, famiglia allargata. Metafore con gli organi di senso.	I diversi ruoli di uomini e donne nella società italiana. *Noi casalinghi felici tra fornelli e pannolini.* 

Strategie che usi all'università	Riorganizzare un testo.
Parole che usi all'università	L'individuo nella società.

Unità 4 Quando sono emigrato…

Funzioni comunicative	Elementi grammaticali	Elementi testuali	Elementi lessicali	Elementi culturali
Narrare eventi storici. Stabilire una relazione tra tempi diversi in un testo. Segnalare l'inizio di una conversazione. Esprimere imbarazzo e disagio. Attirare l'attenzione.	Il passato remoto. Contrasto passato remoto/ passato prossimo. Contrasto perfetto/imperfetto.	Espressioni anaforiche di tempo: *allora, qualche tempo fa, nel decennio successivo.* Segnali discorsivi per iniziare il discorso e attirare l'attenzione: *allora, ecco, certo, vedi.* Struttura testo narrativo.	I punti cardinali. Parole relative ai movimenti migratori. Stati d'animo: alcune espressioni idiomatiche.	Migrazione e demografia. Composizione della popolazione. *La scuola in Italia.* 

Strategie che usi all'università	Individuare i generi narrativi.

Unità 5 Ma sei davvero così superstizioso?

Funzioni comunicative	Elementi grammaticali	Elementi testuali	Elementi lessicali	Elementi culturali
Esprimere un'opinione, uno stato d'animo, una volontà, un divieto, un dubbio, una condizione, un fine. Elencare eventi all'interno di un testo.	Il congiuntivo presente e passato dopo verbi che esprimono opinione, volontà ecc., *essere* + aggettivo/avverbio e i verbi impersonali. *Di* + infinito con uguaglianza di soggetto. Le congiunzioni subordinative che reggono il congiuntivo: *affinché, perché, prima che, a patto che, a condizione che.*	I connettivi enumerativi: *anzitutto, in primo luogo, prima di tutto, per prima cosa, in secondo luogo, inoltre.*	La scaramanzia. I segni zodiacali e l'oroscopo.	Superstizione e credenze in Italia. *Consigli per un matrimonio felice. Capodanno all'italiana.* 

Strategie che usi all'università	Elaborare un testo.
Parole che usi all'università	Parole relative alla superstizione e all'antropologia.

Unità 9 — All'estero qualche volta ci prendono in giro…

Funzioni comunicative	Elementi grammaticali	Elementi testuali	Elementi lessicali	Elementi culturali
Esprimere due azioni consecutive future. Esprimere un'azione che probabilmente si è già realizzata. Dare indicazioni non precise su cose o persone. Introdurre e argomentare la propria tesi.	Il futuro anteriore (passato nel futuro). Ripresa dei tempi dell'indicativo. Gli aggettivi e i pronomi indefiniti. Congiunzioni che reggono il congiuntivo: condizionali (*a condizione che, a patto che, purché*); eccettuative (*a meno che, eccetto che, tranne che*).	Il testo argomentativo. Ripresa dei connettivi.	Descrivere la personalità. Criminalità.	L'immagine degli italiani all'estero. *I falsi stereotipi sugli italiani.*

Strategie che usi all'università	Produrre un testo argomentativo.

Unità 10 — Risp x fav!

Funzioni comunicative	Elementi grammaticali	Elementi testuali	Elementi lessicali	Elementi culturali
Fare ipotesi reali, possibili, irreali/impossibili. Dare enfasi. Riformulare. Cambiare argomento. Riprendere un argomento. Comunicare via sms e via e-mail.	Il periodo ipotetico di I, II e III tipo e periodo ipotetico realizzato con l'imperfetto. Ripresa della subordinazione: *senza, per, prima di* + infinito, *anche se* + indicativo.	Il testo misto. Il testo scritto-parlato. Alcuni segnali discorsivi: *voglio dire, passiamo ad altro, torniamo a,* …	La lingua degli sms e delle chat. Computer e Internet. Alcune espressioni idiomatiche.	Uso delle tecnologie. *Gli italiani crescono con Internet e la tecnologia.*

Strategie che usi all'università	Preparare una tesina. Esprimere la propria opinione in un testo scritto.

Unità 11 Fai la raccolta differenziata?

Funzioni comunicative	Elementi grammaticali	Elementi testuali	Elementi lessicali	Elementi culturali
Mettere in evidenza chi o cosa subisce l'azione. Enfatizzare quello che si dice o si è detto. Esprimere sorpresa. Diminuire la forza di ciò che si dice o si è detto. Chiedere conferma.	La forma passiva. Le particelle *ci* e *ne* e alcune espressioni idiomatiche.	La ripresa anaforica tramite pronomi (*questo, quello*), sinonimi e la ripetizione. Altri segnali discorsivi: *veramente, beh, dài, pure, ...*	Ambiente ed energia. Animali e modi di dire. Raccolta differenziata.	Problemi ambientali e qualità della vita. *La qualità ambientale nelle città italiane.* 

Strategie che usi all'università	Esporre il contenuto di grafici e tabelle.
Parole che usi all'università	Parole relative alle Scienze ambientali.

Unità 12 Andiamo al cinema stasera?

Funzioni comunicative	Elementi grammaticali	Elementi testuali	Elementi lessicali	Elementi culturali
Precisare il rapporto temporale tra due azioni. Esprimere la causa di un'azione. Esprimere il modo in cui avviene un'azione. Indicare l'ipotesi da cui dipende un'azione. Indicare una situazione a cui segue un effetto non previsto. Riportare il discorso di altre persone. Cercare di coinvolgere l'interlocutore. Autocorreggersi.	Il gerundio presente e passato. L'infinito passato. Il discorso indiretto.	Alcuni fenomeni tipici del parlato.	Cinema e generi cinematografici.	Registi, attori, correnti del cinema italiano di ieri e di oggi. *Di film e di altro: brevissima sintesi del meglio (e del peggio...) del cinema italiano.* 

Strategie che usi all'università	Riformulazioni in contesti formali.

Hai visto come sono vestiti?

Entriamo in tema

- ⮑ Quanto è importante la moda nel tuo paese?
- ⮑ Segui la moda e le tendenze?
- ⮑ Cosa pensi della moda italiana?
- ⮑ Conosci qualche stilista italiano?
- ⮑ Secondo te, quanto è importante la moda per gli italiani?

Ora osserva l'immagine e descrivila.

Comunichiamo

1. Prima di ascoltare il dialogo osserva il significato delle espressioni evidenziate.

Possiamo anche solo fare un giro in centro.	= fare una passeggiata senza una meta precisa
Vorrei fare un po' di shopping.	= fare acquisti: vestiti, scarpe, accessori ecc.
Sono tutti così alla moda.	= vestiti secondo la moda attuale
Mi sono sentita un pesce fuor d'acqua.	= sentirsi in una situazione imbarazzante
Non farci caso.	= non considerarla una cosa eccezionale
roba ganza	= carina, bella, piacevole
Vuoi andare a dare un'occhiata?	= guardare un po'

2. Ascolta il dialogo. Vero o falso?

	Vero	Falso
1. Jessica e Alice si incontrano per passare il pomeriggio insieme.	▢	▢
2. Alice propone di andare al cinema.	▢	▢
3. Jessica preferisce fare shopping.	▢	▢
4. Secondo Jessica, i ragazzi italiani sono vestiti in modo elegante.	▢	▢
5. Per Alice è normale vestirsi bene per uscire con gli amici.	▢	▢

3. Ascolta di nuovo il dialogo e leggi il testo. Controlla le risposte dell'attività 2.

Alice: Ciao Jessica, come va?

Jessica: Bene, grazie. E tu Alice, come stai?

Alice: Benissimo! È sabato, non c'è lezione all'università, stamani ho dormito fino alle 11, quindi tutto ok. Senti, cosa ti va di fare? A Palazzo Strozzi c'è una bella mostra su Galileo: possiamo andarci, se vuoi; oppure ho letto sul giornale che in Piazza Santa Croce c'è la fiera del cioccolato... Possiamo anche solo fare un giro in centro e ci fermiamo a prendere un gelato... Dimmi tu.

Jessica: Vorrei fare un po' di shopping: mentre ti aspettavo, guardavo tutti questi ragazzi qui in piazza e mi sono sentita un po' a disagio...

Alice: A disagio?! E perché?

UFFICIO INFORMAZIONI

Il gusto nel vestire e il sistema della moda che si è sviluppato in Italia dagli anni '50, rientrano nell'importanza attribuita nella cultura italiana al "fare bella figura". Già nel 1964 L. Barzini jr. ha descritto questa caratteristica del popolo italiano nel suo libro *Gli italiani*. Anche Beppe Severgnini ha analizzato questo tratto culturale italiano nel libro *La testa degli italiani*.

Jessica:	Ma scusa, li hai visti come sono vestiti?! Sono tutti così alla moda che mi sono sentita – come si dice? – ah, sì: un pesce fuor d'acqua!
Alice:	Ah ah! Ma dài, figurati! Non farci caso: è sabato pomeriggio e Piazza della Repubblica è il luogo di incontro più famoso di Firenze. Qui ci si trova per decidere cosa fare… Come noi, no?!
Jessica:	Ho capito, ma vedi per esempio quel gruppo di ragazze là? Io le ho osservate bene. Guarda che magliette e che pantaloni: sembrano tutte pronte per un'occasione molto speciale!
Alice:	Ma, no, dài: è normale vestirsi bene per uscire con gli amici il sabato pomeriggio. A proposito, nel tuo paese cosa facevi il sabato pomeriggio?
Jessica:	Ehm… quando ero a casa mia, il sabato pomeriggio era il giorno in cui mi vestivo peggio: anche se incontravo degli amici, magari stavamo un po' a casa di qualcuno ad ascoltare la musica o a parlare. E anche se andavamo a prendere un caffè da qualche parte, tutti volevano stare comodi e nessuno ha mai pensato di vestirsi così bene solo per vedersi con gli amici! Non siamo mai usciti così curati! Magari ci preparavamo con più cura per la sera, ma solo se dovevamo andare in qualche posto speciale, come a una festa.
Alice:	Beh, no, in Italia è un po' diverso… Nessuno esce di casa se non si sente alla moda: questo è vero. Sei considerato un tipo un po' strano se ti vesti male… Ma secondo me, tutti questi ragazzi sono vestiti sportivi, non ti pare?
Jessica:	Sportivi? Se io mi vesto sportiva vado in palestra e ho abiti larghi, comodi per un'attività fisica! Qui hanno tutti vestiti stretti!
Alice:	Sì: "attillati". Beh, hai ragione, ma insomma non sono eleganti… Sono solo alla moda, non sono vestiti formali, via!
Jessica:	Neanche informali, secondo me! Comunque guarda, Alice, ho capito una cosa: io sembrerò sempre una straniera con questi vestiti! Aiutami a trovare qualcosa di più… italiano! Dove compri i tuoi vestiti? Questa gonna, per esempio: dove l'hai comprata?
Alice:	Ah, qui in centro: c'è un negozio dove ho sempre trovato roba ganza a buon prezzo. Anche questo giubbotto l'ho comprato lì. Vuoi andare a dare un'occhiata?
Jessica:	Sì, dài: andiamoci subito!

 4. Completa con le parole mancanti. Se necessario, rileggi il testo del dialogo.

Nel tempo libero a Jessica piace indossare vestiti larghi e comodi, ma i ragazzi italiani portano vestiti

.... Per Jessica l'abbigliamento .... è adatto per

fare sport, quindi pensa che i ragazzi in Piazza della Repubblica siano ....

Secondo Alice, però questi vestiti non sono formali, ma ....; in pratica tutti

i ragazzi sono solo ....

 5. Cosa pensi della moda? Discutine con un compagno, ecco alcuni spunti.

1. Quali sono, per te, le caratteristiche della moda italiana? 2. Secondo te, perché è così famosa nel mondo? 3. È importante per te essere alla moda? 4. Nel tuo paese e/o in Italia, ti sei mai sentito/a come Jessica? 5. Secondo te, perché la moda è così importante in Italia?

◎ **Impariamo le parole - Abbigliamento, calzature, accessori**

 6. Scrivi le parole della lista sotto le immagini.

> maglia - sandali - calzini - borsa - felpa - bermuda - cintura - impermeabile

1. ....

2. ....

3. ....

4. ....

5. ....

6. ....

7. ....

8. ....

7. Guarda le immagini dell'esercizio precedente e inserisci le espressioni della lista.

con il cappuccio - a maniche lunghe - di pelle - di cotone - di lana - il tacco alto

1. La maglia a righe è .... e ....
2. La cintura e la borsa sono ....
3. I calzini sono ....
4. La felpa è ....
5. I sandali hanno ....

8. Guarda le immagini e completa. Attenzione alla concordanza dei sostantivi.

collo - colletto - polsino - bottone - cerniera

1. Questa bella giacca di lana è unisex ed è molto comoda: si può portare bene anche quando fa freddo perché ha il .... alto e la chiusura con la .... evidenzia il disegno decorativo.

2. La camicia da uomo ideale per la prossima primavera-estate è classica: a righe, con il .... fermato da due piccoli .... e il .... a punta.

9. Riempi questi tre insiemi con le parole presenti nelle attività 6, 7 e 8; aggiungi anche altre parole che ricordi dell'unità 12 del volume 1.

Abbigliamento

Calzature

Accessori

10. In Italia è molto importante vestirsi in modo appropriato all'occasione. Descrivi a un compagno come ti piace vestirti per andare a...

- una festa
- fare sport
- teatro

- una lezione universitaria
- un appuntamento con l'uomo / la donna dei tuoi sogni

11. Ora il compagno deve indovinare dove stai andando. Usa le espressioni date.

(Porto...) (Mi metto...) (Indosso...) (Mi vesto - Sono vestito/a di nero...)

Facciamo grammatica

12. Leggi di nuovo il dialogo dell'attività 3. Qual è la dimensione temporale più usata?

presente ▢   passato ▢   futuro ▢

13. Cerchia nel testo tutti i verbi al passato e dividili in due colonne, utilizzando per ognuna il colore indicato nell'esempio.

stamani ho dormito fino alle 11...   Mentre ti aspettavo...

....
....
....
....
....
....
....
....
....
....
....
....

Tutti i verbi scritti in blu sono al tempo .... e tutti i verbi scritti in rosso sono al tempo ....

14. Hai incontrato questi tempi verbali nel primo volume. Osserva le immagini e scegli l'alternativa corretta.

1. Il passato prossimo esprime un'azione o un evento dinamico/compiuto nel passato.

├──┤

2. L'imperfetto esprime un'azione passata o un evento dinamico/compiuto nel passato.

15. Ricordi la regola?

1. Il passato prossimo è formato da due verbi: il .... del verbo ausiliare ....
   oppure .... + il .... del verbo principale.

2. Il participio passato dei verbi come *pensare* è in ➡ ....; dei verbi come *ricevere* è in ➡
   ....; dei verbi come *dormire* è in ➡ ....

Edizioni Edilingua

3. Quando il verbo ha un oggetto diretto scegliamo SEMPRE l'ausiliare ....
   Quando il verbo ha un oggetto indiretto (con una preposizione, quindi) scegliamo SPESSO l'ausiliare ....
   Con i verbi riflessivi si sceglie SEMPRE l'ausiliare ....

16. Adesso guarda tutti i verbi della prima colonna nell'attività 13. Scegli l'alternativa corretta.

1. Quando è preceduto dall'ausiliare essere, il participio passato si accorda/non si accorda con il soggetto. *Esempi:* ....
2. Quando è preceduto dall'ausiliare avere, il participio passato si accorda/non si accorda con il soggetto. *Esempi:* ....
3. Quando è preceduto dal pronome diretto che anticipa l'ausiliare avere, il participio passato si accorda/non si accorda con l'oggetto diretto.
   Esempi: ....

17. Osserva i verbi della seconda colonna dell'attività 13 e completa la tabella.

	guardare	volere	vestirsi		desinenze
io			mi		-
tu			ti		-
lui/lei/Lei	guarda-	vole-	si	vesti-	-va
noi			ci		-
voi			vi		-vate
loro			si		-vano

18. Ricordi l'imperfetto di questo verbi? Prova a scriverlo qui sotto.

	essere	fare	bere	dire
io				
tu				
lui/lei/Lei				
noi				
voi				
loro				

19. Nelle seguenti frasi inserisci i verbi...

a. al passato prossimo.

Ieri mattina io e la mia amica Gianna (incontrarsi) (1)............................. in centro e (decidere) (2)............................. di fare un giro. Per prima cosa (prendere) (3)............................. un gelato al Ponte Vecchio. Ad un certo punto, da lontano, io (vedere) (4)............................. Paolo e Marco e li (aspettare) (5)............................. per salutarli.

b. all'imperfetto.

Quando Tom (uscire) (1)............................. dall'università, gli (piacere) (2).............. .... molto andare a fare una passeggiata in centro. Ogni tanto (fermarsi) (3)............................. a guardare le vetrine e se (incontrare) (4)...... .... un amico, (bere) (5)............................. qualcosa insieme.

20. Discuti con un compagno.

1. Come passavi il sabato pomeriggio quando eri nel tuo paese? 2. Come ti vestivi di solito durante la settimana? 3. E nel fine settimana? 4. Quale abbigliamento preferivi per le occasioni speciali?

Entriamo in tema

Osserva queste pubblicità e rispondi alle domande.

UNITED COLORS OF BENETTON.

⟳ Conosci i negozi *Benetton*? Ci sono nel tuo paese?
⟳ Ti piace lo stile *Benetton*?
⟳ Quale status symbol è associato allo stile *Benetton*?
⟳ Cosa vogliono comunicare queste due pubblicità?

Comunichiamo

21. Leggi il testo e rispondi alle domande.

La *Benetton* è un'azienda di maglieria e pronto moda fondata nel 1965 a Ponzano Veneto (Treviso) dai fratelli Luciano, Giuliana, Gilberto e Carlo Benetton. All'inizio era semplicemente un laboratorio artigianale specializzato in maglieria con un buon contenuto moda e prezzi molto accessibili. Oggi, con un fatturato che sfiora i 9 miliardi di euro, negozi sparsi in tutto il mondo, è diventato il dodicesimo gruppo industriale italiano nella classifica di *Mediobanca*.

Da anni le campagne pubblicitarie della produzione *Benetton*, campagne innovative e spesso provocatorie, hanno la firma di un grande fotografo, Oliviero Toscani, creatore oltre che di immagini anche di slogan e di messaggi. *Benetton* è un'azienda che studia il tessuto, disegna la collezione, taglia, tinge e controlla la qualità di quasi 80 milioni di capi all'anno e li distribuisce in contemporanea in 7 mila negozi di 120 paesi. Le fasi meno complicate della lavorazione, come la cucitura e la stiratura, sono fatte all'esterno: un gruppo di aziende venete lavora praticamente solo per *Benetton* e occupa 30 mila persone.

Tutto è cominciato quasi per caso. Racconta Luciano Benetton: "Mia sorella Giuliana è la stilista fra di noi: confezionava maglie per un negozietto della nostra zona. Un giorno, mi ha regalato un maglione di un luminosissimo colore giallo. Beh, tutti lo volevano. Erano stanchi dei colori tristi e smorti dell'epoca. Allora ho detto: dài proviamo, tu Giuliana crei e io vendo. Abbiamo comprato una vecchia macchina che faceva le righe alle calze a rete. L'abbiamo trasformata e abbiamo cominciato a lavorare. Da allora, è passato tanto tempo e io ed i miei fratelli abbiamo passato tante ore a lavorare, ma non ci ha più fermato nessuno".

Recentemente la *Benetton* ha festeggiato 40 anni di attività con un evento straordinario a cui hanno partecipato ospiti famosi come Patti Smith e Spike Lee. I festeggiamenti sono cominciati con una sfilata straordinaria in cui le modelle e i modelli hanno portato in passerella il tipico stile *Benetton*, caratterizzato da maglieria e tessuti colorati.

adattato da Baldini&Castoldi, *Dizionario della Moda*. Milano

> **ⓘ UFFICIO INFORMAZIONI**
>
> A Firenze è attivo dal 1986 il *Polimoda, International Institute Fashion, Design & Marketing*: un centro di alta formazione per il settore moda riconosciuto a livello internazionale. Forma tutti i principali profili del settore della moda ed è in costante contatto con il mondo delle imprese, quindi fornisce agli studenti una formazione professionale di qualità in sintonia con le esigenze delle aziende. Collaborano con *Polimoda* le più importanti personalità del settore della moda, come Ferruccio Ferragamo e Santo Versace.
>
> (*www.polimoda.com*)

1. Come e quando è nata la *Benetton*?

....

Edizioni Edilingua

2. Chi è Oliviero Toscani? Che rapporto ha con la *Benetton*?

   ....

3. Qual è la formula del successo della *Benetton*?

   ....

4. Cosa ha organizzato l'azienda *Benetton* per i primi 40 anni di attività?

   ....

Carlo, Gilberto, Giuliana e Luciano Benetton
(Foto: O. Toscani)

Impariamo le parole - L'industria della moda

22. Rileggi con un compagno il testo sulla *Benetton* e provate insieme a spiegare il significato delle parole date. Usate un dizionario monolingue, ne trovate anche online.

maglieria	collezione	sfilata
pronto moda	stilista	stiratura
fatturato	capi (di abbigliamento)	tessuto
modello/a	cucitura	

Parole che usi all'università

23. Le parole che hai imparato nell'attività 22 fanno parte della microlingua della moda e le puoi trovare in testi usati nelle facoltà e negli istituti universitari (come il *Polimoda di Firenze*) che propongono percorsi di studio nel campo della moda. Ora riutilizzale e completa il testo, scegliendo fra le opzioni A, B, C, D.

Il successo di un'azienda e di un marchio di moda dipendono molto dalla creatività del suo principale (1) e dalla sua capacità di anticipare i gusti e le tendenze della società. Una casa di moda propone e rinnova il suo stile ogni anno, durante le (2), quando presenta la nuova (3) per l'anno seguente. Ogni azienda è impegnata in una costante ricerca che riguarda i (4) usati per preparare gli abiti, ma anche particolari tecniche di (5), che spesso sono le vere e proprie decorazioni di un abito.

Molte aziende italiane si sono sviluppate soprattutto grazie alla produzione di (6) di alta moda per un mercato abbastanza ampio – detta anche pronto moda – che ha determinato un incremento del loro (7) e guadagni molto elevati.

	A	B	C	D
1.	abito	stilista	modello	lavoratore
2.	sfilate	serate	occasioni	presentazioni
3.	assistente	collezione	gonna	selezione
4.	colori	pantaloni	tessuti	collaboratori
5.	cucitura	maglieria	produzione	vendita
6.	marchi	capi	stiratura	stivali
7.	abbigliamento	ufficio	personale	fatturato

Scriviamo insieme

24. *Un italiano di successo.*

Scegliete un marchio o uno stilista italiano che vi piace particolarmente e lavorate in tre gruppi. Il primo gruppo scrive la biografia dello stilista o della persona che ha creato il marchio; il secondo gruppo racconta la storia dell'azienda e il terzo gruppo descrive il genere di abiti/calzature/accessori che produce l'azienda e le ragioni che ne hanno determinato il successo. Se volete, potete servirvi di Internet.

Facciamo grammatica

- Tutto è cominciato quasi per caso.
- L'abbiamo trasformata e abbiamo cominciato a lavorare.
- Da allora, è passato tanto tempo e io ed i miei fratelli abbiamo passato tante ore a lavorare.

25. Conosci altri verbi che possono usare sia *essere* che *avere*? Fai qualche esempio.

Osserva!

- Vorrei fare un po' di shopping: mentre ti aspettavo, guardavo tutti questi ragazzi qui in piazza e mi sono sentita un po' a disagio...
- Quando ero a casa mia, il sabato pomeriggio era il giorno in cui mi vestivo peggio: anche se incontravo degli amici, magari stavamo un po' a casa di qualcuno [...]. E anche se andavamo a prendere un caffè [...], tutti volevano stare comodi e nessuno ha mai pensato di vestirsi così bene [...]! Non siamo mai usciti così curati! Magari ci preparavamo con più cura per la sera, ma solo se dovevamo andare [...] a una festa.

Le forme evidenziate (prese dall'*attività 3*) sono al passato prossimo e all'imperfetto.

26. Scrivi la regola. Rispondi alle domande.

Quando parliamo di azioni, eventi o esperienze avvenute nel passato, combiniamo queste due forme verbali. In particolare:

1. in quali frasi si utilizza l'imperfetto per esprimere due azioni contemporanee?

....

2. in quali frasi si utilizza il passato prossimo per esprimere una sequenza di azioni?

....

3. in quali frasi si utilizzano insieme l'imperfetto e il passato prossimo per esprimere un'azione in corso interrotta da un'altra azione?

....

27. Completa il testo con i verbi al passato prossimo o all'imperfetto.

I fratelli Benetton (cominciare) (1).............................. la loro avventura nel mondo della moda nel 1965, quando Giuliana (regalare) (2)................... .... a suo fratello Luciano un maglione giallo che (piacere) (3)........... .... a tutti i loro amici. All'inizio (essere) (4)............................. .... solo quattro fratelli veneti che (fare) (5)................................. maglie- ria bella a prezzi contenuti, ma in pochi anni la *Benetton* (diventare) (6)......... .... una delle più importanti industrie di moda italiana.

Oliviero Toscani (determinare) (7)................................. buona parte del loro successo come curatore delle loro più belle campagne pubblicitarie.

Comunichiamo

28. Qual è stata la tua prima impressione della moda italiana? Raccontala a un compagno.

Esempio: Quando ho visto degli abiti italiani…

29. Cosa hanno fatto Jessica e Alice sabato pomeriggio? Scegli una delle ipotesi e continua la storia al passato.

1. ☐ Jessica e Alice sono andate a fare spese nel negozio preferito di Alice. Jessica ha comprato una gonna blu e una maglietta a maniche lunghe. Dopo…

2. ☐ Jessica e Alice sono andate a fare spese nel negozio preferito di Alice e davanti al negozio hanno incontrato…, quindi…

3. ☐ Jessica e Alice sono andate a fare spese nel negozio preferito di Alice, ma per strada Jessica ha cambiato idea perché…

Analizziamo il testo

Osserva!

1. È sabato, non c'è lezione […], stamani ho dormito fino alle 11, quindi tutto ok. (*Attività 3*)
2. A Palazzo Strozzi c'è una bella mostra su Galileo: possiamo andarci, se vuoi; oppure ho letto sul giornale che in Piazza Santa Croce c'è la fiera del cioccolato… Possiamo anche solo fare un giro in centro e ci fermiamo a prendere un gelato… (*Attività 3*)
3. Beh, hai ragione, ma insomma non sono eleganti… (*Attività 3*)

30. Scegli l'alternativa corretta.

Nella frase 1 quindi significa:
a. È sabato, non c'è lezione […], stamani ho dormito fino alle 11, per questo motivo (è) tutto ok. ☐
b. È sabato, non c'è lezione […], stamani ho dormito fino alle 11, poi tutto ok. ☐

Nella frase 2 oppure significa:
a. A Palazzo Strozzi c'è una bella mostra su Galileo: possiamo andarci, se vuoi; allora ho letto sul giornale che in Piazza Santa Croce c'è la fiera del cioccolato… ☐
b. A Palazzo Strozzi c'è una bella mostra su Galileo: possiamo andarci, se vuoi; in alternativa ho letto sul giornale che in Piazza Santa Croce c'è la fiera del cioccolato… ☐

Nella frase 3 ma significa:
a. Beh, hai ragione, però insomma non sono eleganti… ☐
b. Beh, hai ragione, dunque insomma non sono eleganti… ☐

Le parole evidenziate sono congiunzioni con valore di connettivi che permettono di unire le frasi all'interno di un testo. La stessa funzione può essere svolta in alcuni casi dalla **punteggiatura**, come puoi notare anche negli esempi che seguono.

- Quando ero a casa mia, il sabato pomeriggio era il giorno in cui mi vestivo peggio: anche se incontravo degli amici, magari stavamo un po' a casa di qualcuno ad ascoltare la musica o a parlare. (*Attività 3*)

- Mia sorella Giuliana […] confezionava maglie per un negozietto della nostra zona. Un giorno, mi ha regalato un maglione di un luminosissimo colore giallo. Beh, tutti lo volevano. Erano stanchi dei colori tristi e smorti dell'epoca. (*Attività 21*)

31. Scrivi la regola.

1. Le frasi che abbiamo appena visto sono:
   a. tutte dipendenti l'una dall'altra
   b. alcune dipendono da una frase principale
   c. ognuna è di senso compiuto

2. Per questo motivo queste frasi sono collegate fra di loro con una relazione di:
   a. coordinazione (ogni frasi è completa anche da sola)
   b. subordinazione (la frase principale è completa anche da sola; la secondaria è incompleta senza la principale)

32. Con le frasi qui sotto scrivi un testo utilizzando la punteggiatura e le congiunzioni per coordinare le frasi fra di loro.

1. Jessica si è preparata per uscire con la sua amica Alice.
2. Voleva stare comoda. Ha deciso di mettere abiti sportivi. Ha scelto un paio di pantaloni larghi e una felpa con il cappuccio.
3. Quando è arrivata in Piazza della Repubblica Alice non era ancora arrivata. Ha cominciato ad osservare le persone intorno a lei. Tutti erano vestiti molto bene. Jessica si sentiva a disagio con i suoi vestiti.
4. Alice è arrivata. Ha detto che era normale vestirsi così bene per uscire con gli amici il sabato pomeriggio.
5. Jessica voleva comprare qualche vestito nuovo. Le due amiche sono andate in un negozio di abbigliamento che Alice conosce bene.

Conosciamo gli italiani

33. Leggi il testo. Vero o falso?

Il filo d'oro. 50 anni di moda italiana
L'esordio della moda italiana

Il primo *défilé* collettivo di moda completamente italiana, ritenuto da molti la data di nascita della moda italiana, è avvenuto a Firenze: il marchese Giovanni Battista Giorgini, il 12 febbraio 1951 organizza nella sua casa fiorentina in Via dei Serragli, il *First Italian High Fashion Show*. Alla base di questo evento c'era una grande intuizione: riuscire a convincere i presidenti dei magazzini americani a venire a Firenze il giorno dopo le sfilate di Parigi. Giorgini invita dieci stilisti con diciotto modelli a testa; tra i partecipanti c'è, fra gli altri, anche Germana Marucelli, anticipatrice del *new look* di Christian Dior.

Giorgini era estremamente emozionato: "Ero in un angolo della sala col cuore in gola: gli esperti di moda avevano appena visto tutte le collezioni di Parigi e non potevo capire dalle loro espressioni se questa collezione piaceva o non piaceva. Terminata la sfilata mi avvicinai per sapere la loro reazione: entusiasti. Questo gruppo di cinque compratori tornò in America con un tale entusiasmo che per la seconda sfilata vennero dall'America in 300!"

È un successo incredibile e in seguito, per le sfilate successive, il comune di Firenze, con un'idea illuminata, permette l'utilizzo di Palazzo Strozzi prima e Palazzo Pitti poi, nella famosa Sala Bianca. Le sfilate sono ben organizzate, emozionanti: la passerella è sempre la stessa, è lo stile del sarto a cambiare.

Il fenomeno commerciale della moda non esisteva prima delle sfilate di Giorgini: le case di alta moda, infatti, vendevano solo ai privati. L'esempio più importante di impresa che si costituisce negli anni successivi alla Seconda Guerra Mondiale è rappresentato dal gruppo GFT (Gruppo Finanziario Tessile) che crea il sistema delle taglie e della vendita nei grandi magazzini. È un passo straordinario per lo sviluppo della moda italiana come prodotto culturale da commercializzare.

Intanto dal '58 al '63 il "grande *boom* economico" fa aumentare i consumi del 5%. Quindi proprio mentre cresce l'industria tessile, la domanda si sposta verso altri mercati, ma nello stesso momento molti stilisti creano l'alta moda pronta, ovvero il prodotto di alta moda per un mercato più ampio. Nasce così il *prêt-à-porter* italiano. Le *boutique* più importanti hanno iniziato da allora a vendere non più abiti su misura ma confezionati in taglie, adattabili quindi a tutti i clienti e a costi più bassi. La qualità dei vestiti era ed è rimasta comunque molto alta, grazie anche ai materiali usati: stoffe pregiate, seconde solamente a quelle inglesi.

adattato da *www.lastoriasiamonoi.rai.it*

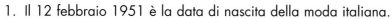

	Vero	Falso
1. Il 12 febbraio 1951 è la data di nascita della moda italiana.	⬜	⬜
2. La prima sfilata di moda italiana è stata a Palazzo Pitti.	⬜	⬜
3. I compratori americani hanno apprezzato poco lo stile italiano.	⬜	⬜
4. Il gruppo GTF comincia la produzione di abiti in taglie.	⬜	⬜
5. Il *boom* economico ha favorito la nascita del sistema della moda.	⬜	⬜
6. Il *prêt-à-porter* ha permesso di contenere i prezzi dei vestiti.	⬜	⬜
7. Per abbassare i prezzi, per il *prêt-à-porter* si usano stoffe scadenti.	⬜	⬜

Parliamo un po'...

⟳ Qual è, secondo te, il prodotto più rappresentativo del tuo paese?

⟳ Puoi raccontare come è nato e si è sviluppato?

⟳ L'idea di "fare bella figura" esiste anche nel tuo paese?

⟳ Oltre che nella moda, secondo te, questa idea è presente anche in altre espressioni della cultura italiana? Quali?

◉ Si dice così!

Ecco alcune espressioni utili per...

Descrivere come è vestita una persona	Porta... Indossa... Si è messo... È vestito di **nero/bianco/rosso**...
Descrivere un'abitudine o uno stato d'animo tipico del passato	Quando ero a casa mia, il sabato pomeriggio era **il giorno in cui** mi vestivo **peggio**...
Narrare due azioni contemporanee nel passato	**Mentre ti** aspettavo, guardavo **tutti questi ragazzi qui in piazza**...
Narrare una sequenza di azioni passate	Abbiamo comprato **una vecchia macchina**. L'abbiamo trasformata e abbiamo cominciato **a lavorare. Da allora, non ci** ha **più** fermato **nessuno**.
Narrare un evento passato dinamico, interrotto da un'azione più breve	Mia sorella Giuliana confezionava **maglie. Un giorno, mi** ha regalato **un maglione di un luminosissimo colore giallo**.

◉ Sintesi grammaticale

● Il passato prossimo

Il passato prossimo si usa per esprimere un'azione passata che è cominciata e finita. Descrive quello che è successo in un segmento preciso di passato, esattamente delimitato, o quello che si è fatto una sola volta nel passato.

Esempi:

Mi sono sentita un po' a disagio.

Ho letto sul giornale che in Piazza Santa Croce c'è la fiera del cioccolato.

Per formare il passato prossimo sono necessari due verbi: il presente indicativo di *essere* o *avere* (verbi ausiliari) + il participio passato del verbo principale.

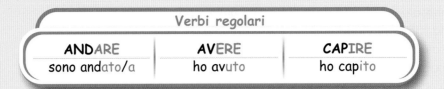

Verbi regolari		
ANDARE sono andato/a	**AVERE** ho avuto	**CAPIRE** ho capito

- ## Scelta del verbo ausiliare *essere* o *avere*

    Si usa SEMPRE l'ausiliare avere con tutti i verbi che hanno (o possono avere) un *oggetto diretto* (che cioè segue il verbo senza una preposizione).

    Esempio:

    Ho letto *una notizia* sul giornale.

    Si usa SEMPRE l'ausiliare essere con tutti i verbi riflessivi.

    Esempio:

    Mi sono sentita a disagio.

    Si usa SPESSO l'ausiliare essere con i verbi che hanno (o possono avere) un *oggetto indiretto* (che segue il verbo ed è preceduto da una preposizione). Questi sono in genere, ma non sempre, verbi di movimento o che indicano uno sviluppo.

    Esempi:

    Non siamo mai usciti [*di casa*] tutti così curati.

    Oggi, con un fatturato che sfiora i 9 miliardi di euro, negozi sparsi in tutto il mondo, è diventato il dodicesimo gruppo industriale italiano nella classifica di *Mediobanca*.

Verbi con oggetto indiretto che usano il verbo ausiliare AVERE			
ABITARE	ho abitato	RIDERE	ho riso
CAMMINARE	ho camminato	RIPOSARE	ho riposato
DORMIRE	ho dormito	SCHERZARE	ho scherzato
NUOTARE	ho nuotato	TELEFONARE	ho telefonato
PARLARE	ho parlato	SCIARE	ho sciato
PIANGERE	ho pianto	VIAGGIARE	ho viaggiato

Alcuni verbi possono avere una costruzione con *oggetto diretto* o con *il solo oggetto indiretto*. Questi verbi usano l'ausiliare avere se sono seguiti (o possono essere seguiti) da un oggetto diretto; usano essere se sono seguiti (o possono essere seguiti) dal solo oggetto indiretto.

Esempio:

Da allora, è passato tanto tempo e io ed i miei fratelli abbiamo passato tante ore a lavorare, ma non ci ha più fermato nessuno.

- ## Accordo del participio passato

    Il participio passato si accorda in genere e numero con il soggetto quando è preceduto dal verbo ausiliare essere.

    Esempio:

    (*Jessica*) Mi sono sentita a disagio.

    Il participio passato non si accorda in genere e numero con il soggetto quando è preceduto dal verbo ausiliare avere.

    Esempio:

    (*Alice*) Ho letto sul giornale che in Piazza Santa Croce c'è la fiera del cioccolato.

 Edizioni Edilingua

Il participio passato si accorda in genere e numero con il pronome personale diretto che precede il verbo, anche se c'è il verbo ausiliare avere.

Esempi:

Ma scusa, li hai visti come sono vestiti?!

Ho capito, ma vedi per esempio quel gruppo di ragazze là? Io le ho osservate bene...

Questa gonna, per esempio: dove l'hai comprata?

• L'imperfetto

L'imperfetto si usa per esprimere:

a) un'azione passata ripetuta o fatta più di una volta, come per esempio un'abitudine nel passato

Esempio:

Quando ero a casa mia, il sabato pomeriggio era il giorno in cui mi vestivo peggio: anche se incontravo degli amici, magari stavamo un po' a casa di qualcuno ad ascoltare la musica o a parlare.

b) un momento di un'azione passata che non è chiaro quando comincia e/o quando finisce nel passato

Esempio:

Mia sorella Giuliana confezionava maglie per un negozietto della nostra zona.

Verbi regolari			
	GUARDARE	**VOL**ERE	**VEST**IRE
io	guardavo	volevo	vestivo
tu	guardavi	volevi	vestivi
lui/lei/Lei	guardava	voleva	vestiva
noi	guardavamo	volevamo	vestivamo
voi	guardavate	volevate	vestivate
loro	guardavano	volevano	vestivano

Verbi irregolari	
infinito	**imperfetto**
ESSERE	ero, eri, era, eravamo, eravate, erano
BERE	bevevo, bevevi, beveva, bevevamo, bevevate, bevevano
DIRE	dicevo, dicevi, diceva, dicevamo, dicevate, dicevano
FARE	facevo, facevi, faceva, facevamo, facevate, facevano

• Passato prossimo ◄─► Imperfetto

Per narrare eventi ed esperienze passate molto spesso usiamo il passato prossimo e l'imperfetto in combinazione.

Quando vogliamo parlare di due o più azioni contemporanee nel passato usiamo solo l'imperfetto.

Esempio:

Mentre ti aspettavo, guardavo tutti questi ragazzi qui in piazza.

Quando vogliamo parlare di una sequenza di azioni passate, fatte l'una dopo l'altra, usiamo solo il passato prossimo.

Esempio:

L'abbiamo trasformata e abbiamo cominciato a lavorare. Da allora, è passato tanto tempo e io ed i miei fratelli abbiamo passato tante ore a lavorare, ma non ci ha più fermato nessuno.

Quando vogliamo parlare di un'azione lunga che non sappiamo esattamente quando comincia e/o quando finisce ed è interrotta da un'azione più breve e delimitata nel tempo, usiamo l'imperfetto per l'azione più lunga e temporalmente indefinita e il passato prossimo per l'azione più breve e delimitata nel tempo passato.

Esempio:
Mia sorella Giuliana confezionava maglie per un negozietto della nostra zona. Un giorno, mi ha regalato un maglione di un luminosissimo colore giallo.

● **La coordinazione**

Per formare un testo possiamo unire fra di loro le frasi in modo che ogni frase rimanga autonoma e indipendente rispetto alle altre. Queste frasi si dicono per questo coordinate.

La coordinazione si può fare:

a) con la **punteggiatura**

   Esempi:
   Quando ero a casa mia, il sabato pomeriggio era il giorno in cui mi vestivo peggio: anche se incontravo degli amici nel pomeriggio, magari stavamo un po' a casa di qualcuno ad ascoltare la musica o a parlare.
   Mia sorella Giuliana confezionava maglie per un negozietto della nostra zona. Un giorno, mi ha regalato un maglione di un luminosissimo colore giallo. Beh, tutti lo volevano. Erano stanchi dei colori tristi e smorti dell'epoca.

b) con alcune congiunzioni (e, ma, quindi, o/oppure...)

   Esempi:
   È sabato, non c'è lezione [...], stamani ho dormito fino alle 11, quindi tutto ok.
   A Palazzo Strozzi c'è una bella mostra su Galileo: possiamo andarci, se vuoi; oppure ho letto sul giornale che in Piazza Santa Croce c'è la fiera del cioccolato... Possiamo anche solo fare un giro in centro e ci fermiamo a prendere un gelato...
   Beh, hai ragione, ma insomma non sono eleganti...

Edizioni Edilingua

1. Sono in grado di...

	molto ++	abbastanza +	poco -	per niente - -
capire un dialogo informale di media lunghezza				
capire un testo informativo di contenuto culturale				
parlare del fenomeno della moda in Italia e all'estero				
discutere il significato di particolari aspetti culturali				
narrare azioni ed eventi personali al passato				

2. Quali sono le parole che vuoi ricordare dell'unità 1? Prova a scrivere anche aggettivi, nomi, verbi, avverbi collegati alle parole che vuoi ricordare.

1. ....
2. ....
3. ....
4. ....
5. ....
6. ....
7. ....
8. ....

3. Conosci altre parole sul tema dell'unità? Se sì, quali? E dove hai sentito o hai letto queste parole?

PAROLE NUOVE	tv	radio	internet	per strada	giornali	altri compagni	altro, specificare

4. Quando studi grammatica, cosa ti piace di più?

	molto ++	abbastanza +	poco –	per niente – –
Cercare in un testo le forme grammaticali				
Ricostruire da solo/a la coniugazione di un tempo verbale				
Conoscere dall'insegnante la regola, eventualmente anche con un confronto con la mia lingua				
Scoprire il significato di una struttura grammaticale nel testo ascoltato/letto				
Trovare le forme e la spiegazione del loro uso nel libro				
Fare esercizi di riempimento				
Produrre testi orali/scritti in cui posso usare le regole appena apprese				
Altro:				

5. Secondo te, quanto sono importanti queste competenze per comunicare bene in italiano?

	molto ++	abbastanza +	poco –	per niente – –
Sapere quando usare la lingua formale e quando quella informale				
Conoscere bene la grammatica				
Conoscere la cultura e le usanze italiane				
Capire e saper usare i gesti italiani				
Avere chiaro quello che si vuole dire e perché				
Conoscere molte parole in italiano				
Essere aperti a discutere con gli altri il significato di espressioni e/o situazioni insolite, che non esistono nella mia lingua-cultura				
Altro:				

Firenze

Edizioni Edilingua

Allora, ti sei iscritto in palestra?

Entriamo in tema

➲ Qual è lo sport nazionale del tuo paese?

➲ Sai spiegarne sinteticamente le regole?

➲ Quali sono gli sport più praticati?

➲ Quanta importanza ha lo sport nelle scuole e nelle università del tuo paese?

Comunichiamo

1. **Prima di leggere il testo osserva il significato delle parole e delle espressioni evidenziate.**

emerge un quadro	= risulta una realtà
con continuità	= in maniera costante, senza interruzioni
saltuariamente	= in maniera incostante, con interruzioni
appassionati	= persone che hanno un particolare interesse per qualcosa (sport, cinema, libri ecc.)
stabile	= senza cambiamenti
potenzialità terapeutiche	= possibili vantaggi per la salute e il benessere

2. **Leggi il testo e completa la tabella che segue.**

Altro che calcio, è il fitness lo sport più amato dagli italiani

Novità! Lo sport preferito (tra quelli praticati) dagli italiani non è il calcio ma il fitness. È questo il dato più sorprendente che emerge da una recente indagine sulla relazione tra i cittadini italiani e lo sport. Nel complesso emerge un quadro della pratica sportiva sostanzialmente ferma: gli italiani preferiscono fare un po' di movimento più che fare un vero e proprio sport e comunque si confermano più sedentari che sportivi. Ma vediamo qualche dato.

5   Sono circa 17 milioni 170 mila le persone (pari al 30,2%) che praticano uno o più sport: il 20,1% lo pratica con continuità, il 10,1% saltuariamente.

16 milioni 120 mila persone (il 28,4%) non praticano uno sport ma fanno attività fisica come passeggiare, nuotare, andare in bicicletta o altro. Le persone che non praticano sport, né fanno attività fisica

10   nel tempo libero, sono oltre 23 milioni e 300 mila, pari al 41% della popolazione.

In passato il calcio è sempre stato nel nostro paese lo sport più seguito e praticato. La più grande novità che emerge dall'indagine è che il gruppo di sport sotto il nome di "ginnastica, aerobica, fitness e cultura fisica" ha raggiunto e superato il calcio. Infatti 4 milioni 152 mila

15   persone praticano il calcio, mentre il gruppo della ginnastica, aerobica, fitness e cultura fisica raggiunge la cifra di 4 milioni 320 mila appassionati. Se a questi aggiungiamo le persone che praticano la danza e il ballo, la percentuale sale a circa il 31% degli sportivi, per un totale di oltre 5 milioni 300 mila persone.

20   È incredibile la crescita della danza e del ballo, in 6 anni il numero delle persone è raddoppiato soprattutto tra le donne di tutte le età. Crescono anche il ciclismo, l'atletica leggera e il jogging. Al contrario, diminuiscono gli sportivi che praticano il tennis e la pallavolo. Stabile il nuoto.

UFFICIO INFORMAZIONI
Ogni anno in Italia si svolge il *Festival del Fitness*, una delle più grandi manifestazioni al mondo in questo settore.

| 25 | Gli uomini praticano sport più delle donne, con alcune eccezioni. Un maggiore interesse degli uomini verso la pratica sportiva caratterizza tutte le classi di età tranne quella inferiore ai 5 anni nella quale le bambine praticano sport più dei bambini (24,3% contro 20,9%). A partire dai 6 anni, invece, la situazione si inverte e le ragazze manifestano un minore interesse per lo sport. Le differenze maggiori si riscontrano tra i 20 e i 24 anni. |

Gli italiani praticano sport prevalentemente per passione o piacere (63,8% degli sportivi), per mantenersi in forma (53,6%) e per divertimento (50,4%). Anche la diminuzione dello stress costituisce una motivazione molto importante (30,4%); seguono la possibilità che lo sport offre di frequentare altre persone (25%), i valori che lo sport trasmette (13,7%), il contatto con la natura (12,7%) e le potenzialità terapeutiche (11,5%). Tra i motivi prevalenti per cui non si pratica sport al primo posto si colloca la mancanza di tempo (indicata dal 40,2% dei non praticanti), seguono la mancanza di interesse (30,3%), l'età (24,1%), la stanchezza/pigrizia (16,2%), i motivi di salute (14,9%), i motivi familiari (12,7%) e i problemi economici (7,1%).

adattato da www.barimia.info

Sport più praticato	Sport con iscritti in crescita	Sport con iscritti in diminuzione	Primi 3 motivi degli italiani che praticano sport	Primi 3 motivi degli italiani che non praticano sport

3. **Qual è il tuo rapporto con lo sport? Discutine con un compagno, ecco alcuni spunti.**

1. Quale sport pratichi? Lo pratichi saltuariamente o con continuità? 2. Come e perché hai cominciato a praticare questo sport? 3. Sei d'accordo con le motivazioni degli italiani che praticano sport? 4. Se non pratichi nessuno sport, quali sono i motivi per cui non lo pratichi? 5. Per te lo sport è principalmente divertimento o attività agonistica?

Impariamo le parole - Attività sportive

4. **Scrivi le parole della lista sotto le immagini.**

> calcio - ginnastica - culturismo - ciclismo - nuoto - equitazione
> corsa - pallavolo - sci - pugilato - pallacanestro - rugby

1. .... 2. .... 3. .... 4. ....

Edizioni Edilingua

5. ....

6. ....

7. ....

8. ....

9. ....

10. ....

11. ....

12. ....

5. **Cosa ti serve per praticare questi sport? Abbina le parole a destra con le parole a sinistra.**

1. canottaggio
2. ciclismo
3. tennis
4. pugilato
5. sci
6. calcio
7. pallavolo e pallacanestro
8. culturismo
9. nuoto
10. scherma

a. il costume e gli occhialini
b. i guantoni
c. gli sci
d. la canoa e i remi
e. il pallone
f. la spada / il fioretto / la sciabola
g. la palla
h. la bicicletta
i. la racchetta e la pallina
l. i pesi

Facciamo grammatica

Osserva!

- Gli italiani preferiscono *fare* un po' di movimento più che *fare* un vero e proprio sport.
- Gli uomini praticano sport più delle donne.
- Le bambine praticano sport più dei bambini.
- Si confermano più *sedentari* che *sportivi*.

Le frasi presentano confronti, paragoni tra elementi delle frasi.
Le parole evidenziate introducono il secondo termine di paragone.

Attenzione!

I comparativi possono essere:

- di maggioranza, in genere introdotti da più;
- di minoranza, in genere introdotti da meno;
- di uguaglianza, in genere introdotti da come o da quanto.

6. Scrivi la regola.

1. Il secondo termine di paragone è generalmente introdotto da che quando si confrontano ....
.... Che si usa anche quando si confrontano avverbi*.

2. Il secondo termine di paragone è generalmente introdotto da di o di + articolo quando si confrontano .... Di si usa anche quando si confrontano un nome e un pronome** o due pronomi***.

*È un pugile che colpisce più *velocemente* che *violentemente*.

**Marco* è più resistente di *me*. / ***Voi* siete meno forti di *noi*.

7. Inserisci *che*, *di* o *di* + articolo.

1. Fare sport è più salutare .... restare a casa a guardare la TV.
2. Il fitness e il culturismo sono cresciuti più .... ciclismo e .... tennis.
3. Gli intervistati dichiarano di praticare uno sport in maniera costante più .... saltuariamente.
4. Gli uomini praticano il ballo e la danza meno .... donne.
5. Andare in piscina è più impegnativo .... andare in palestra.
6. Per fare sport il divertimento è una motivazione più importante .... cura del corpo.

8. Con un compagno fai dei paragoni tra le coppie di sport. Usa anche gli aggettivi della lista.

faticoso - tecnico - violento - femminile - facile - praticato

ciclismo/tennis • danza/culturismo • calcio/nuoto • pugilato/pallavolo

9. Rileggi il testo dell'attività 2 e trova le parole utilizzate per dire...

a. *più piccolo* (righe 25-30) ....
c. *più grandi* (righe 25-30) ....
b. *più grande* (righe 20-25) ....
d. *più bassa* (righe 20-25) ....

10. Completa la tabella con i comparativi e i superlativi irregolari degli aggettivi della lista.

migliore - minimo - il peggiore - minore - pessimo - il minore - superiore
il migliore - il superiore - inferiore - l'inferiore - ottimo - peggiore

grado positivo	comparativo	superlativo relativo	superlativo assoluto
grande	più grande / maggiore	il più grande / il maggiore	grandissimo/massimo
piccolo	più piccolo /	il più piccolo /	piccolissimo/...................
alto	più alto /	il più alto /	altissimo/supremo
basso	più basso /	il più basso /	bassissimo/infimo
buono	più buono /	il più buono /	buonissimo/...................
cattivo	più cattivo /	il più cattivo /	cattivissimo/...................

● Nel calcio l'Italia è superiore alla Grecia.

Con inferiore e superiore il secondo termine di paragone è introdotto dalla preposizione a (+ articolo).
Nota che superiore e inferiore si possono riferire anche alla grandezza, alla quantità, alla qualità.

Edizioni Edilingua

11. Osserva il medagliere olimpico e fai tutti i confronti possibili.

Nazione	Oro	Argento	Bronzo	Totale
Cina	51	21	28	100
Stati uniti	36	37	36	109
Russia	23	21	28	72
Gran Bretagna	19	13	15	47
Germania	16	10	15	41

Esempio: La Cina è stata la nazione migliore. Gli Stati Uniti hanno vinto più medaglie della Cina, ma...

Entriamo in tema

Osserva questi volantini. Dove vorresti iscriverti? Discutine con un compagno.

Comunichiamo

12. Ascolta il dialogo. Vero o falso?

	Vero	Falso
1. Marco non va in palestra perché è lontana da casa sua.	☐	☐
2. Fare sport serve solo per il fisico.	☐	☐
3. La fitboxe permette un allenamento completo.	☐	☐
4. Marco vuole fare fitboxe.	☐	☐
5. Marco ha problemi alla schiena.	☐	☐

13. Ascolta di nuovo il dialogo e leggi il testo. Controlla le risposte dell'attività 12.

Luca: Allora, Marco, ti sei iscritto in palestra?

Marco: No... mi piacerebbe, ma non ce la faccio. Quest'anno le lezioni che seguo all'università finiscono alle 6... è troppo tardi per andare alla palestra del CUS.

Luca: E allora vieni nella mia palestra! Costa un po' di più ma è aperta fino alle 10 e mezzo. Molti corsi iniziano alle 9 di sera.

Marco: Sì, ma quando torno a casa ho solo la forza di sdraiarmi sul divano e guardare la TV.

Luca: Va bene, ma poi non ti lamentare se ingrassi.

Marco: Beh, in effetti sto aumentando un po' di peso.

Luca: Ecco, appunto! Ma scusa, ti sembra normale non fare nessuna attività fisica?

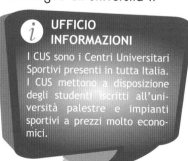

i **UFFICIO INFORMAZIONI**

I CUS sono i Centri Universitari Sportivi presenti in tutta Italia. I CUS mettono a disposizione degli studenti iscritti all'università palestre e impianti sportivi a prezzi molto economici.

l'italiano all'università

Un po' di sport dovresti assolutamente farlo. E poi lo sport ti aiuterebbe anche a studiare meglio perché ti libera la mente e ti fa rilassare.

Marco: E secondo te, che corsi potrei fare?

Luca: Guarda, io faccio fitboxe. È una specie di pugilato con la musica, ma non combattiamo tra persone, usiamo i sacchi. È un ottimo allenamento per tutto il corpo: le braccia, le gambe, il petto, la pancia e i glutei. E poi è divertente.

Marco: Non sarà pericoloso come sport?

Luca: Ma no, per niente. Perché non vieni a provare?

Marco: Mh... non so. Con il mio mal di schiena...

Luca: Allora per il mal di schiena potresti cominciare con un po' di yoga. Così faresti un sacco di stretching e la tua schiena migliorerebbe sicuramente.

Marco: Ok, magari uno di questi giorni vado a informarmi.

Luca: Io al tuo posto ci andrei oggi stesso. Ti conosco e, se perdi tempo, finisci per non andarci più. E poi oggi c'è anche il fisioterapista così magari ti dà un'occhiata alla schiena.

Impariamo le parole - Le parti del corpo

14. Collega i nomi della lista alle parti del corpo.

braccio - gamba - schiena - testa - petto - pancia - piede - mano
dito - collo - spalla - glutei - ginocchio - caviglia - orecchio

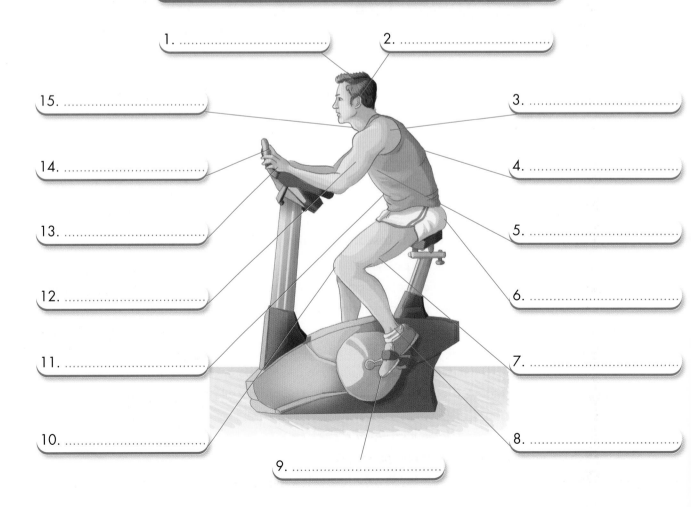

1. ....
2. ....
3. ....
4. ....
5. ....
6. ....
7. ....
8. ....
9. ....
10. ....
11. ....
12. ....
13. ....
14. ....
15. ....

Edizioni Edilingua

Alcune parti del corpo sono irregolari al plurale.

singolare	plurale
il braccio	le braccia
il dito	le dita
il ginocchio	le ginocchia / i ginocchi
il labbro	le labbra
l'orecchio	le orecchie / gli orecchi

15. A turno con un compagno descrivi la posizione o la funzione di una parte del corpo. Il tuo compagno deve indovinare di cosa stai parlando.

Esempio: • Si trova nella parte superiore del corpo, sopra la pancia.

  • È il petto!

Parole che usi all'università

16. Completa il testo con le parole della lista. Le parole sono relative alla salute e al corpo e puoi trovarle in testi universitari usati alle facoltà di Medicina o di Scienze motorie.

muscoli - sintomi - traumi - cronica - colpo - manifestarsi - dolorosa
si manifesta - intenso - colonna vertebrale - flessione - interessa

Il mal di schiena o lombalgia

(1)..........................
La lombalgia può essere (2)......................... o acuta. In quest'ultimo caso il dolore (3)........................... improvvisamente, spesso in seguito a uno sforzo anche di lieve entità (sollevare un peso o chinarsi per raccogliere qualcosa), e può essere talmente (4).......................... da lasciare chi ne è colpito curvo in avanti, bloccato da quello che comunemente è chiamato il "(5)......................... della strega"; un semplice starnuto, un colpo di tosse, ogni piccolo movimento aumenta la sintomatologia (6)............... .... che in gran parte dipende da una contrattura dei (7)........................ paravertebrali.
Se è coinvolto il nervo sciatico, il dolore (8).......................... anche i glutei e l'arto inferiore e si as-socia a formicolii alla gamba e a volte alla difficoltà di muoverla.
Cause
Le possibili cause del mal di schiena sono numerosissime, alcune molto rare. Le più frequenti sono:
* l'artrosi della (9)......................... tipica dell'età avanzata;
* la cosiddetta ernia del disco, che è invece una malattia più frequente nei giovani adulti;
* l'osteoporosi, prevalente nelle donne in menopausa e che può concorrere al (10)......................... della lombalgia e aggravarla;
* (11).......................... alla colonna vertebrale (contusione, movimenti troppo rapidi o ripetuti di torsione e (12).......................... della colonna vertebrale o, più raramente, una frattura delle ver-tebre lombari o dell'osso sacro).

adattato da *www.fastandup.com*

Facciamo grammatica

* Mi piacerebbe, ma non ce la faccio. (*Attività 13*)

La forma evidenziata è il condizionale presente del verbo *piacere*.

17. Rileggi il dialogo dell'attività 13 e completa la tabella.

soggetto	condizionale presente	infinito
		dovere
		aiutare
		potere
		potere
		fare
		migliorare
		andare

18. Prova a inserire le desinenze esatte nella tabella.

iremmo - erei - eresti - ereste - erei - rebbe - eresti - erebbe - eremmo - ereste - irei - iresti
remmo - ireste - irebbero - eremmo - resti - erebbero - reste - erebbero - irebbe - rebbero

	aiutare	**legg**ere	**dorm**ire	**and**are
io	aiut..................	legg..................	dorm..................	andrei
tu	aiut..................	legg..................	dorm..................	and..................
lui/lei/Lei	aiuterebbe	legg..................	dorm..................	and..................
noi	aiut..................	legg..................	dorm..................	and..................
voi	aiut..................	legg..................	dorm..................	and..................
loro	aiut..................	legg..................	dorm..................	and..................

Altri verbi al condizionale si comportano come *andare* (per esempio dovere, potere, avere).

Osserva!

1. Un po' di sport dovresti assolutamente farlo.
2. Mi piacerebbe, ma non ce la faccio.
3. E secondo te, che corsi potrei fare?
4. E poi lo sport ti aiuterebbe anche a studiare meglio.

19. Scrivi la regola.

Nella frase 1 il condizionale si utilizza per ....
Nella frase 2 il condizionale si utilizza per ....
Nella frase 3 il condizionale si utilizza per ....
Nella frase 4 il condizionale si utilizza per ....

Come abbiamo visto nell'unità 3 del volume 1, il condizionale si usa anche per chiedere gentilmente
qualcosa (esempio: *Vorrei un caffè*).

20. Completa le frasi con il condizionale.

1. Michele, (potere) .... darmi un passaggio fino a casa, per favore?
2. (io - Dovere) .... iscrivermi in palestra. Non faccio sport da troppo tempo.

3. Vi (andare) .... di venire al cinema con noi stasera?

4. Noi (partire) .... anche domani, ma dobbiamo ancora dare un esame.

5. L'abbonamento in piscina costa 80 euro al mese, ma in due ci (fare) .... lo sconto.

6. Sono sicuro che mio fratello mi (aiutare) .... a finire il lavoro.

◎ Comunichiamo

Osserva queste espressioni per dare consigli.

Potresti cominciare con un po' di yoga.

Io al tuo posto ci andrei oggi stesso.

21. A turno dai un consiglio a un compagno che...

- ha mal di testa
- ha mal di pancia
- vuole fare uno sport completo
- ha mal di schiena
- è stressato e nervoso
- non ha tempo per andare in palestra
- sta ingrassando
- vuole imparare a ballare

22. Come ti comporteresti in queste situazioni? Fai delle ipotesi e usa il condizionale.

1. La commessa del supermercato ti dà per sbaglio 50 euro in più di resto.

2. Vedi sul tavolo le soluzioni del prossimo test di italiano.

3. Una persona che non sopporti ti invita a uscire.

4. In discoteca incontri il tuo insegnante di italiano.

5. Hai un piccolo incidente con la macchina nuova di tuo padre.

6. Trovi per strada un portafogli con 500 euro.

◎ Entriamo in tema

○ Molte persone, anche se vanno in palestra, fanno una vita poco attiva. Secondo te, le attività della vita quotidiana sono importanti per mantenersi in forma?

○ Discuti con un compagno su quali possono essere, oltre allo sport, le abitudini quotidiane utili per stare in forma.

○ Osserva le tabelle che indicano le calorie bruciate per 30 minuti di sport o di attività quotidiane. C'è qualche dato che ti sorprende? Parlane con un compagno.

Sport	Calorie (Kcal)	Attività	Calorie (Kcal)
Ballo	119	Camminare in discesa	119
Boxe	228	Camminare in salita	228
Calcio	227	Cucinare un pranzo completo	227
Corsa (8 Km/ora)	223	Dormire	223
Nuoto	213	Fare il bucato a mano	213
Pallacanestro	228	Fare il letto	228
Pallanuoto	324	Fare tre piani di scale	324
Pallavolo	225	Lavori leggeri di giardinaggio	225
Pattinaggio	130	Portare a spasso il cane	130
Scherma	128	Pulire i pavimenti	128
Sollevamento pesi	140	Pulire i vetri	140
Squash	225	Spolverare	225
Sub	351	Stirare	351
Tennis	180	Andare in bici	180

Comunichiamo

 23. Ascolta il testo e rispondi alle domande.

1. Cosa deve fare chi vuole mantenersi in forma?
   ....

2. Quali sono i vantaggi di inserire l'attività motoria nelle abitudini quotidiane?
   ....

3. A chi si rivolgono i "gruppi di cammino"?
   ....

4. Chi li organizza?
   ....

24. Ascolta di nuovo e leggi il testo. Controlla le risposte dell'attività 23.

Alcuni consigli per la salute

Per mantenersi in buona salute e prevenire le malattie cardiovascolari, tumori e molte altre patologie, sono consigliati almeno trenta minuti di attività fisica quattro volte alla settimana. Può essere sportiva o connessa con le attività della vita quotidiana come, ad esempio, andare a fare la spesa a piedi, fare le scale, portare a spasso il cane. Inserire l'attività motoria nelle abitudini quotidiane, infatti, non porta via tempo e non comporta spese. Il cammino e la bicicletta aiutano a socializzare e riducono l'uso dell'auto, di conseguenza il traffico, l'inquinamento e gli incidenti stradali. A Verona, come in tante altre città, esistono gruppi di cammino in molti quartieri sia per la popolazione adulta e anziana, sia per diabetici e portatori di malattie croniche, organizzati dal dipartimento di prevenzione dell'ULSS 20

i UFFICIO INFORMAZIONI

In Italia il Servizio Sanitario Nazionale assicura assistenza sanitaria a tutti i cittadini residenti in Italia senza differenze di reddito o lavoro. Le ULSS (Unità Locali Socio-Sanitarie) e le ASL (Aziende Sanitarie Locali) gestiscono i servizi sanitari delle regioni italiane.

insieme al Comune e alla Facoltà di Scienze motorie. Per informazioni ci si può rivolgere all'azienda ULSS 20 di Verona. Sul sito internet troverete luoghi e orari dei gruppi di cammino a cui potrete aderire. Muoversi fa bene alla salute!

Parole che usi all'università

25. A quali parti del corpo si riferiscono questi aggettivi? Le parole sono relative ad alcuni tipi di patologie e puoi trovarle in testi universitari usati alla facoltà di Medicina.

1. cerebrale	a. fegato
2. cardiovascolare	b. ossa e articolazioni
3. epatico	c. pelle
4. reumatico	d. cervello
5. dermatologico	e. cuore e vasi sanguigni

Facciamo grammatica

Osserva!

1. Non sarà pericoloso come sport? (*Attività 13*)
2. Ok, magari uno di questi giorni vado a informarmi. (*Attività 13*)
3. Sul sito internet troverete luoghi e orari dei gruppi di cammino a cui potrete aderire. (*Attività 24*)

Nelle frasi 1 e 3 sono utilizzati dei verbi al futuro semplice, un tempo verbale che abbiamo già visto nell'unità 9 del volume 1.

Edizioni Edilingua

26. Scrivi la regola.

1. In quale frase il futuro ha valore temporale? ....

2. Quale funzione ha invece nell'altro caso? ....

3. Anche nella frase 2 si vuole indicare un'azione riferita al futuro. Perché si utilizza il presente?

....

27. Utilizza il futuro e fai delle ipotesi su...

1. lo sport agonistico più pericoloso
2. lo sportivo più pagato del mondo
3. il successo delle discipline sportive orientali
4. i record mondiali più difficili da battere
5. la dieta più indicata per chi fa sport agonistico

Analizziamo il testo

Osserva!

1. Le persone che non praticano sport, né fanno attività fisica nel tempo libero, sono oltre 23 milioni e 300 mila. (*Attività 2*)

2. Esistono gruppi di cammino in molti quartieri sia per la popolazione adulta e anziana, sia per diabetici e portatori di malattie croniche. (*Attività 24*)

Le parole evidenziate sono correlativi, così chiamati perché mettono in correlazione elementi all'interno di una stessa frase o frasi all'interno di uno stesso testo.

28. Scrivi la regola.

La frase 1 significa:

a. Oltre 23 milioni e 300 mila persone non praticano sport ma fanno attività sportiva.

b. Oltre 23 milioni e 300 mila persone non praticano sport e non fanno attività sportiva.

La frase 2 significa:

a. Esistono gruppi di cammino in molti quartieri per la popolazione adulta e anziana, e per diabetici e portatori di malattie croniche.

b. Esistono gruppi di cammino in molti quartieri per la popolazione adulta e anziana, ma non per diabetici e portatori di malattie croniche.

Attenzione!

Al posto di sia ... sia ..., possibili varianti sono: sia ... che ...; tanto ... che ...; tanto ... quanto ....

Al posto di non ... né ..., possibili varianti sono: né ... né ...; né ... e neppure ...; né ... e neanche ....

29. Riscrivi le frasi utilizzando i correlativi adatti.

1. Mi piacciono molto gli sport e gioco bene a calcio e a tennis.

....

2. Per stare bene in salute si dovrebbe fare attività sportiva e si dovrebbe anche seguire una dieta.

....

3. Molte persone non vanno in palestra e non fanno attività fisica connessa alle attività quotidiane.

   ....

4. Molti fanno sport per divertirsi. Inoltre, lo fanno anche per migliorare la propria forma fisica.

   ....

5. Mio fratello non è mai andato in palestra. E neanche la sua ragazza è mai andata in palestra.

   ....

6. Il fitness è praticato dagli uomini e dalle donne di tutte le età.

   ....

7. Nella mia palestra non c'è una grande sala pesi e non c'è la sauna, però l'istruttore è competente.

   ....

◎ Conosciamo gli italiani

30. Leggi il testo. Vero o falso?

Campioni d'Italia

Ecco una carrellata degli sport e degli sportivi più famosi d'Italia.

Il calcio è al primo posto in Italia per numero di tifosi e per appassionati. La nazionale di calcio italiana è tra le più titolate nella storia. Per molti appassionati il Campionato italiano resta quello più bello del mondo e sicuramente i giocatori di calcio sono tra gli sportivi più pagati.

Tra gli sport "ricchi" rientrano anche gli sport del motore (automobilismo e motociclismo) dove l'Italia ha ottime tradizioni. Celebri nel mondo sono gli autodromi di Monza e di Imola e il circuito del Mugello. Nell'automobilismo, il secondo sport nel paese per numero di appassionati, altrettanto importante è il numero di vittorie delle auto e dei piloti italiani, dalla Formula 1 alle corse di durata ai rally. Nella velocità, dalle prime corse del '900, Fiat, Alfa Romeo, Maserati (unica casa italiana a vincere, per due volte, la 500 miglia di Indianapolis), Ferrari, Abart e Lancia, hanno vinto nelle gare più importanti (Targa Florio, Rally Italia Sardegna, Mille Miglia, 24 Ore di Le Mans) e conquistato titoli mondiali e continentali in tutte le categorie.

In Formula 1, la Scuderia Ferrari detiene il record di titoli per piloti e costruttori, di vittorie per singole gare e di presenza ininterrotta dall'inizio del campionato del mondo, nel 1950.

Nel motociclismo, i grandi campioni del passato, come Giacomo Agostini (15 volte campione nelle classi 350 e 500 c.c. con 10 vittorie al Tourist Trophy) sono degnamente seguiti dai campioni del presente, Max Biaggi, Loris Capirossi e Valentino Rossi, unico ad aver vinto il campionato in 4 classi differenti. Le moto Bianchi, Aprilia, Gilera, Guzzi, MV Agusta, Benelli e Ducati hanno vinto le corse più prestigiose e conquistato campionati mondiali in tutte le categorie.

Ma l'Italia sportiva non è solo calcio e motori. Esistono in Italia molti sportivi che, anche se non hanno la fama e i soldi dei calciatori e sono spesso dimenticati dopo un breve periodo, sono validissimi atleti di attività molto impegnative e difficili tecnicamente.

I giocatori di rugby, per esempio. In Italia si pratica il rugby da quasi 100 anni e nel 2000, grazie al grande lavoro del Presidente della Federazione Italiana Rugby, l'Italia fa il suo ingresso nello storico torneo europeo delle *5 Nazioni*, cambiandone il nome in *6 Nazioni*.

Tra i tanti sportivi rappresentativi dell'Italia dobbiamo ricordare Primo Carnera, enorme campione di pugilato degli anni Trenta; Coppi e Bartali, ciclisti tra gli anni Trenta e Cinquanta quando il ciclismo era lo sport più popolare in Italia; i fratelli Abbagnale nel canottaggio (sette titoli mondiali e due medaglie olimpiche), Pietro Mennea con il record del mondo nei 200 metri, imbattuto per 17 anni; Yuri Chechi, probabilmente il miglior atleta di tutti i tempi nella disciplina degli anelli.

adattato da it.wikipedia.org

Edizioni Edilingua

1. La nazionale di calcio italiana ha vinto il maggior numero di titoli mondiali. ▪ ▪
2. Nel motociclismo l'Italia non ha grandi campioni. ▪ ▪
3. La Ferrari ha sempre partecipato al campionato del mondo. ▪ ▪
4. Il *6 Nazioni* è il campionato mondiale di rugby. ▪ ▪
5. Il calcio è sempre stato lo sport più popolare in Italia. ▪ ▪
6. Pietro Mennea ha ottenuto un record mondiale nei 200 metri. ▪ ▪
7. Yuri Chechi è un grande ciclista. ▪ ▪

Parliamo un po'...

- ⊃ Chi sono gli sportivi più rappresentativi del tuo paese?
- ⊃ Cosa ne pensi dell'importanza attribuita al calcio in Italia? È eccessiva rispetto a quella data ad altri sport?
- ⊃ Preferisci uno sport di squadra o individuale?
- ⊃ A quale sport "minore" daresti maggiore visibilità?

◎ Scriviamo insieme

31. *Non solo calcio.*

Dovete scrivere un testo e presentarlo al convegno *Storia dello Sport*. Tutta la classe sceglie uno sport (escluso il calcio). Dividetevi in tre gruppi: il primo gruppo deve descrivere la storia di questo sport (dove è nato; i paesi in cui si pratica) e le qualità fisiche che ci vogliono per praticarlo; il secondo gruppo deve spiegare le regole; il terzo gruppo deve descrivere uno sportivo o una squadra rappresentativa di questo sport (il periodo e il luogo di attività, le vittorie, le imprese più famose, le curiosità).

◎ Si dice così!

Ecco alcune espressioni utili per...

Fare un paragone	Gli italiani sono più sedentari che sportivi. Gli uomini praticano più sport delle donne.
Esprimere una qualità al massimo grado	La Cina è stata la migliore nazione. Il calcio è lo sport più popolare.
Dare un consiglio	Io al tuo posto farei un po' di sport.
Fare un'ipotesi	Lo sport ti aiuterebbe anche a studiare meglio. La boxe non sarà pericolosa come sport?
Esprimere un desiderio	Mi piacerebbe andare in palestra.
Esprimere un dolore fisico	Ho mal di testa. / Ho mal di schiena.

Sintesi grammaticale

- ### Il futuro per fare ipotesi nel presente

Sicuramente già conosci le forme e l'uso più comune del futuro (vedi unità 9 del volume 1).

Il futuro si usa molto spesso per fare un'ipotesi riferita al momento in cui si parla.

Esempio:

Mirko: Chi è, secondo te, lo sportivo più pagato del mondo?

Matteo: Mah… probabilmente sarà Tiger Woods, il giocatore di golf.

Matteo dice che, secondo lui, *oggi* lo sportivo più pagato è Tiger Woods.

Questo uso del futuro per fare ipotesi nel presente (futuro modale) è molto frequente soprattutto nella lingua parlata.

- ### Comparazione e secondo termine di paragone

Si possono stabilire confronti o paragoni tra frasi diverse o elementi della frase.

Il **comparativo di maggioranza** si introduce con più.

Esempio:

Il calcio è più praticato del ciclismo.

Il **comparativo di minoranza** si introduce con meno.

Esempio:

Il ciclismo è meno praticato del calcio.

Il **comparativo di uguaglianza** si introduce con come.

Esempio:

Il ciclismo è interessante come il calcio.

Il secondo termine di paragone è generalmente introdotto da di o di + articolo quando si confrontano due *nomi* o due *pronomi*.

Esempi:

Gli *uomini* praticano sport più *delle* *donne*.
Tu sei più veloce di *me*.

Il secondo termine di paragone è generalmente introdotto da che quando si confrontano due *verbi all'infinito*, due *aggettivi* o due *avverbi*.

Esempi:

Gli italiani preferiscono *fare* un po' di movimento più *che* *fare* un vero e proprio sport.
Si confermano più *sedentari* che *sportivi*.
Fare attività sportiva senza controllo può fare più *male* che *bene*.

• Comparativi e superlativi irregolari

Alcuni aggettivi al grado comparativo e superlativo hanno anche una forma irregolare:

grado positivo	comparativo	superlativo relativo	superlativo assoluto
grande	più grande / maggiore	il più grande / il maggiore	grandissimo/massimo
piccolo	più piccolo / minore	il più piccolo / il minore	piccolissimo/minimo
alto	più alto / superiore	il più alto / il superiore	altissimo/supremo
basso	più basso / inferiore	il più basso / l'inferiore	bassissimo/infimo
buono	più buono / migliore	il più buono / il migliore	buonissimo/ottimo
cattivo	più cattivo / peggiore	il più cattivo / il peggiore	cattivissimo/pessimo

• Il condizionale presente

Il condizionale presente può avere diversi usi. Si può usare principalmente per:

a) esprimere una richiesta gentile

Esempio:

Vorrei un caffè.

Con questa funzione si usa spesso anche l'indicativo imperfetto.

Esempio:

Volevo un caffè.

b) dare un consiglio

Esempio:

Io al tuo posto farei un po' di sport.

c) fare un'ipotesi

Esempio:

Lo sport ti aiuterebbe anche a studiare meglio.

Verbi regolari			
	AIUTARE	**LEGGERE**	**DORMIRE**
io	aiuterei	leggerei	dormirei
tu	aiuteresti	leggeresti	dormiresti
lui/lei/Lei	aiuterebbe	leggerebbe	dormirebbe
noi	aiuteremmo	leggeremmo	dormiremmo
voi	aiutereste	leggereste	dormireste
loro	aiuterebbero	leggerebbero	dormirebbero

Allora, ti sei iscritto in palestra?

Alcuni verbi irregolari	
infinito	**condizionale**
ESSERE	sarei, saresti, sarebbe, saremmo, sareste, sarebbero
AVERE	avrei, avresti, avrebbe, avremmo, avreste, avrebbero
ANDARE	andrei, andresti, andrebbe, andremmo, andreste, andrebbero
DOVERE	dovrei, dovresti, dovrebbe, dovremmo, dovreste, dovrebbero
FARE	farei, faresti, farebbe, faremmo, fareste, farebbero
POTERE	potrei, potresti, potrebbe, potremmo, potreste, potrebbero
SAPERE	saprei, sapresti, saprebbe, sapremmo, sapreste, saprebbero
VOLERE	vorrei, vorresti, vorrebbe, vorremmo, vorreste, vorrebbero
STARE	starei, staresti, starebbe, staremmo, stareste, starebbero
VEDERE	vedrei, vedresti, vedrebbe, vedremmo, vedreste, vedrebbero

Nota che in molti casi, nei verbi irregolari si elimina la vocale tematica: anderei ➡ andrei.

I verbi irregolari al futuro sono irregolari anche al condizionale.

● **I correlativi *sia ... sia ...* e *né ... né ...***

I correlativi servono a mettere in correlazione elementi all'interno di una stessa frase o frasi all'interno di uno stesso testo.

a) sia ... sia ... e le varianti sia ... che ..., tanto ... che ..., tanto ... quanto ... si usano in frasi affermative.

Esempio:
Esistono gruppi di cammino in molti quartieri sia per la popolazione adulta e anziana, sia per diabetici e portatori di malattie croniche.

b) né ... né ... e le varianti né ... e neppure ..., né ... e neanche ... si usano principalmente in frasi negative quando mettono in correlazione aggettivi, avverbi o nomi.

Esempi:
Non ha un fisico né magro né atletico.
Non è né a casa né in palestra.
Non sono venuti né Marco né Luigi.

Edizioni Edilingua

◎ Grammatica

1. Scegli l'opzione corretta.

Quando ero a Firenze (1) sono andato/andavo a una sfilata di moda. La sfilata (2) durava/è durata solo 15 minuti e mentre i modelli (3) sfilavano/hanno sfilato, lo stilista (4) ha osservato/osservava le reazioni del pubblico. Dopo la sfilata, tutti gli invitati (5) sono rimasti/rimanevano a parlare dei vestiti presentati.

_____ /5

2. Completa le frasi e fai l'accordo del participio passato, se necessario.

1. Abbiamo incontrato Paolo e Lucia in centro e li .... (salutare).
2. Bello, questo vestito! Dove l'... (comprare)?
3. Adoro gli abiti di Armani: le sue giacche mi .... (piacere; sempre).
4. I fratelli Benetton .... (fare) una festa per i loro primi 40 anni di attività.
5. Non trovo più la mia felpa: non so dove l'... (mettere).

_____ /5

3. Trasforma le frasi al condizionale.

1. Devi fare più sport: fa bene alla salute!

   ....

2. Voglio parlare con il responsabile della palestra, per favore!

   ....

3. Forse una ginnastica dolce ti fa bene per il mal di schiena.

   ....

4. Puoi cominciare a camminare almeno per andare al lavoro, per fare un po' di movimento.

   ....

5. Signora, devo vedere subito il dentista: ho un forte mal di denti!

   ....

_____ /5

4. Scegli l'opzione corretta.

● Buongiorno. Potrebbe/Potrà darmi l'orario dei corsi della palestra, per favore?

● Certo, eccolo qui. Ha già deciso quando frequenterebbe/frequenterà la nostra palestra?

● Ho molti impegni. Non so se avrei/avrò tempo per venire più di una volta alla settimana...

● Per avere dei buoni risultati, dovrà/dovrebbe allenarsi almeno due volte alla settimana, ma se non può...

● Dovrò/Dovrei provare a organizzarmi...

_____ /5

5. Riconosci e correggi l'errore nelle seguenti frasi.

1. I miei genitori abitano al piano supremo. ....
2. Pelé è stato il massimo calciatore di tutti i tempi. ....
3. In Italia il calcio è più praticato di rugby. ....
4. Il nuoto è lo sport completissimo di tutti. ....
5. Il campionato di calcio è andato ottimo. ....

/5

◎ Testualità

6. Scegli l'opzione corretta.

1. Cavalli è uno stilista molto famoso, ma/quindi devo dire che a me non piace il suo stile.
2. Giorgini voleva promuovere la moda italiana o/e ha organizzato a casa sua la prima sfilata.
3. Per mantenermi in forma vado né/sia in palestra né/che a correre.
4. Davvero non hai mai giocato sia/né a calcio sia/né a pallavolo?
5. L'abbigliamento sportivo deve essere comodo e anche/neanche bello.

/5

◎ Vocabolario

7. Scrivi la parola corretta.

1. Si usa al posto dei bottoni per chiudere qualcosa. ....
2. È la parte superiore di una camicia e può avere due piccoli bottoni. ....
3. Chiude la manica di una camicia o di un abito. ....
4. Diversi tipi di scarpe nel loro insieme. ....
5. Può essere di vari materiali; si usa per fare gli abiti. ....

/5

8. Inserisci le parole della lista. Attenzione, ci sono 2 parole in più!

caviglia - costume - collo - gomito - spada - culturismo - pugilato

1. Si usa per andare in piscina. ....
2. Si usa nella scherma. ....
3. Serve per muovere il piede. ....
4. Lo sport che faccio con i pesi e gli attrezzi. ....
5. Si trova tra la testa e le spalle. ....

/5

Punteggio Totale **/40**

Edizioni Edilingua

La mia ex moglie...

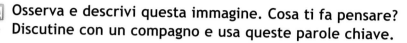

Entriamo in tema

Osserva e descrivi questa immagine. Cosa ti fa pensare? Discutine con un compagno e usa queste parole chiave.

- ⊃ femminista
- ⊃ maschilista
- ⊃ emancipazione
- ⊃ movimento studentesco del '68
- ⊃ pari opportunità
- ⊃ gli anni '60/'70/...

Comunichiamo

1. Prima di leggere il testo osserva il significato di queste espressioni.

rimettere in discussione	= discutere su qualcosa che non è più sicuro
il vivere associato	= la vita in gruppi sociali
preparare il terreno	= creare le condizioni per rendere più facile una cosa
liberalizzazione dei contraccettivi	= libertà di usare tutti i metodi di controllo delle nascite

2. Leggi il testo e completa la griglia.

Le conquiste delle donne in Italia

Il movimento femminista è nato in Italia negli anni '60 del secolo scorso con l'intento di modificare radicalmente la divisione dei ruoli maschili e femminili. Le femministe volevano rimettere in discussione, in tutti gli aspetti del vivere associato, una gerarchizzazione umana che, soprattutto nell'epoca fascista, aveva assegnato valore ai diversi individui in base a rapporti di potere che trovano fondamento proprio nella sessualità maschile e nelle sue proiezioni sociali e politiche. Tuttavia dalla fine della Seconda Guerra Mondiale le donne italiane avevano già cominciato il loro cammino di emancipazione che in seguito avrebbe portato alle più importanti conquiste sociali: nel 1946 le donne hanno avuto per la prima volta il diritto di voto in occasione del referendum per scegliere fra Monarchia e Repubblica.

Molti gruppi femministi italiani, come per esempio il *Movimento di Liberazione della Donna Autonomo* (MLDA), si erano formati all'interno del movimento studentesco del '68 perché per la prima volta nella storia sociale italiana, nelle università c'era una numerosa presenza femminile fra gli studenti. Infatti, le migliori condizioni socio-economiche del paese avevano permesso a molte ragazze di quegli anni di studiare, mentre nei decenni precedenti lo studio universitario era riservato quasi esclusivamente agli uomini.

Negli anni '70 il movimento femminista ha avuto in Italia la sua stagione più attiva e per certi versi aggressiva: le donne del movimento esprimevano i propri scopi rivoluzionari in manifestazioni pubbliche e iniziative provocatorie contro il carattere fortemente maschilista della società. Ormai i tempi erano maturi e i pochi anni successivi all'inizio della lotta femminista sarebbero stati fondamentali per la conquista di più ampi diritti civili per le donne italiane.

Nel 1970 è stato introdotto il divorzio, divenuto definitivamente una legge dello stato italiano nel 1974; nel

UFFICIO INFORMAZIONI

I Consultori familiari sono delle strutture socio-sanitarie pubbliche nate per rispondere ai vari bisogni della famiglia, della donna, della coppia, dell'infanzia e dell'adolescenza. Professionisti specializzati in vari settori organizzano le attività e i servizi.

Le Case delle Donne sono luoghi di incontro e discussione per le donne, che qui possono trovare assistenza e ricovero, per esempio, in caso di bisogno.

La prima e più famosa Casa delle Donne è quella di Roma: *www.casa internazionaledelledonne.org*

1975 è stato modificato il diritto di famiglia, che riconosce il ruolo della donna all'interno della famiglia non più subordinato ma alla pari con quello dell'uomo; nel 1978 è stata approvata la legge che regola l'aborto. Inoltre, le femministe hanno preparato il terreno per altre conquiste sociali come l'istituzione dei Consultori familiari, la legge sulle pari opportunità, la liberalizzazione dei contraccettivi, la costituzione dei Centri antiviolenza e delle Case delle Donne.

All'inizio degli anni '80 anche il movimento femminista, come gli altri movimenti del periodo precedente, è entrato in una fase di crisi. Però, a differenza di buona parte degli altri movimenti, esso non è scomparso, si è trasformato in un'aggregazione di riviste e centri culturali sempre meno impegnati su un terreno direttamente politico, ma caratterizzati da una ricchissima produzione culturale.

Anno / Decennio	Evento
1946	
1968	
Anni '70	
1970/1974	
1975	
1978	
Anni '80	

3. Il testo che hai letto ha 5 paragrafi. In coppia o in piccoli gruppi, sintetizzate ogni paragrafo in una sola frase.

Primo paragrafo: ....

Secondo paragrafo: ....

Terzo paragrafo: ....

Quarto paragrafo: ....

Quinto paragrafo: ....

4. Conosci il movimento femminista del tuo paese? Discutine con un compagno, ecco alcuni spunti.

1. Conosci la storia dei movimenti di emancipazione della donna nel tuo paese? 2. Cosa pensi delle rivendicazioni sociali delle femministe? Sono giuste? Sono eccessive? 3. Divorzio, aborto, pari opportunità… com'è la situazione nel tuo paese? 4. Secondo te, in base a quello che hai notato nella vita quotidiana in Italia e/o nei mass media italiani, quali sono i rapporti fra i sessi, oggi? 5. Hai notato delle differenze rispetto al tuo paese?

Impariamo le parole - L'individuo nella società

5. Con un compagno abbina l'espressione alla definizione giusta.

1. divisione dei ruoli
2. rapporti di potere
3. diritto di voto
4. diritti civili
5. approvare una legge

a. diritto di esprimere la propria preferenza durante le elezioni
b. quando il Parlamento dichiara valida una legge
c. relazioni fra due o più persone in base alla gerarchia
d. divisione del lavoro e dei compiti in base al ruolo
e. ciò che è garantito per legge ai cittadini di uno stato

Edizioni Edilingua

Parole che usi all'università

6. Molte delle espressioni che hai imparato nelle attività 1 e 5 puoi trovarle in testi universitari delle facoltà di Sociologia e Studi sociali. Ricordi la discussione del punto 4? Sintetizzala in alcune frasi; prova a usare le espressioni analizzate nell'attività 5.

Il movimento femminista nel mio paese

- ....
- ....
- ....
- ....
- ....
- ....

Facciamo grammatica

Osserva!

- Le femministe volevano rimettere in discussione [...] una gerarchizzazione umana che, soprattutto nell'epoca fascista, aveva assegnato valore ai diversi individui in base a rapporti di potere che...
- Molti gruppi femministi italiani [...] si erano formati all'interno del movimento studentesco del '68.
- Infatti, le migliori condizioni socio-economiche del paese avevano permesso a molte ragazze di quegli anni di studiare.

Le forme evidenziate sono verbi al trapassato prossimo.

7. **Scrivi la regola. Scegli l'alternativa corretta e completa.**

1. Il trapassato prossimo fa parte della dimensione temporale del presente/passato/futuro.
2. Il trapassato prossimo esprime un'azione contemporanea/antecedente/successiva a quella espressa da un altro verbo sempre al passato (passato prossimo o imperfetto).
3. Il trapassato prossimo è formato da due verbi: l'........................ del verbo ausiliare .... oppure .... + il .... del verbo principale.

Attenzione!

Per la scelta dell'ausiliare, per la formazione e l'accordo del participio passato valgono le stesse regole che abbiamo già visto per il passato prossimo nel primo volume, unità 8.

8. **Completa la tabella del trapassato prossimo.**

	cominciare	**leggere**	**uscire**
io			
tu			
lui/lei/Lei			
noi			
voi			
loro	avevano cominciato		

Osserva!

- Tuttavia dalla fine della Seconda Guerra Mondiale le donne italiane *avevano* già *cominciato* il loro cammino di emancipazione.

Di solito l'avverbio di tempo si inserisce tra l'ausiliare e il participio passato.

9. Inserisci i verbi al trapassato prossimo. Attenzione alla posizione dell'avverbio!

1. Nel 1974 in Italia c'è stato un referendum popolare per decidere se rendere effettiva o abrogare (cioè cancellare) la legge sul divorzio che il Parlamento (approvare) .... nel 1970 e che però, fino a quel momento, non (diventare; ancora) .... effettiva.

2. Prima del movimento femminista, le donne italiane non (pensare; mai) .... di poter decidere della loro vita.

3. Quando nel 1978 è stata approvata la legge sull'aborto, la società italiana (cambiare; già) .... molto.

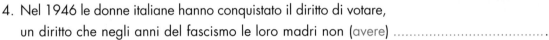

4. Nel 1946 le donne italiane hanno conquistato il diritto di votare, un diritto che negli anni del fascismo le loro madri non (avere) ....

5. Ieri ho incontrato per caso una donna che (conoscere) .... negli anni '70, quando lei faceva parte del movimento degli studenti e che non (rivedere; più) .... da allora.

6. Hai notato che alla *Casa Internazionale delle Donne* di Roma è ritornata quella compagna che (uscire) .... dal movimento negli anni '80?

Osserva!

1. Tuttavia dalla fine della Seconda Guerra Mondiale le donne italiane avevano già cominciato il loro cammino di emancipazione che in seguito avrebbe portato alle più importanti conquiste sociali.

2. Ormai i tempi erano maturi e i pochi anni successivi [...] sarebbero stati fondamentali per la conquista di più ampi diritti civili per le donne italiane.

Le forme evidenziate sono verbi al condizionale passato.

10. Scrivi la regola. Completa e scegli l'alternativa corretta.

a. Il condizionale passato è formato da due verbi: il .... del verbo ausiliare .... oppure .... + il .... del verbo principale.

b. Il condizionale passato si usa per esprimere un'azione o un evento che avviene prima/dopo rispetto a un'azione o un evento nel passato. Nella frase 1, quale azione avviene prima? L'azione espressa con il .... Quale avviene dopo? L'azione espressa con il ....

11. Completa la tabella del condizionale passato.

	portare	**legg**ere	**usc**ire
io			
tu			
lui/lei/Lei	avrebbe portato		
noi			
voi			
loro			

12. Completa con il verbo alla forma corretta (trapassato prossimo o condizionale passato).

Sono nato negli anni '50 in una famiglia molto tradizionale e mia madre ha sempre fatto la casalinga, anche se prima del matrimonio (lavorare) (1)........................... per alcuni anni come segretaria nello studio di un avvocato. Negli anni '70 ho incontrato Marta, ci siamo innamorati e abbiamo deciso di sposarci. Lei faceva l'insegnante e mi ha detto subito che dopo il matrimonio non (lasciare) (2)........................... il suo lavoro. Sono rimasto stupito: prima di quel momento non (pensare; mai) (3)........................... che la mia futura moglie (preferire) (4)........................... la-vorare invece di stare a casa ad occuparsi della famiglia. Nella mia famiglia nessuno (mettere) (5)........................... in discussione la divisione dei ruoli. Però ho capito che per lei la sua pro-fessione era importante e che (essere) (6)........................... infelice senza lavorare. Le ho pro-messo che (noi - dividere) (7)........................... tutte le responsabilità e i doveri della famiglia e dopo tanti anni insieme, ho capito che lei aveva ragione.

Entriamo in tema

- ⊃ Quanto tempo ci vuole nel tuo paese per divorziare?
- ⊃ È comune risposarsi dopo un divorzio?
- ⊃ Come sono i rapporti con l'ex marito / l'ex moglie?
- ⊃ Con chi dovrebbero stare i figli dopo il divorzio dei genitori?
- ⊃ Se uno dei genitori si risposa, come dovrebbero essere i rapporti tra i figli nati dal primo matrimonio e la nuova moglie e/o i figli nati dal secondo matrimonio?

Comunichiamo

13. Ascolta l'intervista. Vero o falso?

	Vero	Falso
1. I quattro intervistati sono tutti separati o divorziati.		
2. Tutti e quattro sono contenti della loro situazione attuale.		
3. Tutti e quattro hanno avuto dei figli con l'ex marito/moglie.		
4. Solo uno si è risposato.		
5. Solo due hanno buoni rapporti con l'ex marito/moglie.		

14. Ascolta di nuovo l'intervista e completa la griglia.

	1° intervistato **(Giovanni)**	2° intervistato **(Andrea)**	3° intervistato **(Lorenzo)**	4° intervistata **(Paola)**
1. Ha un problema con i figli del suo compagno / della sua compagna.				
2. Secondo lui/lei, in caso di divorzio la legge favorisce sempre la donna.				
3. L'affidamento condiviso dei figli è un'ottima soluzione.				
4. Ha una famiglia allargata che include anche l'ex marito/moglie.				

15. Ascolta di nuovo l'intervista e leggi il testo. Controlla le risposte delle attività 13 e 14.

Giovanni: Sono separato da circa un anno; Laura, la mia ex moglie, che ha voluto la separazione, ha un'altra relazione, ma è quella a cui il tribunale ha dato i figli e la casa di famiglia, oltre a un assegno di mantenimento per lei e per i figli perché deve mantenere lo stesso tenore di vita che aveva prima della separazione. La legge favorisce sempre le donne: i figli restano con la madre nel 99% dei casi e chi ha i figli mantiene anche la casa di famiglia. Ed io a 42 anni sono dovuto tornare a vivere con mia madre perché non ce la faccio a pagare anche un affitto! Sarà stato brutto prima, quando le donne erano schiave dei mariti, di cui spesso avevano anche paura, ma ora siamo all'opposto... Via, è incredibile!

Andrea: Io e la mia ex moglie ci siamo separati due anni fa, i nostri due figli avevano 9 e 6 anni e naturalmente sono rimasti con la madre, ma abbiamo deciso per l'affidamento condiviso: i figli vivono con lei, ma io posso andare a trovarli quando voglio, anche tutti i giorni. A volte mi fermo a cena con loro e me ne vado dopo averli messi a letto. Mi sembra un'ottima soluzione, l'affidamento condiviso, ma certo io e la mia ex moglie siamo sempre stati in buoni rapporti e ci siamo separati di comune accordo, senza rancore. Siamo diventati buoni amici e lei è sempre una delle persone su cui so di poter contare.

Lorenzo: Sono divorziato ormai da diversi anni e mi sono rifatto una vita. Con la mia ex moglie ho un rapporto sereno, senza problemi. In più mi sono risposato ed ora ho un figlio dal primo matrimonio e due figlie dalla mia attuale moglie; i miei tre figli vanno d'accordo: non sembrano proprio fratellastri, ma fratelli veri! Siamo una famiglia allargata, insomma: mio figlio va molto d'accordo anche con la mia nuova compagna e con sua figlia, che ha più o meno la sua stessa età. Molto spesso passiamo le vacanze tutti insieme e se può a volte si unisce a noi anche la mia ex. So di avere una situazione che molti invidiano, ma penso che dipenda molto da come gli ex coniugi gestiscono la separazione: dispiace sempre dividere la famiglia, però se i figli vedono che i genitori sono sereni e che la famiglia in fondo rimane unita, poi accettano la situazione e sono più tranquilli anche loro.

 UFFICIO INFORMAZIONI

Prima della legge sul divorzio un matrimonio era per sempre. Solo se uno dei due coniugi moriva, ci si poteva sposare una seconda volta. Le relazioni familiari che si creavano con un secondo matrimonio avevano in genere una connotazione negativa, come dimostrano i suffissi dispregiativi (*-igno/a* e *-astro/a*) utilizzati per indicare i componenti della nuova famiglia (ad esempio, *patrigno/matrigna*, *figliastro/a*).

Edizioni Edilingua

Paola: Fra poco potrò avere il divorzio perché ormai son passati quasi i tre anni di separazione. Con il mio ex marito ho proprio chiuso, non lo vedo dal giorno in cui abbiamo firmato la separazione, e va bene, per me. Non ne potevo proprio più di lui! Ora ho un nuovo compagno e abbiamo intenzione di sposarci. Lui ha 58 anni, dieci più di me, è vedovo e ha due figli adolescenti. L'unico problema sono proprio i miei figliastri, con cui non riesco proprio ad avere un rapporto sereno. Io non ho avuto figli e sarei molto contenta di poter essere una specie di madre per loro. Ecco: è questo che mi piacerebbe, non vorrei mai sostituirmi alla loro madre, è morta solo qualche anno fa, ma non vorrei neanche fare la matrigna!

Impariamo le parole - La separazione e la nuova famiglia

16. Scegli l'alternativa adeguata.

1. L'assegno di mantenimento è...
   a. una somma di denaro da dare all'ex coniuge e ai figli ☐
   b. il documento ufficiale che dichiara la separazione ☐
   c. un documento che annulla la separazione o il divorzio ☐

2. L'affidamento condiviso significa che...
   a. nessuno dei genitori vive con i figli ☐
   b. entrambi i genitori si occupano dei figli ☐
   c. entrambi i genitori si sono risposati ☐

3. La famiglia allargata include...
   a. solamente la nuova moglie / il nuovo marito ☐
   b. solamente i figli nati dal nuovo matrimonio ☐
   c. tutti i membri della prima e della seconda famiglia ☐

17. Rileggi i testi delle interviste e spiega cosa significano queste parole.

1. separato/a ....
2. divorziato/a ....
3. matrigna ....
4. patrigno ....
5. vedovo/a ....
6. figliastro/a ....
7. sorellastra ....
8. fratellastro ....

18. Completa il testo con le parole della lista.

> figliastri - matrigna - vedovo - sorellastra - vedova - fratellastro - patrigno

Solo nel 1974 il divorzio è diventato una legge dello Stato italiano; fino a quel momento non era possibile dividersi, quindi un matrimonio era per sempre. Solo quando uno dei due coniugi moriva e l'altro/a rimaneva (1)............................ o (2)............................, era possibile risposarsi. Se la persona che si sposava aveva già dei figli, per la nuova moglie o il nuovo marito questi erano (3)............................ La seconda moglie del padre, la (4)............................, o il secondo marito della madre, il (5)............................, erano generalmente considerati cattivi dai figli del coniuge. Per questo motivo anche il figlio o la figlia nati dal secondo matrimonio, che in italiano si chiamano rispettivamente (6)............................ e (7)................ ...., avevano in genere una connotazione un po' negativa per i figli nati dal primo matrimonio.

19. Pensa a una famiglia allargata che conosci o a una famosa nel tuo paese e descrivila a un tuo compagno.

Facciamo grammatica

Osserva!

- Laura, la mia ex moglie, che ha voluto la separazione, ha un'altra relazione, ma è quella a cui il tribunale ha dato i figli e la casa di famiglia.
- Chi ha i figli mantiene anche la casa di famiglia.
- Lei è sempre una delle persone su cui so di poter contare.
- So di avere una situazione che molti invidiano.
- Con il mio ex marito ho proprio chiuso, non lo vedo dal giorno in cui abbiamo firmato la separazione.
- L'unico problema sono proprio i miei figliastri, con cui non riesco proprio ad avere un rapporto sereno.

Le forme evidenziate sono pronomi relativi.

 20. Completa la tabella.

Funzione	Pronomi relativi I	Pronomi relativi II
Soggetto		il quale – la quale i quali – le quali
Oggetto diretto	che	
Oggetto indiretto		al quale – alla quale ai quali – alle quali
Con preposizioni diverse da *a*		preposizione + il/la quale preposizione + i/le quali
le persone che *la persona che*	chi	la persona la quale le persone le quali

 21. Completa le frasi con i pronomi relativi e le preposizioni, se necessario.

1. La ragazza .... Paolo ha conosciuto ai tempi dell'università e .... studiava sempre, adesso è sua moglie.
2. .... non ha problemi nel rapporto con i figliastri è molto fortunato.
3. Questo è l'uomo .... Ludovica ha sposato.
4. Luigi e Giacomo sono i figli .... il mio compagno ha avuto dalla sua ex moglie e .... ieri abbiamo parlato tutta la sera.
5. Vincenzo è l'uomo .... Giovanna ha divorziato recentemente.
6. Il motivo .... ci siamo separati è molto semplice: non andavamo più d'accordo.
7. Il mio ex marito è diventato un amico sincero .... conto molto.
8. Gli Stati Uniti sono il paese .... è nata Susan: ci è ritornata dopo la separazione da suo marito.

Comunichiamo

Osserva queste espressioni per esprimere disagio o difficoltà.

- Non ce la faccio a pagare anche un affitto!
- Non ne potevo proprio più di lui!
- Non riesco proprio ad avere un rapporto sereno [con loro].

22. Insieme a un compagno completa i dialoghi con la forma giusta delle espressioni viste.

1. ● Paolo, sembri molto stanco: da quante ore sei qui in biblioteca a studiare?
   ○ Dalle 10 di questa mattina! Sono davvero stanco, ... più, meglio fare una pausa!

2. ● Giovanna, hai telefonato a Maria per invitarla alla cena di domani sera?
   ○ Ho provato a chiamarla, ma .... parlarle, aveva il cellulare spento!

3. ● Perché hai lasciato il tuo lavoro a Milano? Non ti piaceva più?
   ○ No, il lavoro mi piaceva, ma .... di vivere lontano dalla mia famiglia!

4. Devo assolutamente finire questa tesina per domani mattina, ma molto probabilmente ....

5. ● È vero che Roberto si è separato da sua moglie?
   ○ Sì, litigavano continuamente e .... a vivere con lei. È stata la soluzione migliore.

6. ● Abbiamo un esame il prossimo mese, ma non sappiamo se .... a darlo perché c'è troppo da studiare.

Entriamo in tema

Leggi il titolo qui sotto e prova a dire tutto quello che ti fa venire in mente.

Rose spezzate

Trova il videoclip della canzone di Anna Tatangelo su YouTube, guardalo senza audio e prova a collegare alle immagini del video le associazioni libere che ti erano venute.

Comunichiamo

23. Osserva il significato di questa parola e di questa espressione.

addosso = sul proprio corpo   per terra = giù, sul pavimento

24. Ora guarda il video con l'audio e rispondi alle domande.

1. Chi è la protagonista della canzone?
   ....

2. Che tipo di abuso ha subìto?
   ....

3. Come ha reagito alla violenza?
   ....

4. Dopo averla ascoltata, cosa pensi del titolo della canzone?
   ....

25. Ascolta di nuovo la canzone e leggi il testo. Controlla le risposte dell'attività 24.

Rose Spezzate   Anna Tatangelo

Sono sola qui lo sai
ho una casa nuova e nuovi amici
che son solo miei
Ogni tanto c'è mia madre
che mi chiede come sto
non potrebbe andare meglio di così...
L'ho dimenticato ormai
ma è passato poco tempo
ed è un po' presto capirai
per tornare quella che conosci
quella che vorrei
quella che ero prima d'incontrare lui

(ritornello)
Qualche notte ancora
sento le sue mani
che non so fermare
che mi fanno male
sento la sua voce
che mi grida addosso
io mi copro il viso
ma per lui è lo stesso

e così più forte
che io più non posso
neanche respirare
neanche più parlare
e sto giù per terra
come un animale
non ho più dolore
non c'è più rumore
solo deboli singhiozzi e voci
dal televisore acceso
tremo anche adesso che...

Lui non vive più con me
ho un lavoro che va bene
e poi domani chi lo sa
far programmi non conviene
se un amore arriverà
sarà certo che non gli somiglierà...
Sono quelle come noi
che hanno bisogno di un coraggio
che non c'è
quando brucia il fuoco dell'inferno

(ritornello)
Qualche notte ancora
sento le sue mani
poi la mia vergogna
dentro gli ospedali
dove ho imparato
anche a recitare
quella scusa scema
che non so spiegare
come son caduta
sola per le scale
ero sorda e cieca
troppo innamorata
di quel gran bastardo
che mi ha consumata
Dio, ma come ho fatto
ad amarla tanto
quella rosa che mi ha regalato
ma che un giorno ha poi spezzato

Rosa... che non voglio più

26. La canzone che hai ascoltato vuole far conoscere e sostenere l'associazione *Doppia Difesa*. Esplora il sito (*www.doppiadifesa.it*) e discuti con un compagno sulle tematiche proposte. Ecco alcuni spunti.

1. Quali tipi di violenza sono trattati nel sito? 2.Cosa si fa nel tuo paese per aiutare le persone che subiscono una violenza? 3. Com'era la situazione nel passato? 4. Secondo te, qual è la relazione fra il movimento femminista e questo tipo di problemi? 5. Come si possono prevenire le violenze?

27. Rileggi il testo della canzone. Cosa significano nel testo queste parole ed espressioni?

1. addosso ....   3. per terra ....
2. sorda ....   4. cieca ....

Impariamo le parole - Metafore con gli organi di senso

28. *Le tre scimmie*. Completa con le parole date a sinistra. Ricordati di fare l'accordo.

sordo

muto

cieco

La prima scimmia dice: "Non parlo: sono ....".

"Io, invece – dice la seconda scimmia – non vedo, quindi sono ....".

"E io non sento perché sono ....", conclude la terza scimmia.

Questa storia si usa per riferirsi a una persona che sa qualcosa di una situazione che dovrebbe essere denunciata ma che preferisce comportarsi con indifferenza. In questi casi si usa l'espressione *fare come le tre scimmie*.

29. Completa il testo con la parola corretta.

Nella società contemporanea i disabili si definiscono con espressioni ritenute più corrette. Ad esempio, al posto della stessa parola "disabili" si usa l'espressione "diversamente abili", invece di "........................ ...." si dice "non udenti" e piuttosto che "................................" si preferisce usare "non vedenti". Non esiste un'espressione analoga per coloro che non possono parlare, che quindi si continuano a chiamare "............................".

Facciamo grammatica

30. Osserva il primo dei due ritornelli (evidenziati in *corsivo*) della canzone *Rose spezzate* che hai ascoltato e sottolinea tutte le forme verbali.

Questa parte del testo è la descrizione della violenza fisica che la ragazza subiva dal suo ragazzo, quando ancora viveva con lui.

31. Scrivi la regola.

1. Il tempo verbale usato è il ....

2. Secondo te, perché è usato questo tempo verbale per descrivere una scena del passato? Cosa si vuole comunicare? ....

Adesso prova a descrivere dove è ambientato il tuo romanzo preferito.

Analizziamo il testo

Osserva!

- Tuttavia dalla fine della Seconda Guerra Mondiale le donne italiane avevano già cominciato il loro cammino di emancipazione che in seguito avrebbe portato alle più importanti conquiste sociali. (*Attività 2*)

- Infatti, le migliori condizioni socio-economiche del paese avevano permesso a molte ragazze [...] di studiare, mentre nei decenni precedenti lo studio universitario era riservato [...] agli uomini. (*Attività 2*)

- Inoltre, le femministe hanno preparato il terreno per altre conquiste sociali. (*Attività 2*)

- Però, a differenza di buona parte degli altri movimenti, esso non è scomparso, si è trasformato in un'aggregazione di riviste e centri culturali. (*Attività 2*)

- Laura, la mia ex moglie, che ha voluto la separazione, ha un'altra relazione, ma è quella a cui il tribunale ha dato i figli e la casa di famiglia, oltre a un assegno di mantenimento. (*Attività 15*)

- Dispiace sempre dividere la famiglia, però se i figli vedono che i genitori sono sereni [...], poi accettano la situazione. (*Attività 15*)

Le parole evidenziate sono connettivi e uniscono due o più frasi all'interno di uno stesso testo.

32. Prova a dividere i connettivi visti in due gruppi, in base alla loro funzione.

Gruppo I	Gruppo II
oltre a, ...	tuttavia, ...

33. Scrivi la regola.

Nel primo gruppo ci sono i connettivi additivi, cioè quelli che ....

Nel secondo gruppo ci sono i connettivi avversativi, cioè quelli che ....

34. Osserva ancora una volta il primo ritornello di *Rose spezzate* (attività 25). Si tratta di un testo descrittivo dove troviamo...

1. forme verbali al tempo ....
2. lessico evocativo: ....
3. indicatori spaziali: addosso, per terra ....

35. Utilizzando gli elementi linguistici individuati nell'attività 34. Adesso descrivi...

- un evento del passato
- cosa vedi dalla finestra della tua camera
- una zona particolarmente bella o importante della tua città
- una situazione che ti ha colpito in Italia o nel tuo paese
- un personaggio del tuo romanzo preferito

Strategie che usi all'università

36. Riorganizzare un testo.

Riorganizzare un testo per l'esposizione è fra le strategie di studio più usate all'università. Ritorna alle attività 3 e 6 dove hai fatto uno schema delle principali informazioni di due testi. Ora utilizzando i connettivi riorganizza le tue note in due nuovi testi.

Scriviamo insieme

37. *Violenze contro le donne.*

Dovete scrivere un *reportage* sulle violenze subite dalle donne dentro e fuori dalla famiglia e su come la società ha tutelato e tutela le vittime delle violenze. Lavorate divisi in tre gruppi: il primo gruppo dovrà parlare dei tipi di violenza, delle vittime accertate e delle possibili reazioni delle vittime; il secondo gruppo invece si concentrerà sulle leggi fatte nel corso degli anni per prevenire e punire le violenze; il terzo gruppo infine descriverà la situazione attuale.

Conosciamo gli italiani

38. Leggi il testo. Vero o falso?

Noi casalinghi felici tra fornelli e pannolini
di Maria Novella De Luca

CALCATA – Si sono riuniti, coltello e forchetta, per annunciare: "Ciao maschio, è nato il maschio nuovo!". Allegri e contenti, di buon umore per il vino rosso e il menù vegetariano, un gruppetto di "neo-maschi" si è dato appuntamento ieri a Calcata, borgo molto alternativo nelle valli dell'Alto Lazio, per celebrare il pranzo d'addio all'uomo *virile-per-forza*, al maschio *vincente-per-legge*, al marito-amante che non fallisce mai. "Oh, no – dicono i neo-maschi – noi ci siamo stufati di essere il sesso forte, noi non vogliamo vincere, ci piace stare a casa, guardare i bambini e cambiare i pannolini. Saremmo felici, insomma, di fare i casalinghi".

Edizioni Edilingua

LE 5 REGOLE PER RITROVARE LA VIRILITÀ PERDUTA

Ecco un breve elenco di compiti per l'uomo che vuole diventare un buon casalingo e guarire così dallo stress. Un po' di tempo a casa, dicono gli esponenti del movimento, aiuta anche a ritrovare la virilità perduta.

– Fare il bucato a mano (in lavatrice è troppo facile, si deve sentire l'acqua sulle mani e la fatica di strofinare…)

– Cambiare i pannolini al bambino

– Cucinare e lasciare in ordine (caratteristica del maschio-cuoco è quella di abbandonare pentole e casseruole sporche)

– Stirare

– Prendersi cura di sé. È vietato cioè dopo una giornata di faccende accogliere la propria moglie in ciabatte e tuta da ginnastica.

Davvero? Sì, il movimento dei casalinghi esiste davvero, ha circa 15.000 simpatizzanti in tutta Italia, e quest'anno si è riunito per quattro giorni di riflessione sui lavori domestici, con simposi incentrati su "lavaggio dei panni a mano", "cucina naturale", "cucito".

A Calcata ieri c'erano i primi delegati dalle varie regioni, oltre ai due fondatori del movimento, Antonio D'Andrea e Paolo D'Arpini, che senza falsi pudori affermano: "Noi siamo per il ritorno del matriarcato". Il decalogo per gli uomini che vogliono scoprire la loro *casalinghitudine* potrebbe anche essere adottato tra le tante e bizzarre terapie post-moderne che cercano di curare la grande crisi di identità del maschio. "Tra i nostri soci – spiega Antonio D'Andrea, casalingo per scelta, con una compagna, Maura, che fa la guida turistica e lo mantiene – ci sono uomini che si sono trovati a dover restare a casa per forza (per esempio perché avevano perso il lavoro), mentre le mogli lavoravano, ma la maggior parte è costituita invece da ex professionisti che un bel giorno hanno detto addio alla corsa per la carriera e il successo e hanno deciso di tornare a casa, ad accudire mogli e bambini…". Il risultato di questa *casalinghitudine*, a giudicare dal pranzo preparato da Paolo, è di certo notevole. Ma non sarà mica una fuga dalle responsabilità, in questo luogo dove un gruppetto di maschi è in giardino a fare le bottiglie di pomodoro, altri si dedicano alla marmellata, altri ancora, di pomeriggio, andranno al fiume "ad imparare cosa vuol dire fare davvero un bucato a mano"? Paolo ricorda commosso: "Io sono stato un ragazzo-padre, mi ricordo cosa provavo nel cambiare i pannolini. Lavoravo in una ditta di materiale elettronico, ho cambiato vita e attività per stare con mio figlio". Aggiunge Alex Marenghi, 31 anni, antiquario di Vicenza: "Io sono super nelle pulizie. In campeggio ho avuto un'esperienza bellissima. In quattro o cinque amici, tutti uomini, spesso andavamo tutti insieme a fare il bucato. E lì, mentre strofinavamo i panni, parlavamo, facevamo pettegolezzi su questa o quella ragazza appena conosciuta. Ho capito un pezzo in più della vita delle donne". Ehi, verrebbe da esclamare, ma hanno inventato la lavatrice! Figuriamoci. I neo-casalinghi, sesso-forte pentito, non ci stanno. "Noi qui – aggiunge Antonio D'Andrea – abbiamo deciso di scrivere un decalogo per aiutare gli uomini. Stiamo cercando di creare in tutta Italia dei centri dove i maschi possano imparare a fare i casalinghi e le loro compagne possano rilassarsi. Lo scopo è quello di riequilibrare i rapporti insegnando agli uomini quello che le donne fanno da millenni". E come antidoto alla crisi della virilità, Antonio propone una energica cura a base di bucati a mano, pannolini sporchi, panni ben stirati e pranzetti naturisti da far trovare a lei che rincasa stanca dal lavoro.

È finita dunque la guerra dei sessi? Chissà. Secoli di Storia insegnano che prima o poi dei lavori domestici ci si stufa. Uomini e donne senza differenze. Resistono soltanto gli elettrodomestici. Magari un bel giorno si rompono. Però, non protestano.

adattato da *www.repubblica.it*

	Vero	Falso
1. In Italia esiste già da alcuni anni un movimento di uomini "casalinghi".	▢	▢
2. Questi uomini rifiutano tutti gli stereotipi legati all'idea del "sesso forte".	▢	▢
3. Nel movimento ci sono solo uomini disoccupati.	▢	▢
4. Essere "casalinghi" certamente non aiuta a risolvere la crisi di virilità.	▢	▢
5. Calcata, un piccolo paese nel Lazio, era il luogo ideale per una riflessione sul maschio moderno.	▢	▢
6. Forse diventare "casalinghi" è un modo per fuggire dalle responsabilità.	▢	▢
7. Questo movimento significa sicuramente la fine della "guerra fra i sessi".	▢	▢

Parliamo un po'...

⊃ Cosa pensi del movimento degli uomini "casalinghi"?
⊃ Esiste un movimento o un'associazione di questo tipo nel tuo paese?
⊃ Come sono divise le responsabilità all'interno delle famiglie nel tuo paese?
⊃ Secondo te, quale sarebbe la soluzione migliore? E la più realistica?

◎ Si dice così!
Ecco alcune espressioni utili per...

Parlare di un decennio (10 anni)	Gli anni '60/'70/'80... Negli anni '60/'70/'80... All'inizio degli anni '60/'70/'80...
Esprimere disagio o difficoltà	Non ce la faccio a **pagare anche un affitto!** Non ne potevo **proprio** più di lui! Non riesco **proprio** ad avere un rapporto sereno [con loro].
Narrare eventi antecedenti e successivi a un evento passato	Dalla fine della Seconda Guerra Mondiale le donne italiane avevano già cominciato il loro cammino di emancipazione che in seguito avrebbe portato alle più importanti conquiste sociali.
Descrivere un evento del passato con enfasi emotiva, renderlo presente	Qualche notte ancora sento le sue mani / che non so fermare / che mi fanno male...

◎ Sintesi grammaticale

- ### Il trapassato prossimo

  Il trapassato prossimo si usa per esprimere eventi successi prima di un'altra azione o di un altro evento nel passato.

  Esempi:
  Le femministe volevano rimettere in discussione [...] una gerarchizzazione umana che, soprattutto nell'epoca fascista, aveva assegnato valore ai diversi individui in base a rapporti di potere che...
  Infatti, le migliori condizioni socio-economiche del paese avevano permesso a molte ragazze di quegli anni di studiare.

  Il trapassato prossimo si forma con l'imperfetto indicativo dell'ausiliare *essere* o *avere* + il participio passato del verbo principale.
  Come per tutti i tempi composti, per la scelta dell'ausiliare, per la formazione e l'accordo del participio passato valgono le stesse regole che abbiamo già visto per il passato prossimo.

	COMINCIARE	LEGGERE	USCIRE
io	avevo cominciato	avevo letto	ero uscito/a
tu	avevi cominciato	avevi letto	eri uscito/a
lui/lei/Lei	aveva cominciato	aveva letto	era uscito/a
noi	avevamo cominciato	avevamo letto	eravamo usciti/e
voi	avevate cominciato	avevate letto	eravate usciti/e
loro	avevano cominciato	avevano letto	erano usciti/e

Edizioni Edilingua

Di solito l'avverbio di tempo si inserisce tra l'ausiliare e il participio passato.

Esempio:
Tuttavia dalla fine della Seconda Guerra Mondiale le donne italiane *avevano* già *cominciato* il loro cammino di emancipazione.

- ## Il condizionale passato

Il condizionale passato si usa per esprimere un'azione o un evento che succederà dopo rispetto a un'altra azione o un altro evento nel passato (futuro nel passato).

Esempio:
Ormai i tempi erano maturi e i pochi anni successivi [...] *sarebbero stati* fondamentali per la conquista di più ampi diritti civili per le donne italiane.

Il condizionale passato si forma con il condizionale presente dell'ausiliare *essere* o *avere* + il participio passato del verbo principale.

	PORTARE	LEGGERE	USCIRE
io	avrei portato	avrei letto	sarei uscito/a
tu	avresti portato	avresti letto	saresti uscito/a
lui/lei/Lei	avrebbe portato	avrebbe letto	sarebbe uscito/a
noi	avremmo portato	avremmo letto	saremmo usciti/e
voi	avreste portato	avreste letto	sareste usciti/e
loro	avrebbero portato	avrebbero letto	sarebbero usciti/e

- ## Relazioni di tempo nel passato

Si usa il trapassato prossimo per esprimere un'azione nel passato che succede prima di un'altra azione passata. Rispetto al passato esprime quindi un rapporto di anteriorità.

Si usa il *condizionale passato* per esprimere un'azione nel passato che succede *dopo* un'altra azione passata. Rispetto al passato esprime quindi un rapporto di *posteriorità*.

Esempio:
Dalla fine della Seconda Guerra Mondiale le donne italiane avevano già cominciato il loro cammino di emancipazione che in seguito *avrebbe portato* alle più importanti conquiste sociali.

- ## I pronomi relativi

I pronomi relativi si usano per mettere in relazione due frasi che hanno in comune una parola. I pronomi relativi possono avere la funzione di soggetto, oggetto diretto o oggetto indiretto (introdotto da una preposizione).

Esempi:
Laura, la mia ex moglie, che ha voluto la separazione, ha un'altra relazione, ma è quella a cui il tribunale ha dato i figli e la casa di famiglia.
Chi ha i figli mantiene anche la casa di famiglia.
Lei è sempre una delle persone su cui so di poter contare.
So di avere una situazione che molti invidiano.
Con il mio ex marito ho proprio chiuso, non lo vedo dal giorno in cui abbiamo firmato la separazione.
L'unico problema sono proprio i miei figliastri, con cui non riesco proprio ad avere un rapporto sereno.

Funzione	Pronomi relativi I	Pronomi relativi II
Soggetto	che	il quale – la quale i quali – le quali
Oggetto diretto	che	
Oggetto indiretto	(a) cui	al quale – alla quale ai quali – alle quali
Con preposizioni diverse da a	preposizione + cui	preposizione + il/la quale preposizione + i/le quali
la persona che le persone che	chi	la persona la quale le persone le quali

I pronomi *che* e *cui* non cambiano mai: queste forme sono maschili, femminili, singolari e plurali. I pronomi *il quale – la quale* e *i quali – le quali* cambiano in maschile, femminile, singolare e plurale.

La forma I e la forma II sono uguali nel significato, ma si usano in modo diverso:

– la forma I, più sintetica, è la più usata

– *il quale – la quale* e *i quali – le quali* possono essere usate al posto di che solo in funzione di soggetto

Esempio:
Ho incontrato il mio amico che (soggetto) usciva dal cinema. = Ho incontrato il mio amico il quale (soggetto) usciva dal cinema.

– *il quale – la quale* e *i quali – le quali* si usano quando non è chiaro a chi si riferisce esattamente il pronome

Esempio:
Paolo è il figlio della mia seconda moglie, che studia all'università.
Per ragioni di chiarezza è meglio dire, soprattutto nella lingua scritta:
Paolo è il figlio della mia seconda moglie, il quale studia all'università.

– i pronomi *il quale – la quale* e *i quali – le quali*, proprio perché più chiari, sono tipici del linguaggio legale e burocratico

Esempio:
Il giudice, al quale viene presentata richiesta di separazione, deve prendere in considerazione le richieste delle due parti.

● **Altri usi del presente indicativo**
Il presente indicativo si usa anche:

– per parlare di azioni o eventi che durano nel tempo, come le abitudini (presente abituale);

– per parlare di qualcosa che ha una validità che dura nel tempo, come le descrizioni scientifiche (presente atemporale);

– soprattutto nella lingua parlata, per esprimere azioni o eventi che si verificheranno nel futuro (presente con valore di futuro);

– per parlare di azioni ed eventi del passato, per rendere la descrizione più attuale ed emotivamente più forte (presente storico).

● I connettivi additivi e avversativi

I connettivi si usano per collegare fra di loro le informazioni di un testo in modo che nell'esposizione del nostro pensiero sia evidente uno sviluppo logico. Quando, durante lo studio universitario, dobbiamo esporre i contenuti studiati, generalmente li sintetizziamo e li riorganizziamo in un testo coerente usando i connettivi.

Connettivi additivi introducono una frase che aggiunge un'informazione	Connettivi avversativi contrappongono due frasi all'interno di un testo
in seguito, inoltre, oltre a, poi, …	ma, però, tuttavia, mentre, a differenza di, …
Esempi:	**Esempi:**
Dalla fine della Seconda Guerra Mondiale le donne italiane avevano già cominciato il loro cammino di emancipazione che in seguito avrebbe portato alle più importanti conquiste sociali.	Tuttavia dalla fine della Seconda Guerra Mondiale le donne italiane avevano già cominciato il loro cammino di emancipazione.
Inoltre, le femministe hanno preparato il terreno per altre conquiste sociali.	Infatti, le migliori condizioni socio-economiche del paese avevano permesso a molte ragazze [...] di studiare, mentre nei decenni precedenti lo studio universitario era riservato [...] agli uomini.
Il tribunale ha dato i figli e la casa di famiglia [*alla mia ex moglie*], oltre a un assegno di mantenimento.	Però, a differenza di [...] altri movimenti, esso non è scomparso, si è trasformato in un'aggregazione di riviste e centri culturali [...] meno impegnati [...], ma caratterizzati da una ricchissima produzione culturale.
Se i figli vedono che i genitori sono sereni [...], poi accettano la situazione.	

● Il testo descrittivo

Il testo descrittivo è in genere caratterizzato da:

– frasi brevi e semplici

– verbi al tempo indicativo presente

– lessico evocativo

– indicatori spaziali

Le descrizioni si trovano spesso in parti di romanzi o di altre opere di letteratura in cui l'autore vuole dare un quadro dettagliato della storia, dei personaggi e degli eventi narrati.

1 Sono in grado di...

	molto ++	abbastanza +	poco –	per niente – –
leggere un testo espositivo su argomenti quotidiani con dati statistici				
raccontare aspetti della mia vita quotidiana				
capire un dialogo su un argomento a me familiare				
comprendere un testo di ambito medico				
discutere a partire dall'osservazione di dati				
discutere di argomenti sociali				
capire un testo informativo trasmesso alla radio				
capire un articolo di giornale di argomento culturale				
riconoscere le caratteristiche di un testo descrittivo				
narrare eventi precedenti e successivi a un evento passato				
descrivere un evento passato con enfasi emotiva				

2. Quali sono le parole che vuoi ricordare delle unità 2 e 3? Prova a scrivere anche aggettivi, nomi, verbi, avverbi collegati alle parole che vuoi ricordare.

1. ....

2. ....

3. ....

4. ....

5. ....

6. ....

7. ....

8. ....

Edizioni Edilingua

3. Conosci altre parole sul tema delle unità? Se sì, quali? E dove hai sentito o hai letto queste parole?

PAROLE NUOVE	tv	radio	internet	per strada	giornali	altri compagni	altro, specificare

4. Quando ascolto un testo orale, anche fuori dalla classe, ...

ho difficoltà a capire quando ci sono più persone che parlano

mi blocco sulle parole che non capisco/conosco

ho paura di non capire e per questo non riesco a concentrarmi

quando il testo è lungo perdo facilmente la concentrazione

mi concentro troppo sui dettagli e perdo le informazioni importanti

mi disturba un ambiente rumoroso

altro: ....

5. Metti in ordine di importanza le affermazioni del punto precedente.

1. ....

2. ....

3. ....

4. ....

5. ....

6. ....

7. ....

Roma

Quando sono emigrato...

⊚ Entriamo in tema

1. Guarda i due grafici dell'attività 4 e fai delle ipotesi sul contenuto del testo.

- ⊃ Di che cosa parla il testo, secondo te?
- ⊃ Perché negli ultimi anni sono aumentate le nascite?

2. Adesso concentrati sul titolo: cosa può significare *Italiani & nuovi italiani*? Fai delle ipotesi e confrontale con quelle dei compagni.

⊚ Comunichiamo

3. Prima di leggere il testo osserva il significato di queste parole ed espressioni.

censimento (della popolazione)	= ricerca per conoscere il numero degli abitanti
ammontare	= il numero totale
pressione demografica	= rapporto tra la popolazione e le risorse disponibili per vivere in un territorio
sostenuto	= alto
flusso migratorio	= spostamento continuo e uniforme di persone da un luogo all'altro
tasso di natalità	= numero medio di figli che una donna genera durante la sua vita feconda
tasso di fertilità	= percentuale (%) di bambini nati in un anno

4. Leggi il testo e trova un titolo per ogni paragrafo. Lavora con un compagno.

Italiani & nuovi italiani

Evoluzione della popolazione in Italia dopo l'Unità

```
62.000.000
57.000.000
52.000.000
47.000.000
42.000.000
37.000.000
32.000.000
27.000.000
22.000.000
       1861  1881  1901  1921  1941  1961  1981  2001  OGGI
```

Secondo i dati ISTAT (Istituto Nazionale di Statistica) l'Italia conta circa 62.000.000 di abitanti. Le femmine sono poco più del 50% rispetto ai maschi. Negli ultimi anni la popolazione italiana ha registrato una crescita costante del 7% circa all'anno. [1]

Al tempo dell'Unificazione italiana nel 1861, il nuovo governo nazionale fece il primo censimento: la popolazione italiana era allora poco più di 22 milioni. La crescita della popolazione fu abbastanza lenta negli ultimi decenni dell'Ottocento anche a causa dell'elevato numero di persone che emigravano all'estero. [2] Infatti tra il 1861 e il 1985 quasi 30 milioni di italiani si sono trasferiti in quasi tutti gli Stati del mondo: un numero quasi equivalente all'ammontare della popolazione al momento dell'Unità d'Italia.

Tra il 1876 e il 1900 il Nord Italia fornì da solo il 47% degli emigranti totali; l'esodo interessò prevalentemente tre regioni settentrionali: Veneto, Friuli Venezia Giulia e Piemonte. Nei due decenni successivi il primato migratorio passò alle regioni meridionali, con quasi tre milioni di persone emigrate soltanto da Calabria, Campania e Sicilia, e quasi nove milioni da tutta Italia. La diffusa povertà che allora interessava vaste zone del territorio nazionale, determinava la voglia di riscatto di intere fasce della popolazione, la cui partenza significò per lo Stato e la società italiana un forte alleggerimento della "pressione demografica". Essa ebbe come destinazione soprattutto l'America del Sud e del Nord (in particolare Stati Uniti, Brasile e Argentina) e, in Europa, la Francia.

Edizioni Edilingua

Tasso di natalità in Italia

Numero di figli per donna

1,43
1,42
1,41
1,40
1,39
1,38
1,37
1,36
1,35
1,34
1,33
1,32
1,31
1,30
1,29
1,28
1,27
1,26
1,25
1,24
1,23
1,22
1,21
1,20
1,19

Fine XX secolo   Primo decennio del XXI secolo   OGGI

4 Nel Novecento, fino agli anni '70, l'aumento demografico riprese e rimase sostenuto; a differenza della Francia, le perdite umane delle due guerre mondiali non incisero molto. Negli anni '50 e '60 lo sviluppo economico del Nord Italia determinò ampi flussi migratori di lavoratori dal Sud al Nord Italia, mentre rimaneva stabile l'emigrazione verso altri paesi europei, in particolare la Germania e la Svizzera.

5 La popolazione italiana, tuttavia, è rimasta sostanzialmente invariata tra il 1981 e il 2001 (crescita zero), per poi riprendere ad aumentare nel primo decennio del III millennio, soprattutto grazie all'immigrazione. Infatti dalla metà degli anni '80 del 1900 in Italia si sono dirette le maggiori migrazioni dai paesi del Bacino del Mediterraneo (come Marocco, Tunisia, Algeria) e dall'Europa dell'Est (in particolare dai paesi ex comunisti). Secondo l'ISTAT, già pochi anni dopo l'inizio del nuovo millennio, in Italia vivevano 4.000.000 di stranieri, di cui mezzo milione clandestini, mentre gli immigrati extracomunitari con regolare permesso di soggiorno in Italia costituivano il 5% della popolazione.

i UFFICIO INFORMAZIONI

L'ISTAT è nato nel 1926. È il principale istituto di statistica pubblico e ufficiale a supporto dei cittadini e delle istituzioni. Opera in piena autonomia e in continua interazione con il mondo accademico e scientifico.

6 Come nella maggior parte delle nazioni sviluppate, anche in Italia rispetto a qualche decennio fa, sono diminuite le nascite, mentre i progressi medici e sociali hanno determinato un aumento nella durata della vita media, con una speranza di vita di 78,8 anni per gli uomini e 84,1 per le donne. Le fasce di popolazione più numerose sono quelle degli italiani nati durante il *boom* demografico degli anni '60. Negli ultimi decenni la natalità in Italia ha registrato una crescita costante e consistente, da molti attribuita al tasso di fecondità delle donne immigrate: circa un quarto delle nascite avvenute negli ultimi anni ha riguardato bambini stranieri.

adattato da *it.wikipedia.org*

5. Rileggi il testo. Vero o falso?

	Vero	Falso
1. Dal tempo dell'Unità d'Italia la popolazione italiana non è molto aumentata.		
2. Dopo l'Unità d'Italia la popolazione italiana è cresciuta lentamente.		
3. Nel 1900 la crescita demografica è rimasta bassa a causa delle due guerre mondiali.		
4. In passato l'Italia è stato un paese di emigrazione, ma oggi è un paese di immigrazione.		
5. In Italia sono sempre nati molti bambini.		
6. La presenza degli immigrati ha influenzato l'incremento della popolazione degli ultimi decenni.		
7. Grazie ai progressi medici e sociali la speranza di vita degli italiani è aumentata.		
8. Negli anni '70 del 1900 c'è stato un *boom* demografico.		

6. Le ipotesi fatte nelle attività 1 e 2 erano giuste o sbagliate? Discutine con i compagni.

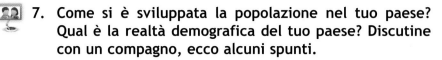

7. Come si è sviluppata la popolazione nel tuo paese? Qual è la realtà demografica del tuo paese? Discutine con un compagno, ecco alcuni spunti.

1. Quale momento della storia del tuo paese è importante per lo studio della popolazione? Come è cambiata la popolazione negli ultimi decenni nel tuo paese? 2. I fenomeni migratori hanno interessato e/o interessano il tuo paese? 3. Quanto? 4. Quali cambiamenti hanno determinato?

Impariamo le parole - I punti cardinali e le migrazioni

8. A quali punti cardinali corrispondono questi aggettivi?

Settentrionale ➡ ....   Occidentale ➡ Ovest

Orientale ➡ Est   Meridionale ➡ ....

9. Inserisci le parole della lista nel testo.

> comunitario - clandestino - permesso di soggiorno - extracomunitario

L'Unione Europea (UE)

Questa è la cartina dell'Unione Europea (UE), che in italiano si chiama anche Comunità Europea. Chi è nato in uno dei paesi dell'Unione è un cittadino ...., può muoversi liberamente all'interno dell'Unione e andare da un paese all'altro senza bisogno di richiedere un visto (cioè un permesso). Chi invece è cittadino di una nazione che non fa parte dell'Unione è un cittadino .... e se vuole venire in Italia, ad esempio, può chiedere un visto turistico valido 90 giorni, oppure può chiedere un visto per motivi di studio, se è regolarmente iscritto a una scuola. Se un cittadino extracomunitario rimane in Italia per più di 90 giorni diventa, per la legge, un .... e può essere espulso dal paese; per potersi stabilire in Italia questi cittadini stranieri devono richiedere e ottenere il ....

10. Osserva e completa.

Il verbo migrare indica il viaggio di un singolo individuo (il migrante) o di un gruppo di persone che abbandona il paese originario per andare a vivere in un altro. Il fenomeno migratorio non è nuovo: nel corso dei secoli il mondo ha visto in epoche diverse più di una migrazione.

e(x)- = *fuori*	im- (o in-) = *dentro*
emigrare: *partire dal proprio paese e andare a vivere in un altro*	immigrare: *venire a vivere nel nostro paese*
emigr.............: *descrive il fenomeno dell'andare a vivere all'estero*	immigr.............: *descrive il fenomeno dello stabilirsi nel nostro paese*
emigr.............: *persona che va a vivere in un altro paese*	immigr.............: *persona che viene a stabilirsi nel nostro paese*
emigrato: *persona che si è stabilita in un paese estero*	immigr.............: *persona che si è stabilita nel nostro paese*
emigratorio: *aggettivo che indica tutto ciò che riguarda l'azione dell'andare a vivere in un altro paese*	immigr.............: *aggettivo che indica tutto ciò che riguarda l'azione del venire a vivere nel nostro paese*

Edizioni Edilingua

Facciamo grammatica

Osserva!

- Tra il 1876 e il 1900 il Nord Italia fornì da solo il 47% degli emigranti totali; l'esodo interessò [...] tre regioni settentrionali [...]. Nei due decenni successivi il primato migratorio passò alle regioni meridionali.

- La [...] partenza [*di intere fasce della popolazione*] significò per lo Stato e la società italiana un forte alleggerimento della "pressione demografica".

- Negli anni '50 e '60 lo sviluppo economico del Nord Italia determinò ampi flussi migratori di lavoratori dal Sud al Nord Italia.

Le forme evidenziate sono al passato remoto.

11. Rileggi gli esempi e con un compagno completa la tabella.

	significare	**ricevere**	**fornire**
io		ricevei (o ricevetti)	
tu		ricevesti	
lui/lei/Lei		ricevé (o ricevette)	
noi		ricevemmo	
voi		riceveste	
loro		riceverono (o ricevettero)	

Osserva!

- La crescita della popolazione fu abbastanza lenta negli ultimi decenni dell'Ottocento.
- Essa ebbe come destinazione soprattutto l'America.

Le due forme evidenziate sono del verbo essere e del verbo avere e sono irregolari.

	essere	**avere**
io	fui	ebbi
tu	fosti	avesti
lui/lei/Lei	fu	ebbe
noi	fummo	avemmo
voi	foste	aveste
loro	furono	ebbero

Attenzione!

I verbi irregolari in genere si coniugano al passato remoto come *avere*: sono irregolari ad alcune forme e regolari ad altre.

12. Sottolinea nella tabella, con due colori diversi, le forme regolari e irregolari di *avere*.

Osserva!

- L'aumento demografico riprese e rimase sostenuto.

Spesso i verbi irregolari al participio passato (che per esempio si usa per formare il passato prossimo) sono irregolari anche al passato remoto.

13. Completa la tabella.

	infinito	passato prossimo (io)	passato remoto	io	lui/lei/Lei	loro
-s- ➡ -s-	Prendere	ho preso	pres	-i	-e	-ero
	Scendere	ho/sono sceso	sces	-i	-e	-ero
	Correre	ho/sono corso	cors	-i	-e	-ero
	Decidere	....	....			......
	Ridere	....	....			
	Perdere	....	....			
	Dividere	....	....			
	Spendere	....	....			
	Chiudere	....	....			
	Accendere	....	....			
-st- ➡ -s-	Rispondere	ho risposto	rispos-	......	....	
	Rimanere	sono rimasto	rimas-	......	....	
	Chiedere	....	....			
-t- ➡ -s-	Spegnere	ho spento	spens-	......	....	
	Spingere	....	....			
	Scegliere	....	....			
	Piangere	....	....			
-tt- ➡ -ss-	Scrivere	ho scritto	scriss-	......	....	
	Leggere	....	....			......

Altri verbi irregolari che si coniugano come *avere* sono: *conoscere – conobbi, mettere – misi, nascere – nacqui, sapere – seppi, vedere – vidi, venire – venni, vivere – vissi, volere – volli*.

14. Scrivi la regola. Rileggi il testo dell'attività 4 e cerchia con due colori diversi tutti i verbi al passato remoto e al passato prossimo, poi completa e scegli l'alternativa corretta.

1. Il passato remoto è usato nei paragrafi ...., ..., ... ed esprime un passato:
   a. vicino al presente, che ha effetti nel presente
   b. lontano dal presente, storico

2. Il passato prossimo è usato nei paragrafi ...., ..., ..., ... ed esprime un passato:
   a. vicino al presente, che ha effetti nel presente
   b. lontano dal presente, storico

3. Il passato remoto e il passato prossimo esprimono entrambi un tempo passato:
   a. concluso e definito in precisi limiti di tempo
   b. dinamico, ripetuto, non definito in precisi limiti di tempo

Edizioni Edilingua

15. Inserisci nelle frasi i verbi al passato remoto.

1. Il primo nucleo dell'Unione Europea (formarsi) .... dopo la Seconda Guerra Mondiale.
2. Gli emigranti (partire) .... con la speranza di una vita migliore.
3. Come molti altri italiani del Sud, anche noi (andare) .... a lavorare nel Nord Italia e (capire) .... che lì la vita era molto diversa.
4. Nonno, quando (ricevere) .... l'ordine di partire per la guerra, cosa (pensare) ....?
5. Quando (io - immigrare) .... in Germania ero molto povero e per molti anni non (potere) .... tornare in Italia.
6. La Seconda Guerra Mondiale (rappresentare) .... un periodo molto difficile per l'Europa. All'inizio nessuno (avere) .... il coraggio di dire pubblicamente che era una vera catastrofe.

16. Inserisci nelle frasi i verbi al tempo passato: scegli passato prossimo o passato remoto, secondo il contesto.

1. Ieri, alla TV, un esperto di demografia (parlare) .... della popolazione italiana e (dichiarare) .... che l'Italia è un paese dove nascono pochi bambini.
2. Nella prima metà del 1900 (esserci) .... le due guerre mondiali; entrambe (causare) .... la morte di molte persone in Europa.
3. Fra il 1861 e l'inizio del 1900 molti italiani (dovere) .... emigrare all'estero a causa della povertà. Negli ultimi decenni invece, molti migranti (scegliere) .... di venire in Italia a cercare lavoro.
4. Nel 1861 l'Italia (diventare) .... una nazione unita e Vittorio Emanuele II (essere) .... il primo re d'Italia.
5. Mio zio Giuseppe non (avere) .... fortuna all'estero e (ritornare) .... in Italia. (Morire) .... qualche anno fa a Napoli.

Analizziamo il testo

Osserva!

1. Al tempo dell'Unificazione italiana nel 1861, il nuovo governo nazionale fece il primo censimento.
2. Nei due decenni successivi il primato migratorio passò alle regioni meridionali.
3. La [...] povertà che allora interessava vaste zone del territorio nazionale, determinava la voglia di riscatto.
4. Anche in Italia rispetto a qualche decennio fa, sono diminuite le nascite.
5. Negli ultimi decenni la natalità in Italia ha registrato una crescita costante.

Le parole evidenziate sono espressioni anaforiche di tempo. Servono a dare informazioni sul tempo di svolgimento delle azioni in un testo. Spesso sono in relazione con il tempo espresso in una parte di testo che viene prima.

17. Scrivi la regola.

Nel testo:

1. Al tempo dell'Unificazione significa ....
2. Nei due decenni successivi significa ....
3. allora significa ....
4. qualche decennio fa significa ....
5. Negli ultimi decenni significa ....

Entriamo in tema

18. Osserva e descrivi le immagini.

19. Il titolo della storia che ascolteremo è "Essere e avere", tratta da *Il libro degli errori* di Gianni Rodari. Di cosa parla, secondo te? Fai delle ipotesi e confrontati con un compagno.

Comunichiamo

20. Ascolta la storia e rispondi alle domande.

1. Quanti personaggi ci sono nella storia? Chi sono? ....
2. Dove sono i personaggi? ....
3. Di cosa parlano i personaggi? ....
4. La storia vuole insegnare qualcosa? Se sì, cosa? ....
5. Che genere di storia è? ....

21. Ascolta di nuovo la storia e leggi il testo. Controlla le risposte dell'attività 20.

Essere e avere

Il professor Grammaticus, viaggiando in treno, ascoltava la conversazione dei suoi compagni di scompartimento. Erano operai meridionali, emigrati all'estero in cerca di lavoro: erano tornati in Italia per le elezioni, poi avevano ripreso la strada del loro esilio.

– Io ho andato in Germania nel 1958, – diceva uno di loro.

– Io ho andato prima in Belgio, nelle miniere di carbone. Ma era una vita troppo dura.

Per un poco il professor Grammaticus li stette ad ascoltare in silenzio. A guardarlo bene, però, pareva una pentola in ebollizione. Finalmente il coperchio saltò, e il professor Grammaticus esclamò, guardando severamente i suoi compagni:

> **UFFICIO INFORMAZIONI**
>
> Gianni Rodari (1920-1980) è stato uno scrittore e pedagogista italiano molto famoso, specializzato in scrittura per ragazzi. Rodari è tradotto in quasi tutte le lingue del mondo.

– *Ho andato! Ho andato!* Ecco di nuovo il benedetto vizio di tanti italiani del Sud di usare il verbo "avere" al posto del verbo "essere". Non vi hanno insegnato a scuola che si dice: "sono andato"?

Gli emigranti tacquero, pieni di rispetto per quel signore tanto perbene, con i capelli bianchi che gli uscivano da sotto il cappello nero.

– Allora: il verbo "andare", – continuò il professor Grammaticus, – è un verbo intransitivo, e come tale vuole l'ausiliare "essere".

Gli emigranti sospirarono. Poi uno di loro tossì per farsi coraggio e disse:

– Sarà come Lei dice, signore. Lei deve aver studiato molto. Vede, io ho fatto la seconda elementare, ma già allora dovevo guardare più alle pecore che ai libri. Il verbo "andare" sarà anche quella cosa che dice Lei.

– Un verbo intransitivo.

– Ecco, sarà un verbo intransitivo, una cosa importantissima, non discuto. Ma a me sembra un verbo triste, molto triste. Andare a cercar lavoro in casa d'altri... Lasciare la famiglia, i bambini...

Il professor Grammaticus cominciò a balbettare.

– Certo... Veramente... Insomma, però... Comunque si dice *sono andato*, non *ho andato*. Ci vuole il verbo "essere": io sono, tu sei, egli è...

Eh, – disse l'emigrante, sorridendo con gentilezza, – io sono, noi siamo!... Sa dove siamo noi, con tutto il verbo "essere" e con tutto il cuore? Siamo sempre al paese, anche se abbiamo andato in Germania e in Francia. Siamo sempre là, è là che vorremmo restare, e avere belle fabbriche per lavorare, e belle case per abitare.

E guardava il professor Grammaticus con i suoi occhi buoni e puliti. E il professor Grammaticus aveva una gran voglia di darsi dei pugni in testa. E intanto borbottava tra sé:

– Stupido! Stupido che non sono altro. Vado a cercare gli errori nei verbi... Ma gli errori più grossi sono nelle cose!

adattato da Gianni Rodari, Il libro degli errori, Einaudi, Torino

Impariamo le parole - Espressioni idiomatiche: stati d'animo

22. Abbina le parole della lista alle immagini, poi prova a spiegare le espressioni evidenziate in basso.

1

a. pentola

b. testa

c. coperchio

d. pugno

2

- *Pareva una pentola in ebollizione*. Finalmente il coperchio saltò.
- E il professor Grammaticus aveva una gran voglia di *darsi dei pugni in testa*.

23. Cerca nel dizionario monolingue (puoi consultarne anche uno online) il significato di questi verbi. Poi mima l'azione che esprime ognuno di questi verbi a un compagno che dovrà indovinare il verbo.

esclamare - tacere - sospirare - tossire
balbettare - sorridere - borbottare

Facciamo grammatica

24. Rileggi il testo, sottolinea con colori diversi tutti i verbi ai tempi passati dell'indicativo (passato prossimo, passato remoto, imperfetto, trapassato prossimo) e completa.

1. In questa storia il passato remoto si usa per esprimere ....

   Esempio: ....

2. Rispetto al passato remoto, il passato prossimo esprime un'azione passata ....

   ....

   Esempio: ....

3. L'imperfetto esprime invece un'azione passata .... che si

   oppone a un'azione compiuta nel passato.

   Esempio: ....

4. Il trapassato prossimo esprime un'azione passata ....

   Esempio: ....

25. Completa il testo con la forma corretta del verbo fra parentesi.

Un giorno due immigrati erano in treno e parlavano della loro esperienza di migranti. (Viaggiare) (1)......................... insieme per sentirsi meno soli, visto che (conoscersi) (2)......................... qualche mese prima in una fabbrica in Belgio, dove (lavorare) (3).................
.... entrambi. Un signore distinto li (ascoltare) (4).........................;
a un certo punto (sorridere) (5)......................... incuriosito dai loro
discorsi e gli (chiedere) (6).........................: "(Pensare; mai) (7).........
.... di ritornare in Italia?". "No, caro signore. – (rispondere)
(8)......................... il primo – (Partire) (9)......................... 5 anni fa perché non (riuscire) (10)...........
.... a trovare lavoro e ancora adesso mi dicono che la situazione non (cambiare) (11)...........
.... molto. Perché dovrei tornare? Per ritrovare la stessa miseria?".

Analizziamo il testo

1. Allora: il verbo "andare" [...] è un verbo intransitivo, e come tale vuole l'ausiliare "essere".
2. Vede, io ho fatto la seconda elementare...
3. Ecco, sarà un verbo intransitivo, una cosa importantissima...
4. Certo... Veramente... Insomma, però... Comunque si dice *sono andato*.
5. Sa dove siamo noi...?

Le parole evidenziate sono segnali discorsivi, espressioni tipiche della lingua parlata.

26. Rileggi il testo dell'attività 21 e rispondi alle domande.

Quale/i espressione/i usiamo...?

a. per attirare l'attenzione ....

b. per esprimere imbarazzo o disagio ....

c. se vogliamo riferirci a quello che ci hanno appena detto ....

d. se vogliamo spiegare qualcosa ....

27. Scegli l'opzione giusta e completa

1. *Vede* è formale/informale e la forma .... è formale/informale.
2. *Sa* è formale/informale e la forma .... è formale/informale.

28. Completa le frasi con le parole della lista. In alcuni casi ci sono più soluzioni possibili.

ecco - veramente - allora - vedi - sai - comunque

- Devo stampare la tesina per l'esame di domani, ma mi si è rotta la stampante.
- (1)............................ vai alla copisteria e falla stampare lì.
- (2)............................, volevo chiederti proprio questo: dov'è la copisteria più vicina?

- Saresti dovuto tornare a casa prima ieri sera! Oggi hai l'esame e hai dormito pochissimo: come farai a concentrarti?
- (3)............................ ... (4)............................ ho studiato tanto e mi sento preparato. (5)............................, ieri era il compleanno di Gianni, (6)............................ come si sarebbe arrabbiato se non ci fossi andato?

Entriamo in tema

Trova il videoclip della canzone *Un tempo piccolo* dei Tiromancino su YouTube, guardalo senza audio.

- ⊃ A cosa ti fanno pensare le immagini?
- ⊃ Secondo te, di cosa parlerà la canzone che stiamo per ascoltare?
- ⊃ È una storia vicina o lontana nel tempo?
- ⊃ Chi sono i protagonisti?
- ⊃ Puoi narrare brevemente la storia?
- ⊃ Cosa rappresenta questa storia nella vita dei protagonisti?

Comunichiamo

29. Prima di ascoltare la canzone osserva il significato di queste parole ed espressioni.

diventare grande	= crescere, diventare adulto
rotolare in salita	= muoversi come una palla su una strada che sale
rimanere in bilico	= essere in una posizione di equilibrio instabile
oscillare	= andare lentamente da una parte all'altra
spostare	= cambiare posto o posizione
scordare	= dimenticare

30. Ascolta la canzone e completa il testo.

Un tempo piccolo – Tiromancino

(1)........................ grande in un tempo piccolo
mi (2)........................ dal letto per sentirmi libero
vestendomi in fretta per non fare caso
a tutto quello che avrei lasciato
(3)........................ per la strada e mi
(4)........................ al traffico

(5)........................ in salita come fossi magico
toccando terra rimanendo in bilico
(6)........................ un albero per oscillare
(7)........................ lo sguardo per mirare altrove
cercando un modo per dimenticare

(ritornello)

(8)........................ l'anima
su tela anonima
e (9)........................ la vodka
con acqua tonica
poi (10)........................ tardi all'ora della cena

mi (11)........................ al libro come a una persona
(12)........................ le tele con aria ironica
e mi (13)........................ i ricordi provando il rischio
poi di rinascere sotto le stelle
ma non (14)........................ di certo un amore folle
in un tempo piccolo

(15)........................ il dolore con del vino rosso
buttando il cuore in qualunque posto
mi (16)........................ con un vecchio disco
tra i pensieri che non riferisco
chiudendo i dubbi in un pasto misto

(ritornello)

31. Osserva il testo della canzone. Completa e scegli l'opzione giusta.

Tutte le parole mancanti sono verbi al ....; questo tempo si usa qui per esprimere un evento successo in un passato lontano/vicino per chi racconta. Il testo narra un'esperienza comune/speciale, come per esempio quella raccontata in una fiaba.

◎ Facciamo grammatica

> **Osserva!**

a. Nel Novecento [...] l'aumento demografico riprese e rimase sostenuto. (*Attività 4*)
b. Il professor Grammaticus cominciò a balbettare. (*Attività 21*)
c. Diventai grande in un tempo piccolo. (*Attività 30*)

Nelle frasi sono utilizzati dei verbi al passato remoto, ma in ogni frase esso esprime un significato particolare.

32. Scrivi la regola.

1. In quale frase il passato remoto descrive un evento storico?
....

2. Cosa esprime invece nella frase b e all'interno del testo che la contiene?
....

3. Perché il passato remoto viene utilizzato nella frase c e nel testo relativo? Cosa si vuole esprimere?
....

 Edizioni Edilingua

33. Scegli tre/quattro punti e utilizzando i tempi passati racconta a un compagno...

1. un evento storico importante per il tuo paese
2. una fiaba tipica del tuo paese
3. la nascita di una corrente letteraria del tuo paese
4. lo sviluppo di un movimento artistico
5. un'esperienza positiva o negativa che ha particolarmente segnato la tua vita
6. la biografia di un personaggio storico o letterario
7. una storia che ha una morale e da cui si può imparare una lezione di vita

Analizziamo il testo

34. Osserva ora i testi che hai letto e ascoltato in questa unità e rispondi alle domande.

1. Qual è lo scopo prevalente?

   a. descrivere ▪   b. narrare ▪   c. argomentare ▪

2. Quali fra questi generi testuali sono rappresentati?

   a. racconto ▪   b. biografia ▪   c. autobiografia ▪

   d. relazione di viaggio ▪   e. cronaca (giornalistica, storica...) ▪   f. favola e fiaba ▪

3. Quali sono le caratteristiche comuni?

   1. Uso prevalente dei tempi .... (........................, ..., ..., ...).

   2. Ogni nuovo paragrafo segnala una fase nella narrazione.

4. Quali connettivi possono introdurre e/o collegare queste fasi? Rileggi i testi delle attività 4 e 21 e scrivine alcuni qui: ....

Strategie che usi all'università

35. Individuare i generi narrativi.

In molte situazioni all'università produrrai, leggerai o ascolterai testi narrativi come quelli prodotti per l'attività 33. Individua i generi testuali narrativi a cui appartengono, rispondi e completa.

a. Secondo te quali sono tipici del contesto universitario? ....
....

b. Nell'ambito di quali discipline di studio?

Testo	Disciplina
....	....
....	....
....	....

Scriviamo insieme

36. *Un concorso letterario.*

Lavorate in gruppi: ogni gruppo sceglie uno dei temi dell'attività 33 e sul tema individuato scrive una composizione di almeno 300 parole. Alla fine tutta la classe leggerà le storie prodotte dai gruppi e sceglierà la storia più bella. Ricordatevi di rispettare le caratteristiche dei testi narrativi individuate sopra: questo sarà uno dei criteri di valutazione della storia più bella!

37. Leggi il testo e completa la griglia.

La scuola in Italia

La Costituzione della Repubblica Italiana promulgata il 27 dicembre 1947 ed entrata in vigore il primo gennaio 1948, dedica diversi articoli all'istruzione considerandola come uno dei fini dello Stato. In quel momento la popolazione italiana era ancora in larga parte analfabeta e la sfida per il nuovo stato italiano era quella di alfabetizzare il maggior numero di cittadini possibile.

All'inizio del III millennio invece, nella società italiana ci sono stati notevoli cambiamenti che si sono naturalmente riflessi nel mondo della scuola e dell'istruzione in generale. La nuova sfida della scuola italiana era allora rappresentata dalla sempre maggiore presenza di alunni di famiglie immigrate. Questa realtà ha portato il sistema scolastico italiano ad aprirsi alle esigenze di una scuola sempre più multiculturale in grado di contribuire ad una piena integrazione degli alunni stranieri e delle loro famiglie nella nostra società. In questa nuova prospettiva fra l'altro, una particolare attenzione è riservata all'insegnamento e al potenziamento della lingua italiana, strumento indispensabile per l'integrazione dei bambini stranieri.

Nei primi dieci anni degli anni 2000, il sistema scolastico italiano è stato allineato con quello degli altri paesi della Comunità Europea e dopo alcune importanti riforme, si articola in: 1. scuola dell'infanzia; 2. primo ciclo (scuola primaria; scuola secondaria di primo grado); 3. secondo ciclo (scuola secondaria di secondo grado); 4. università. È obbligatorio frequentare la scuola fino a 16 anni.

La **scuola dell'infanzia** dura tre anni e non è obbligatoria. Possono iscriversi i bambini fra i 3 (o quelli che compiono i 3 anni entro il 30 aprile dell'anno di riferimento) e i 5 anni.

La **scuola primaria** dura cinque anni ed è obbligatoria, vi possono accedere i bambini che abbiano compiuto 6 anni (è prevista la facoltà di anticipo per bambini che compiono i 6 anni entro il 30 aprile dell'anno di riferimento). Fin dal primo anno è previsto lo studio della lingua inglese e l'insegnamento dell'informatica. Alla fine di questo ciclo, ogni bambino riceve un "Portfolio delle competenze" costituito da una scheda di valutazione personale e una scheda di orientamento che accompagneranno lo studente fino ai 19 anni.

La **scuola secondaria di I grado** dura tre anni ed è frequentata da alunni di età compresa tra gli 11 e i 14 anni. Il terzo anno si conclude con l'esame di Stato.

La **scuola secondaria di II grado** (secondo ciclo) è costituita da due diversi percorsi formativi: I) scuola secondaria di secondo grado di competenza statale, della durata di 5 anni (2 bienni + quinto anno), rivolta agli alunni dai 14 ai 19 anni. Appartengono a questo percorso i licei, gli istituti tecnici e gli istituti professionali; II) istruzione e formazione professionale iniziale di competenza regionale, della durata di 3 o 4 anni. I primi due anni del secondo ciclo sono obbligatori per entrambi i percorsi. Inoltre, grazie al sistema dei crediti formativi, è possibile cambiare indirizzo e passare da un percorso all'altro. I **licei** sono ripartiti in sei indirizzi: artistico; classico; linguistico; musicale e coreutico, scientifico; delle scienze umane. Gli **istituti tecnici** offrono percorsi di studio in due settori: economico (2 indirizzi) e tecnologico (9 indirizzi). Gli **istituti professionali** prevedono, invece, percorsi di studio in due settori: servizi (4 indirizzi) e industria e artigianato (2 indirizzi). Alla fine del quinto anno è previsto l'esame di Stato per il rilascio del diploma che permette di accedere all'università. La qualifica professionale, ottenuta nei corsi di **istruzione e formazione professionale**, permette l'accesso all'istruzione e formazione tecnica superiore, a cui si può accedere anche dopo il conseguimento del diploma di istruzione secondaria di II grado. Gli studenti delle scuole secondarie di ogni ordine che abbiano compiuto il quindicesimo anno di età possono acquisire competenze con periodi di **alternanza scuola-lavoro**: possono essere infatti inseriti, all'interno del percorso formativo personalizzato, periodi di esperienza lavorativa.

L'**università** si struttura in due livelli di laurea: **laurea di primo livello** che si ottiene alla fine di un ciclo di studio di tre anni e con l'ottenimento di 180 crediti formativi. Una volta ottenuta la laurea di primo livello si può scegliere di accedere al mondo del lavoro, oppure accedere a un **master di primo livello** o

> **i UFFICIO INFORMAZIONI**
>
> Lo studio medio di uno studente universitario in un anno accademico è fissato convenzionalmente a 60 crediti. La valutazione degli esami disciplinari è in trentesimi: 18/30 è il voto minimo per superare l'esame; al massimo (30/30) può essere aggiunta la lode come ulteriore riconoscimento. Il voto dell'esame di laurea è espresso in 110/110 e tiene conto della media dei voti ottenuti agli esami disciplinari. Anche per il voto dell'esame di laurea si può avere la lode come massimo elogio.

Edizioni Edilingua

ancora accedere a una **laurea magistrale di secondo livello**, entrambi durano due anni e fanno ottenere 120 crediti. La laurea magistrale prepara a specifiche professioni e permette di accedere ai **master di secondo livello** che portano il credito formativo a 360 crediti.

adattato da *www.euroaction.it* e *www.lastoriasiamonoi.rai.it*

	TIPO DI SCUOLA	DURATA	ETÀ
I CICLO	Scuola dell'Infanzia		
	Scuola Primaria		
	Scuola Secondaria di I grado		
II CICLO	Scuola Secondaria di II grado: ➤ Licei, Istituti tecnici e Istituti professionali ➤ Istituti di istruzione e formazione professionale		
	Università: ➤ Laurea di I livello ➤ Laurea magistrale di II livello		

Parliamo un po'...

↻ Quali sono le principali differenze e somiglianze fra il sistema scolastico italiano e quello del tuo paese?

↻ Quali sono, secondo te, gli aspetti positivi e/o negativi dei due sistemi?

↻ Le attività sportive sono praticate solo per due ore alla settimana nelle scuole italiane. E nel tuo paese?

↻ Cosa pensi in generale del sistema scolastico italiano?

◎ Si dice così!

Ecco alcune espressioni utili per...

Narrare eventi storici	*Al tempo dell'*Unificazione italiana nel 1861... *Nei due decenni successivi* il primato migratorio passò... La povertà che *allora* interessava vaste zone... *Rispetto a qualche decennio fa*, sono diminuite le nascite. *Negli ultimi decenni* la natalità in Italia...
Segnalare l'inizio di una spiegazione	*Allora*: il verbo "andare" è un verbo intransitivo.
Segnalare che ci si vuol riferire a quanto ha appena detto l'interlocutore	*Ecco*, sarà un verbo intransitivo, una cosa importantissima.
Attirare l'attenzione	*Vede*, io ho fatto la seconda elementare. *Sa* dove siamo noi...
Esprimere imbarazzo, disagio	*Certo...* *Veramente...* *Insomma, però...* *Comunque...*

Sintesi grammaticale

● **Il passato remoto**

Il passato remoto si usa per narrare un evento storico, letterario, una favola o una fiaba, un'esperienza biografica e autobiografica particolarmente significativa.

Esempi:

Nel Novecento [...] l'aumento demografico riprese e rimase sostenuto.
Il professor Grammaticus cominciò a balbettare.
Diventai grande in un tempo piccolo.

Verbi regolari

	SIGNIFICARE	RICEVERE	FORNIRE
io	significai	ricevei/ricevetti	fornii
tu	significasti	ricevesti	fornisti
lui/lei/Lei	significò	ricevé/ricevette	fornì
noi	significammo	ricevemmo	fornimmo
voi	significaste	riceveste	forniste
loro	significarono	riceverono/ricevettero	fornirono

Verbi irregolari

infinito	passato remoto
ESSERE	*fui, fosti, fu, fummo, foste, furono*
AVERE	*ebbi, avesti, ebbe, avemmo, aveste, ebbero*
DARE	*diedi, desti, dette, demmo, deste, dettero*
STARE	*stetti, stesti, stette, stemmo, steste, stettero*
BERE	*bevvi, bevesti, bevve, bevemmo, beveste, bevvero*
DIRE	*dissi, dicesti, disse, dicemmo, diceste, dissero*
FARE	*feci, facesti, fece, facemmo, faceste, fecero*

Spesso i verbi irregolari al participio passato sono irregolari anche al passato remoto.

infinito	participio passato	passato remoto (io)
ACCENDERE	acceso	accesi
CHIUDERE	chiuso	chiusi
CORRERE	corso	corsi
DECIDERE	deciso	decisi
DIVIDERE	diviso	divisi
PERDERE	perso	persi
PRENDERE	preso	presi
RIDERE	riso	risi
SCENDERE	sceso	scesi
SPENDERE	speso	spesi
CHIEDERE	chiesto	chiesi
RIMANERE	rimasto	rimasi
RISPONDERE	risposto	risposi
PIANGERE	pianto	piansi
SCEGLIERE	scelto	scelsi
SPEGNERE	spento	spensi
SCRIVERE	scritto	scrissi
LEGGERE	letto	lessi

Edizioni Edilingua

Gli altri verbi irregolari si coniugano come avere: sono irregolari alle persone io, lui/lei/Lei, loro, ma sono regolari alle altre forme. Ecco quelli più comuni:

infinito	passato remoto
CONOSCERE	conobbi, conoscesti, conobbe, conoscemmo, conosceste, conobbero
SAPERE	seppi, sapesti, seppe, sapemmo, sapeste, seppero
VENIRE	venni, venisti, venne, venimmo, veniste, vennero
VOLERE	volli, volesti, volle, volemmo, voleste, vollero
METTERE	misi, mettesti, mise, mettemmo, metteste, misero
VEDERE	vidi, vedesti, vide, vedemmo, vedeste, videro
NASCERE	nacqui, nascesti, nacque, nascemmo, nasceste, nacquero
VIVERE	vissi, vivesti, visse, vivemmo, viveste, vissero

● **I tempi narrativi**

Il passato remoto si usa per narrare eventi lontani o percepiti come lontani nel tempo dal parlante; il passato prossimo invece esprime un'azione passata da poco tempo i cui effetti sono spesso ancora presenti. Sia il passato prossimo che il passato remoto sono tempi delimitati e conclusi nel passato (tempi perfettivi). Come tali si oppongono entrambi all'imperfetto che esprime un'azione passata dinamica, ripetuta e non contenuta in limiti di tempo precisi ed esatti.

Il trapassato prossimo esprime un'azione passata successa prima di un tempo passato.

● **Le espressioni anaforiche di tempo: *al tempo di ..., nei ... anni successivi, allora, qualche anno fa, negli ultimi anni***

Servono a dare informazioni sul tempo di svolgimento delle azioni in un testo. Spesso sono in relazione con il tempo espresso in una parte di testo che viene prima.

Esempi:

La diffusa povertà che allora interessava vaste zone del territorio nazionale, determinava la voglia di riscatto.

Anche in Italia rispetto a qualche decennio fa, sono diminuite le nascite.

● **I segnali discorsivi per iniziare un discorso: *ecco, allora, vede/vedi, sa/sai, veramente, comunque, insomma***

Si usano nella lingua parlata per attirare l'attenzione, per segnalare che si è capito qualcosa detto in precedenza, per esprimere imbarazzo o semplicemente per prendere tempo.

Esempi:

Ecco, sarà un verbo intransitivo, una cosa importantissima…

Certo… Veramente… Insomma, però… Comunque si dice *sono andato*.

● **Il testo narrativo**

Sono testi narrativi: il racconto, la biografia, l'autobiografia, la cronaca (giornalistica, storica, …), la favola e la fiaba, le relazioni di viaggio.

I testi narrativi sono caratterizzati da:
1. uso prevalente dei tempi passati (passato prossimo, passato remoto, imperfetto, trapassato prossimo);
2. strutturazione in paragrafi che segnalano le fasi della narrazione;
3. connettivi ed espressioni di tempo che marcano lo sviluppo della narrazione come: *prima, dopo/ poi, in seguito, nel ...* (anno), *infine / alla fine*.

Alcuni generi narrativi sono particolarmente usati in discipline di studio universitario come la Storia e la Letteratura.

◎ Grammatica

1. Completa con i verbi al trapassato prossimo o al condizionale passato.

La famiglia allargata, come la intendiamo oggi, non esisteva in Italia fino a qualche decennio fa e certamente prima del 1974 (legge sul divorzio), nessuno (*immaginare*) (1)................................ che il vincolo del matrimonio non (*essere*) (2)................................ per sempre. I miei genitori per esempio sono morti qualche anno fa, dopo più di sessanta anni di vita insieme: infatti (*sposarsi*) (3).................... .... nel 1946, subito dopo la guerra e (*vivere*) (4)................................ per diversi anni con la madre del mio babbo, allora vedova, che poi, alla sua morte, (*lasciare*) (5)................................ a loro la casa di famiglia.

/5

2. Trasforma il testo dal presente al passato.

Il Risorgimento è il periodo storico durante il quale l'Italia arriva alla sua unità nazionale. Il Regno di Italia all'inizio ha la sua capitale a Torino, città della famiglia reale italiana, i Savoia. La famiglia reale vive poi a Firenze dal 1861 al 1870, quando Garibaldi prende Roma, nuova e definitiva capitale italiana.

....
....
....
....
....

/5

3. Scegli l'opzione corretta.

1. Negli ultimi anni il numero degli immigrati è aumentato/aumentò/aumentava molto.
2. Un mese fa siamo stati/eravamo/fummo ancora nel nostro paese.
3. Il movimento femminista voleva/volle/ha voluto pari opportunità per uomini e donne.
4. Nel referendum del 1946 gli italiani sceglievano/hanno scelto/scelsero la Repubblica.
5. L'anno scorso abbiamo divorziato/divorziavamo/divorziammo.

/5

4. Completa con i pronomi relativi e le preposizioni, se necessarie.

1. .... divorzia può risposarsi.
2. Giulia è la ragazza .... sono uscito ieri sera.
3. Le femministe si ribellavano agli uomini, ... finalmente non avevano più paura.
4. Questa è la casa .... vogliamo comprare per la nostra famiglia.
5. I miei figli sono le persone .... voglio più bene.

/5

5. Riconosci e correggi l'errore nelle seguenti frasi.

1. L'ISTAT è l'istituto cui si occupa delle statistiche in Italia. ....
2. Anna Tatangelo è l'interprete chi canta *Rose spezzate*. ....

3. Ho molte amiche in cui posso contare quando ho bisogno di aiuto. ....

4. Questo è l'uomo con cui ho lasciato mio marito. ....

5. È un amico per cui voglio molto bene. ....

/5

◎ Testualità

6. Indica il significato delle parole evidenziate.

1. All'interno del movimento studentesco del '68 si sviluppò il femminismo: allora molte ragazze frequentavano l'università.

....

2. Vuoi sapere dove trovare una banca? Allora, ce n'è una proprio di fronte alla nostra facoltà.

....

3. Ho incontrato Gianni mentre andavo al mercato.

....

4. Vorresti conoscere anche i miei genitori, mentre io non conosco ancora i tuoi figli.

....

5. Ci siamo conosciuti in ufficio, poi abbiamo cominciato a frequentarci e ci siamo innamorati.

....

/5

◎ Vocabolario

7. Scrivi la parola o l'espressione esatta.

1. Una donna a cui è morto il marito si definisce ....

2. Dopo il divorzio entrambi i genitori si occupano dei figli perché hanno scelto ....
....

3. La somma che il marito deve dare ogni mese alla ex moglie è ....

4. I diritti che ogni cittadino ha in uno stato sono chiamati ....

5. Quando il Parlamento dichiara che una legge è valida, si dice ....

/5

8. Scegli l'opzione adeguata.

1. Una persona che si stabilisce nel nostro paese è un immigrato/emigrato.

2. La nuova moglie di mio padre è la mia figliastra/matrigna.

3. Milano si trova nell'Italia meridionale/settentrionale.

4. Julio e Miguel vengono dal Perù e sono cittadini comunitari/extracomunitari.

5. Ha avuto un incidente e ha perso la vista: adesso è cieco/muto.

/5

Punteggio Totale   **/40**

Ma sei davvero così superstizioso?

Entriamo in tema

- ⊃ Cosa è, secondo te, la superstizione?
- ⊃ Hai mai sentito dire che gli italiani sono un popolo di superstiziosi?
- ⊃ Sei superstizioso? In albergo, aereo o treno prendi volentieri la camera o il posto numero 13?
- ⊃ Nel tuo paese ci sono pratiche comunemente utilizzate legate alla superstizione?

Comunichiamo

1. Ascolta l'intervista trasmessa alla radio. Vero o falso?

6

	Vero	Falso
1. La studentessa si ritiene superstiziosa.	☐	☐
2. La studentessa cerca di far succedere le cose che desidera.	☐	☐
3. Il signore ha un rapporto positivo con la superstizione.	☐	☐
4. Il signore ha paura dei gatti neri.	☐	☐
5. Il signore non ha mai rotto uno specchio.	☐	☐
6. La signora è sicura di non essere superstiziosa.	☐	☐
7. A casa della signora non era importante il numero delle persone a tavola.	☐	☐

2. Ascolta di nuovo l'intervista e leggi il testo. Controlla le risposte dell'attività 1.

6

<u>**Conduttore**</u>: Care amiche e amici, quest'oggi il nostro collaboratore Marco Palmieri è per le strade di Cuneo a chiedere agli italiani che rapporto hanno con la superstizione.

<u>**Studentessa**</u>: Non sono superstiziosa, ma spesso metto in atto dei meccanismi perché accadano alcune cose in cui spero, che però non sono azioni superstiziose, non sono magie, non sono preghiere, perché non è una cosa che... in cui credo assolutamente. Le cose che faccio sono, per esempio, non dire in giro che ho un esame, ecco.

<u>**Signore**</u>: Eh, ma io sono superstizioso! Quindi il mio rapporto con la superstizione è positivo, sono molto tranquillo. Nel senso che lo sono veramente, perché se vedo un gatto nero che attraversa la strada cerco di cambiare strada. Se mi cade il sale sulla tavola per errore lo devo..., me lo devo buttare dietro le spalle immediatamente, e così via... Le cose che mi fanno più paura? Non so... penso che sia lo specchio rotto, visto che è una cosa che mi succede abbastanza spesso! Credo che una persona superstiziosa si convinca da sola che certe cose veramente portino sfortuna, insomma, parte da una convinzione personale.

> **ⓘ UFFICIO INFORMAZIONI**
>
> Secondo un'indagine, circa 10 milioni di italiani consultano ogni anno maghi e cartomanti o corrono a comprare libri e riviste sugli oroscopi. La cronaca riporta spesso storie di persone che spendono forti somme di denaro in amuleti, riti propiziatori o filtri d'amore.

<u>**Signora**</u>: Mah, non sono sicura che si chiami superstizione il fatto che nella nostra famiglia ci sono sempre state delle abitudini da rispettare. Mio padre quando pioveva, per esempio, non ci lasciava mai aprire gli ombrelli prima di essere

Edizioni Edilingua

fuori della porta di casa. Ah, sì, ora ricordo! In effetti, durante le feste, mia madre contava sempre gli invitati a un pranzo e spesso invitava qualcuno in più perché non le piaceva una tavolata di tredici persone. Ma queste abitudini familiari le hanno un po' tutti, no?

3. Qual è il tuo rapporto con la superstizione? Discutine con un compagno, ecco alcuni spunti.

1. Hai un portafortuna che porti sempre con te? 2. Fai qualcosa di particolare prima di un evento importante? 3. Ci sono frasi che dici prima di un esame? 4. Cosa pensi delle persone superstiziose?

Impariamo le parole – La scaramanzia

4. Collega gli eventi con l'effetto che causano o con l'azione che potresti fare per contrastare la sfortuna.

1. Un gatto nero ti attraversa la strada.
2. C'è una scala aperta davanti a te.
3. Del sale si rovescia sulla tavola.
4. Rompi uno specchio.
5. Siete tredici a tavola.
6. C'è qualcuno vestito di viola a teatro.
7. È venerdì 17.
8. Apri l'ombrello in casa.

a. Ne prendo un po' e me lo butto dietro le spalle.
b. Ci dividiamo su due tavoli.
c. Porto tutto il giorno con me un cornetto rosso.
d. Non ci passo sotto, ma accanto.
e. Faccio passare prima qualcun altro così la sfortuna andrà a lui.
f. Lo spettacolo andrà male.
g. Porta sfortuna. D'ora in poi lo farò solo all'aperto.
h. Avrò sette anni di disgrazie.

Entriamo in tema

↪ Tu fai qualcosa per cambiare il tuo futuro? Oppure lasci che le cose succedano e basta?

↪ Conosci qualcuno che, secondo te, è così negativo che sembra attirare su di sé la sfortuna?

Comunichiamo

5. Prima di leggere il testo osserva il significato delle parole e dell'espressione che seguono.

accedere	= entrare
grigliata	= occasione per riunirsi e cuocere carne, pesce, verdure al barbecue
percorso a ostacoli	= sport atletico in cui correndo si saltano delle barriere (*anche in senso metaforico*)
procurare	= causare
svelare	= rendere noto ciò che era nascosto
pochezza	= insufficienza

6. Leggi il testo e metti in ordine i paragrafi.

Venerdì 17 luglio: Il CICAP lancia la prima Giornata anti-superstizione

A Ed è proprio per combattere la superstizione, che il CICAP organizza per venerdì 17 luglio la prima Giornata anti-superstizione. In alcune città, tra cui Roma, Milano, Genova, Torino, Padova, Pescara e Catania, i gruppi locali del Comitato organizzeranno eventi di vario tipo: incontri, conferenze, dibattiti ma anche dimostrazioni all'aperto, *happy hour*,

 UFFICIO INFORMAZIONI

Nell'Antico Testamento si dice che il Giudizio Universale accadrà il 17esimo giorno del secondo mese. Sulle tombe del primo medioevo, poi, si usava incidere le lettere VIXI, che stavano a significare: "Ho vissuto, quindi sono morto". Molti confondevano il significato della sigla, leggendola XVII, 17. Al numero è stato in seguito allegato il concetto di venerdì, perché per tradizione è il giorno della morte di Gesù Cristo. Infine, anche nella smorfia napoletana il 17 significa "disgrazia".

grigliate e cene. «Caratteristica di molti appuntamenti è che per accedervi, sarà necessario compiere un vero e proprio *Percorso a ostacoli per superstiziosi*» – spiega Marta Annunziata, biotecnologa all'Università di Torino e coordinatrice dei gruppi locali del CICAP.

B A proposito di convegni, tra il 9 e l'11 ottobre, ad Abano Terme, si svolgerà il Convegno Nazionale del CICAP, dove si festeggeranno i primi 20 anni di attività del Comitato con più di 50 tra relatori ed esperti. Programma completo e scheda di iscrizione sul sito del CICAP.

C "Essere superstiziosi porta male". Sembra una battuta, ma per gli esperti del CICAP (Comitato italiano per il controllo delle affermazioni sul paranormale, www.cicap.org) è un dato di fatto. «Qualcuno crede che un oggetto, una persona o una frase abbiano il potere di procurare disastri: è una profezia che si autoavvera – spiega Massimo Polidoro, Segretario Nazionale del CICAP, già docente di Psicologia dell'insolito all'Università di Milano-Bicocca – La persona che si crede sfortunata o iellata altera il suo comportamento e finisce così per causare tali eventi».

D «Si passerà, per esempio, sotto una scala aperta, si romperà uno specchio, si verserà a terra del sale, si farà in mille pezzi una lettera con la classica catena di sant'Antonio, si aprirà un ombrello al chiuso e così via. In alcuni casi i partecipanti dovranno eseguire un totale di 13 gesti e azioni ritenute fortemente pericolose dai superstiziosi». «Si tratta di un modo allegro e simpatico per svelare la pochezza di certi rituali prima che finiscano per condizionare negativamente la vita delle persone – commenta Massimo Polidoro, Segretario del CICAP – Il CICAP da ormai 20 anni è impegnato a combattere l'irrazionalità, la superstizione e il pregiudizio con le armi della scienza e della ragione. Lo facciamo attraverso libri, articoli, interventi radiotelevisivi, esperimenti, indagini, conferenze, convegni e, ora, anche con esperienze insolite e divertenti come la Giornata anti-superstizione».

adattato da www.cicap.org

◎ Impariamo le parole - La superstizione

7. Trova la parola o l'espressione presente nel testo e scrivila accanto alla definizione o al sinonimo corrispondente.

1. andare contro ....
2. porta sfortuna ....
3. tutto ciò che non sembra spiegabile razionalmente ....
4. annuncio di eventi futuri ....
5. sfortunata ....
6. azioni svolte in determinate circostanze ....
7. illogicità, assurdità ....
8. intelligenza, logica ....

◎ Facciamo grammatica

Osserva!

- Non so… penso che sia lo specchio rotto. (*Attività 2*)
- Credo che una persona superstiziosa si convinca da sola che certe cose […] portino sfortuna. (*Attività 2*)

- Non sono sicura si chiami superstizione il fatto che nella nostra famiglia ci sono sempre state delle abitudini da rispettare. (*Attività 2*)
- Qualcuno crede che un oggetto, una persona o una frase abbiano il potere di procurare disastri. (*Attività 6*)

Le forme evidenziate sono verbi al congiuntivo presente.

8. Prova a completare la tabella con le forme dei verbi al congiuntivo.

capisca - mi convinca - abbia - dorma - porti - capisca - dormiamo - ti convinca
abbiamo - dormiate - capiamo - vi convinciate - portiamo - si convincano - siamo
sia - portiate - abbiate - siano - dormano - capiscano - abbia

	essere	avere	portare (-are)	convincersi (-ere)	dormire (-ire)	capire (-isc-)
io		abbia	porti		dorma	capisca
tu	sia		porti		dorma	
lui/lei/Lei	sia			si convinca		
noi				ci convinciamo		
voi	siate					capiate
loro		abbiano	portino			

I verbi essere e avere sono irregolari!

La maggior parte dei verbi irregolari all'indicativo presente sono irregolari anche al congiuntivo presente. Per esempio *io posso* diventa io possa; *io vado* diventa io vada; *io faccio* diventa io faccia.

9. Scrivi la regola.

1. Ci sono desinenze uguali per più persone? Sì ☐ No ☐
2. Una forma dell'indicativo presente è uguale a una del congiuntivo presente: quale? ....

Osserva!

1. Non so... penso che sia lo specchio rotto. (*Attività 2*)
2. Qualcuno crede che un oggetto, una persona o una frase abbiano il potere di procurare disastri. (*Attività 6*)
3. Non sono sicura si chiami superstizione il fatto che nella nostra famiglia ci sono sempre state delle abitudini da rispettare. (*Attività 2*)

Il congiuntivo si usa generalmente nelle frasi dipendenti (secondarie). Di solito si trova dopo alcuni verbi o espressioni seguiti dalla congiunzione che: verbo della frase principale + che + congiuntivo nella frase secondaria.

10. Scrivi la regola.

Nella frase 1 il congiuntivo si usa dopo il verbo ....
Nella frase 2 il congiuntivo si usa dopo il verbo ....
Nella frase 3 il congiuntivo si usa dopo la forma negativa dell'espressione ....

Attenzione!

Oltre ai verbi e alle espressioni che hai trovato, che esprimono un'opinione (*credere, pensare,* ma anche *convincersi* ed *essere convinti*) e dubbio (*non essere sicuri, dubitare* ma anche *si dice, dicono*), si usa il congiuntivo dopo:

● verbi che indicano volontà, divieto: *volere, ordinare, preferire* ecc.
● verbi o espressioni che indicano desideri o stati d'animo: *sperare, desiderare, augurarsi, temere, avere paura, essere felici, essere contenti, dispiacersi* ecc.
● è + aggettivo/avverbio: *è meglio, è preferibile, è necessario, è bene, è possibile* ecc.
● verbi impersonali: *bisogna, sembra.*

11. Completa le frasi con il congiuntivo presente.

1. Se non hai un talismano o un amuleto, spero che qualcuno te ne (regalare) .... presto uno.
2. Penso che Marco (avere) .... paura dei gatti neri.
3. Bambini, voglio che (voi - stare) .... attenti a non rovesciare il sale!
4. È meglio che (noi - partire) .... prima di venerdì, è il 17!
5. Si pensa che la superstizione (potere) .... diventare uno stile di vita.
6. Bisogna proprio che (loro - invitare) .... un'altra persona a cena: siamo tredici!

12. In piccoli gruppi esprimete il vostro pensiero sulle frasi che seguono.

● Gli italiani sono superstiziosi.
● Nella vita c'è bisogno di credere in qualcosa.
● Ognuno è responsabile del proprio destino.

Ricordatevi di iniziare le frasi con: io penso che..., io credo che..., è necessario che..., bisogna che....

Parole che usi all'università

13. Molte delle parole che hai imparato finora si riferiscono alla superstizione e alla magia. Le puoi trovare nei testi del corso di laurea in Antropologia culturale. Ora, completa con le parole della lista un brano tratto dal libro *L'animale irrazionale*, che parla del rapporto tra uomo, religione e magia.

imprevisto - esorcismi - ritualizzazione - comportamenti ossessivi - imprevedibilità - insicurezza - superstiziosi

Nei prossimi capitoli, affrontando il tema della trasmissione culturale, darò ulteriori informazioni sull'importanza dello stato sociale di chi passa l'informazione e di chi la riceve (soprattutto se è un giovane), e sul ruolo della ....(1). Aspetti che valgono sia per la superstizione sia per altri tipi di ....(2) e che, pertanto, vanno affrontati in una trattazione più generale. Voglio però subito segnalare che, a proposito dei comportamenti ....(3) propri dell'infanzia, si ritiene che dipendano dal fatto che i bambini sono fondamentalmente conservatori, hanno paura dell'.................

Edizioni Edilingua

................(4) e, di conseguenza, cercano di controllare la realtà per evitare che essa cambi. E la maniera più semplice, per la mente infantile, è quella di fare qualcosa, di compiere azioni che dovrebbero allontanare ....(5) e incertezza. Come, per esempio, fare attenzione a non pestare le linee tra due lastroni della pavimentazione stradale, non salire il primo gradino di una casa con il piede sinistro, e così via. Questi piccoli ....(6), in qualche caso, possono perdurare anche negli adulti, a volte sotto forma di riti innocenti, a volte di riti un po' ....(7) che hanno alla loro radice forme di ....(8) e di paura.

adattato da Danilo Mainardi, *L'animale irrazionale*, Oscar Mondadori

Entriamo in tema

- ⮑ Credi nei test?
- ⮑ Pensi che i risultati dei test siano in qualche modo attendibili?
- ⮑ Leggi o ascolti l'oroscopo tutti i giorni?

Comunichiamo

14. Prima di fare il test osserva il significato delle parole e dell'espressione che seguono.

oroscopo	= previsione del futuro legata ai segni zodiacali
inquietante	= che mette agitazione, paura
malocchio	= letteralmente "occhio cattivo", credenza che l'essere guardati con invidia porti sfortuna
toccare ferro	= azione che si ritiene possa allontanare la sfortuna
tarocchi	= carte con immagini e numeri con le quali si può leggere il passato, il presente e il futuro di una persona

15. Fai il test e confronta le tue risposte con quelle di un compagno.

Sei superstizioso?

Il seguente test ha lo scopo di verificare il proprio livello di superstizione, cioè se una persona crede che determinati oggetti, simboli e comportamenti abbiano potuto e possano influenzare la propria vita passata e futura senza possedere un legame diretto o indiretto con essa. Rispondi sinceramente a tutte le domande del test senza stare a pensarci troppo, poi controlla i risultati divisi per maggioranza di risposte A, B o C.

1 Ti capita di leggere l'oroscopo:

   A) spesso   B) qualche volta   C) mai

2 Venerdì 17 è un giorno:

   A) inquietante   B) particolare   C) come gli altri

3 È mai successo a te stesso o a qualcuno che conosci di essere vittima del malocchio?

   A) Sì   B) Non saprei   C) No

4 Un gatto nero ti attraversa la strada, cosa provi?

    A) Paura   B) Preoccupazione   C) Niente di particolare

5 Prima di una prova difficile è importante per te ricevere gli auguri dagli altri?

    A) Sì   B) Non saprei   C) No

6 Il numero 13 è un numero:

    A) pericoloso   B) spiacevole   C) come gli altri

7 Toccare ferro è un gesto che ha la funzione di:

    A) evitare disgrazie   B) divertirsi   C) manifestare la propria superstizione

8 Ti capita di utilizzare i tarocchi o le carte per scoprire il tuo futuro?

    A) Spesso   B) Qualche volta   C) Mai

9 Quando ti senti particolarmente irrequieto compi gesti o rituali per vincere la sfortuna?

    A) Spesso   B) Qualche volta   C) Mai

10 L'astrologia è:

    A) una scienza   B) un gioco   C) una stupidaggine

11 "L'abbigliamento di un certo colore porta sfortuna". Cosa ne pensi?

    A) È vero   B) Non è vero   C) Che stupidaggine!

LIVELLO ALTO | Maggioranza di risposte A

Sei sempre stata una persona decisamente superstiziosa. Prima di tutto sei convinto che siano esistiti fatti e avvenimenti caratterizzati da mistero, per i quali non sia stato possibile trovare una spiegazione razionale e ti sei dunque affidato a riti e comportamenti in grado di scongiurarli. In secondo luogo, hai paura delle cose che succedono perché credi che tutte abbiano un collegamento con forze superiori e quindi fai di tutto per proteggerti. Non ti interessa se le altre persone ti guardano con sospetto mentre compi i tuoi rituali, tu ti senti più tranquillo. È quasi impossibile che tu fissi un appuntamento importante o un esame di venerdì 17!
Fai attenzione però, spesso ciò che appare misterioso può essere spiegato con l'utilizzo della razionalità.

LIVELLO MEDIO | Maggioranza di risposte B

Dal tuo risultato si capisce che sei una persona abbastanza superstiziosa, anche se non fino in fondo. Alcune volte forse non riesci a darti delle spiegazioni razionali per quello che ti succede, e credi di dovere ricorrere a riti e comportamenti in grado di scongiurare gli eventi negativi. Altre volte ti fai condizionare dai racconti e dalle cose che succedono ad altri, e hai paura che possano succedere anche a te o alle persone che ti sono care. Se un gatto nero ti attraversa la strada, forse non ti fermi di botto terrorizzato, ma magari rallenti il passo per vedere se per caso ti supera qualcuno. Stai attento: la superstizione è pericolosa e può portare a compiere azioni irrazionali.

LIVELLO NULLO | Maggioranza di risposte C

Questo risultato significa che non credi minimamente nella superstizione e pensi di essere sempre in grado di trovare una spiegazione razionale per tutto ciò che accade. Quando ti è capitato di avere a che fare con maghi o veggenti non gli hai dato importanza: tu non credi che queste cose (come la lettura dei tarocchi, l'astrologia, il significato dei numeri, il malocchio) abbiano influito sulla tua vita né che lo faranno mai. Provi addirittura fastidio quando vedi le persone superstiziose che organizzano tutti i loro rituali e compiono azioni per te ridicole come per esempio spargere il sale ovunque dopo che si è rovesciato!
Probabilmente sei d'accordo con la frase: "Superstizione è il nome che gli ignoranti danno alla loro ignoranza".

adattato da *www.nienteansia.it*

Edizioni Edilingua

16. Chi è il più superstizioso della classe?

Dividetevi in piccoli gruppi ed eleggete il più superstizioso tra voi. Poi confrontate i risultati tutti insieme.

Impariamo le parole – L'oroscopo

17. Scrivi le parole della lista sotto le immagini dei segni zodiacali.

Cancro - Pesci - Ariete - Capricorno - Scorpione - Vergine
Toro - Gemelli - Sagittario - Bilancia - Leone - Acquario

1. .... 2. .... 3. .... 4. ....

5. .... 6. .... 7. .... 8. ....

9. .... 10. .... 11. .... 12. ....

18. *E tu di che segno sei?* Discuti con un compagno. Ecco alcuni spunti.

1. Nella tua cultura si utilizza questo stesso oroscopo? 2. Conosci altri tipi di oroscopo? 3. Quali sono, secondo te, le caratteristiche comuni alle persone del tuo segno zodiacale?

Analizziamo il testo

Osserva!

- Prima di tutto sei sicuro che siano esistiti fatti e avvenimenti caratterizzati da mistero [...]. In secondo luogo, hai paura delle cose che succedono.
- Alcune volte forse non riesci a darti delle spiegazioni razionali per quello che ti succede [...]. Altre volte ti fai condizionare dai racconti e dalle cose che succedono ad altri.

Le espressioni evidenziate sono connettivi enumerativi.

19. Scrivi la regola.

Qual è la funzione dei connettivi enumerativi nelle frasi riportate?

....

Altri connettivi enumerativi sono anzitutto, in primo luogo, per prima cosa, inoltre ecc.

20. Completa con i connettivi visti.

Il motivo per cui non credo negli oroscopi e nella lettura dei tarocchi è molto semplice e ve lo spiego subito. .... penso che non sia veramente possibile prevedere il futuro, al massimo si può avere qualche indicazione. .... credo che ognuno di noi sia responsabile della propria vita e costruisca il proprio destino. .... mi sono riconosciuto nelle caratteristiche del mio segno zodiacale, ma .... mi sono sembrate proprio assurde.

Strategie che usi all'università

21. Elaborare un testo.

I connettivi enumerativi possono servire anche quando si deve esporre un argomento o indicare dei dati in ordine di importanza. Si possono usare questi connettivi in testi scritti (per esempio, tesine, relazioni) o in testi orali di media formalità (interrogazioni, esposizioni, presentazioni).
Immaginando di dover sostenere un esame universitario, elabora in un testo scritto o orale il tuo punto di vista riguardo ai seguenti argomenti.

- Esponga le motivazioni per cui, a suo parere, in tutto il mondo si crede così tanto nell'occulto.
- Quali sono le differenze tra religione e superstizione? Ci sono punti di contatto?
- Esponga i rischi che si possono correre se si concede troppa importanza a spiegazioni che rimandano alla magia e alla superstizione più che alla scienza.

Facciamo grammatica

Osserva!

- Se una persona crede che determinati oggetti, simboli e comportamenti abbiano potuto [...] influenzare la propria vita...
- Sei convinto che siano esistiti fatti e avvenimenti caratterizzati da mistero, per i quali non sia stato possibile trovare una spiegazione razionale.
- Tu non credi che queste cose [...] abbiano influito sulla tua vita né che lo faranno mai.

Le forme evidenziate sono esempi di congiuntivo passato.

22. Completa ora la tabella con l'infinito e il congiuntivo presente.

infinito	congiuntivo presente	congiuntivo passato
potere	(loro)	(loro) abbiano potuto
	(loro)	(loro) siano esistiti
	(lui) sia	(lui) sia stato
influire	(loro)	(loro) abbiano influito

23. Scrivi la regola.

Il congiuntivo passato è formato dal .... dell'ausiliare (*essere* o *avere*) + il .... del verbo principale.

24. Completa le frasi con il congiuntivo passato.

1. Che cosa è successo? Sembra che tu (vedere) .... un gatto nero!

2. Non so se Maria (comprare; mai) .... un amuleto.

3. Sono così felici che sembra che (vincere) .... alla lotteria!

4. Mi dispiace che tu (essere) .... così sfortunato.

5. Si pensa che l'uomo (credere; sempre) .... all'esistenza di forze superiori.

6. Sono contenta che vi (piacere) .... il libro sulle credenze popolari italiane.

25. Rileggi alcune frasi incontrate in questa unità. Qual è il soggetto della frase principale e quale quello della frase secondaria?

Frase principale	Frase secondaria
Pensi (soggetto):	di essere sempre in grado di trovare una spiegazione. (soggetto): ....
Penso (soggetto):	che lo specchio sia rotto. (soggetto): ....
Non credi (soggetto):	che queste cose [...] abbiano influito sulla tua vita. (soggetto): ....

26. Scrivi la regola.

NON si usa il congiuntivo quando il soggetto della frase principale ....
....

Osserva!

- Spesso metto in atto dei meccanismi perché accadano alcune cose in cui spero. (*Attività 2*)
- Si tratta di un modo [...] per svelare la pochezza di certi rituali prima che finiscano per condizionare negativamente la vita delle persone. (*Attività 6*)

Le parole evidenziate sono congiunzioni subordinanti che permettono di unire le frasi all'interno di un testo. Le frasi introdotte da queste congiunzioni non possono stare da sole, ma sono dipendenti dalla frase principale.

Attenzione!

Dopo queste espressioni è obbligatorio usare il congiuntivo che si trova sempre nella frase secondaria, subordinata:

affinché/perché con significato di finalità/scopo;

prima che con valore temporale;

a patto che/a condizione che per esprimere la condizione, un'eventualità.

27. Trova le frasi con il congiuntivo e sottolinea la congiunzione, il verbo o l'espressione da cui dipende.

Il cornetto portafortuna

Il corno portafortuna è, senza dubbio, il più diffuso amuleto italiano, ma affinché sia efficace deve essere rosso, di corallo e fatto a mano. I superstiziosi ritengono che possa essere una protezione contro tutto ciò che può essere portatore di male o morte. È probabile che il corno abbia origini antichissime: si pensa che risalga addirittura al 3000 a.C. (avanti Cristo) quando già si usava per allontanare la sfortuna.

A Napoli e nelle zone vicine è molto comune vedere qualcuno con un cornetto al collo o attaccato allo specchietto della macchina.

Se visitate quelle zone, quindi, prima che la sfortuna si accanisca contro di voi, comprate un cornetto, ma attenzione a quale scegliete! Secondo i napoletani, il cornetto funziona veramente, a patto che sia rigido, cavo, cioè vuoto al suo interno, e finisca a punta.

28. A coppie, uno di fronte all'altro, preparatevi a interpretare i seguenti personaggi.

A. Sei disoccupato e hai bisogno di lavorare. Tuo cugino, che è un famoso chiromante che si fa chiamare Mago Sguardus, ti ha chiesto aiuto perché ha così tanti clienti da non farcela più da solo. Oggi è il tuo primo giorno di lavoro, sei in prova e devi assolutamente andare bene, entra il tuo primo cliente...

B. Il/La tuo/a fidanzato/a ti ha lasciato, il lavoro non va bene, i dolori alla schiena aumentano di giorno in giorno... insomma va tutto male! Una tua cara amica ti ha detto che è stata aiutata dal famoso Mago Sguardus e alla fine ti sei convinto/a ad andarci anche tu. Oggi hai finalmente appuntamento con il mago dopo due mesi di attesa...

Conosciamo gli italiani

29. Prima di leggere osserva il significato di queste parole.

Testo 1		
auspicio	= augurio, segno che influisce sugli eventi futuri
avversità	= evento contrario e che porta danno
fato	= destino
longevità	= lunga vita
fertilità	= capacità di avere figli

Testo 2		
botti (o petardi)	= piccoli oggetti che esplodono
sgombro	= vuoto, libero (in genere da preoccupazioni o pensieri)
tassativamente	= obbligatoriamente, senza eccezioni
intingete	= (imperativo 2ª pers. pl.) bagnate leggermente

30. Leggi i due testi e scegli l'alternativa corretta.

Consigli per un matrimonio felice

Testo 1

Tra le tradizioni popolari italiane si trova anche questo elenco di regole che vi consigliamo di seguire durante l'organizzazione del vostro matrimonio: sarete felici!

● Non è di buon augurio per i futuri sposi vedersi prima della cerimonia.
● Non bisogna dormire nella nuova casa prima del matrimonio.

Edizioni Edilingua

- Il bouquet della sposa va regalato il giorno stesso del matrimonio.
- È di buon auspicio per la sposa indossare quanto segue: qualcosa di vecchio, simbolo della tradizione; qualcosa di nuovo, simbolo della vita che inizia; qualcosa di prestato, simbolo di complicità; qualcosa di blu, come augurio di serenità e qualcosa di regalato come simbolo di amore.
- Un'usanza vuole che lo sposo varchi la soglia della nuova casa con la sposa in braccio affinché quest'ultima non inciampi quando attraversa l'ingresso, ed eviti così le avversità del fato.
- Non è di buon auspicio che la sposa confezioni da sola il suo abito nuziale.
- Preferire un velo usato piuttosto che un velo nuovo. In particolare, se questo è appartenuto a una donna felicemente sposata, questa fortuna viene tramandata alla novella sposa.
- Recita un proverbio: "Sposa bagnata, sposa fortunata".
- Gli anziani suggeriscono di far preparare il letto nuziale da ragazze non sposate.
- La fanciulla fortunata che prende al volo il bouquet che la sposa lancia tra la folla, si sposerà entro l'anno.
- La tradizione vuole che si inseriscano cinque confetti nelle bomboniere. Ciò deriva dal fatto che cinque sono gli ingredienti per un buon matrimonio: salute, ricchezza, gioia, longevità e fertilità.
- Portare la fede nuziale al dito anulare poiché in questo dito termina una vena che arriva direttamente dal cuore.

adattato da *www.abiti-da-sposa.net*

Capodanno all'italiana

In tutto il mondo il primo giorno dell'anno ha un valore simbolico di inizio di un nuovo periodo. Vediamo quali sono, in Italia, alcuni riti legati al Capodanno.

I *botti*

Oltre che salutare il nuovo anno, con il loro rumore i botti (o petardi) servono a spaventare le energie negative.

Buttare i cocci

Buttare oggetti rotti dalla finestra equivale a rompere con il passato e prepararsi con il cuore sgombro alle sorprese del futuro.

Per ogni mese...

Il 1° gennaio i più superstiziosi fanno dodici attività diverse: in questo modo pensano che avranno successo in ogni campo durante tutto l'anno.

Rosso sì, ma una sola volta

Indossate biancheria rossa, regalata da amici, da buttare tassativamente il giorno successivo, proibito usarla di nuovo il prossimo Capodanno!

Un brindisi... all'orecchio!

Volete fare un augurio alla persona amata? Intingete l'indice sinistro nella coppa di spumante e passateglielo dietro l'orecchio.

Soldi e fortuna

Ancora un consiglio: salutate il nuovo anno con le tasche piene di grano, porterà soldi e fortuna a tutta la vostra famiglia.

adattato da *www.tarocchiemagia.it*

In quale testo si dice che...?

	Testo 1	Testo 2
1. il forte rumore allontana le energie negative	▢	▢
2. porta fortuna indossare qualcosa di rosso	▢	▢
3. indossare una cosa regalata è simbolo d'amore	▢	▢
4. i confetti servono per un matrimonio felice	▢	▢
5. fare dodici cose diverse porta fortuna per tutto l'anno	▢	▢
6. una vena arriva direttamente dal cuore a un dito	▢	▢

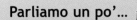

Parliamo un po'...

⊃ Ci sono nel tuo paese oggetti simbolici o rituali legati a momenti importanti come la nascita, il matrimonio, il passaggio all'età adulta o la morte?

⊃ Quali sono i rituali che si fanno per Capodanno nel tuo paese? Sai spiegarne il significato?

⊃ Secondo te, quali sono i paesi del mondo con le più forti credenze popolari?

 Scriviamo insieme

31. L'Italia dei superstiziosi.

 Lavorate divisi in tre gruppi. Ogni gruppo svolge una ricerca su una parte dell'Italia: Nord, Centro e Sud. Cercate le cose più comuni, i nomi regionali e l'origine delle credenze popolari. Unite tutti i dati trovati per dire quali credenze sono comuni a tutte le regioni e quali, invece, sono tipiche solo di alcune. Poi decidete insieme i simboli per creare una "Mappa nazionale e regionale dell'Italia delle superstizioni".

Si dice così!

Ecco alcune espressioni utili per...

Esprimere un'opinione	Penso che/Credo che ognuno di noi sia responsabile della propria vita.
Esprimere uno stato d'animo	Un gatto nero gli ha attraversato la strada: ho paura che gli succeda qualcosa di brutto.
Esprimere una volontà, un divieto	Bambini, voglio che stiate attenti a non rovesciare il sale!
Esprimere un dubbio	Mah, non sono sicura si chiami superstizione....
Esprimere una condizione	Il cornetto funziona veramente, a patto che sia rigido, cavo [...] e finisca a punta.
Esprimere un fine, uno scopo	Il cornetto [...] affinché sia efficace deve essere rosso, di corallo e fatto a mano.
Elencare eventi all'interno di un testo	Prima di tutto sei sicuro che siano esistiti fatti e avvenimenti caratterizzati da mistero [...]. In secondo luogo, hai paura delle cose che succedono.

Sintesi grammaticale

● **Il congiuntivo presente**

	ESSERE	AVERE	PORTARE	PRENDERE	DORMIRE
io	sia	abbia	porti	prenda	dorma
tu	sia	abbia	porti	prenda	dorma
lui/lei/Lei	sia	abbia	porti	prenda	dorma
noi	siamo	abbiamo	portiamo	prendiamo	dormiamo
voi	siate	abbiate	portiate	prendiate	dormiate
loro	siano	abbiano	portino	prendano	dormano

Alcuni verbi irregolari

infinito	congiuntivo presente
ANDARE	vada, vada, vada, andiamo, andiate, vadano
BERE	beva, beva, beva, beviamo, beviate, bevano
DARE	dia, dia, dia, diamo, diate, diano
DIRE	dica, dica, dica, diciamo, diciate, dicano
DOVERE	debba, debba, debba, dobbiamo, dobbiate, debbano
FARE	faccia, faccia, faccia, facciamo, facciate, facciano
POTERE	possa, possa, possa, possiamo, possiate, possano
RIMANERE	rimanga, rimanga, rimanga, rimaniamo, rimaniate, rimangano
SALIRE	salga, salga, salga, saliamo, saliate, salgano
SAPERE	sappia, sappia, sappia, sappiamo, sappiate, sappiano
STARE	stia, stia, stia, stiamo, stiate, stiano
USCIRE	esca, esca, esca, usciamo, usciate, escano
VENIRE	venga, venga, venga, veniamo, veniate, vengano
VOLERE	voglia, voglia, voglia, vogliamo, vogliate, vogliano

● **Il congiuntivo passato**

Il congiuntivo passato si forma con il congiuntivo presente dell'ausiliare *essere* o *avere* + il participio passato del verbo principale.

Quando l'ausiliare è *essere* vale la regola della concordanza del participio passato.

	COMINCIARE	LEGGERE	USCIRE
io	abbia cominciato	abbia letto	sia uscito/a
tu	abbia cominciato	abbia letto	sia uscito/a
lui/lei/Lei	abbia cominciato	abbia letto	sia uscito/a
noi	abbiamo cominciato	abbiamo letto	siamo usciti/e
voi	abbiate cominciato	abbiate letto	siate usciti/e
loro	abbiano cominciato	abbiano letto	siano usciti/e

● **Il congiuntivo: usi principali**

Il congiuntivo si usa generalmente nelle frasi dipendenti (secondarie).

 **Attenzione!**

Non si usa il congiuntivo, ma l'infinito, preceduto o meno da *di*, quanto il soggetto della principale è lo stesso della secondaria.

Esempi:

Non *credo di* essere molto superstiziosa!

Voglio partire il 18, non il 17!

Il congiuntivo di solito si trova dopo alcuni verbi o espressioni, ed è generalmente introdotto dalla congiunzione che: verbo della frase principale + che + congiuntivo nella frase secondaria.

Si usa il congiuntivo dopo:

– verbi o espressioni che indicano un'opinione (*pensare*, *credere*, *convincersi*, *essere convinti* ecc.)

Esempi:
Credo che una persona superstiziosa si convinca da sola che certe cose [...] portino sfortuna.
Qualcuno crede che un oggetto, una persona o una frase abbiano il potere di procurare disastri.

– verbi o espressioni che indicano dubbio (*non essere sicuri*, *dubitare*, *si dice*, *dicono* ecc.)

Esempi:
Si dice che la superstizione possa diventare uno stile di vita.
Non sono sicura si chiami superstizione.

– verbi o espressioni che indicano volontà, divieto (*volere*, *ordinare*, *preferire* ecc.)

Esempio:
Bambini, voglio che stiate attenti a non rovesciare il sale!

– verbi o espressioni che indicano desideri o stati d'animo (*sperare*, *desiderare*, *augurarsi*, *essere felici*, *essere contenti*, *avere paura*, *temere*, *dispiacersi* ecc.)

Esempio:
Se non hai un talismano, spero che qualcuno te lo regali presto.

– è + aggettivo/avverbio (*è meglio*, *è preferibile*, *è necessario*, *è bene*, *è possibile*, *è probabile*)

Esempio:
È meglio che partiamo prima di venerdì, è il 17!

– verbi impersonali (*bisogna*, *sembra*)

Esempio:
Bisogna proprio che invitino un'altra persona a cena: siamo tredici!

● **Congiuntivo presente o passato?**
In italiano, esistono regole specifiche per l'uso dei tempi del congiuntivo.

Verbo della frase principale	Verbo della frase secondaria	L'azione espressa dal verbo della frase secondaria accade...
Indicativo presente o futuro Passerò su quel marciapiede...	**Congiuntivo presente** ...a patto che chiudano la scala.	contemporaneamente o dopo l'azione espressa nella frase principale.
Indicativo presente o futuro Non penso...	**Congiuntivo passato** ...che mia madre abbia mai creduto al malocchio.	prima dell'azione espressa nella frase principale.

● **Alcune congiunzioni subordinanti che introducono il congiuntivo**
Le congiunzioni subordinanti permettono di unire le frasi all'interno di un testo.
Le frasi secondarie (o subordinate) dopo queste congiunzioni dipendono dalla frase principale senza la quale risultano incomplete. Il congiuntivo si trova sempre nella seconda frase, la subordinata.

Alcune congiunzioni subordinanti, che richiedono il congiuntivo nella frase secondaria, sono:

– affinché e perché con valore di fine o scopo

   Esempio:
   Il corno portafortuna [...] affinché sia efficace deve essere rosso.

– prima che con valore temporale

   Esempio:
   Prima che la sfortuna si accanisca contro di voi, quindi, comprate un cornetto!

– a patto che e a condizione che per esprimere una condizione, un'eventualità

   Esempio:
   Il cornetto funziona veramente, a patto che sia rigido, cavo [...] e finisca a punta.

- ## I connettivi enumerativi
  I connettivi enumerativi si usano in un testo per elencare una serie di idee o le parti di una spiegazione e di una argomentazione. Alcuni connettivi enumerativi sono: anzitutto, prima di tutto, in primo luogo, per prima cosa, in secondo luogo, inoltre ecc.

  Esempio:
  Prima di tutto sei sicuro che siano esistiti fatti e avvenimenti caratterizzati da mistero [...]. In secondo luogo, hai paura delle cose che succedono.

◎ 1. **Sono in grado di...**

	molto ++	abbastanza +	poco –	per niente – –
riconoscere la struttura di un testo narrativo				
narrare eventi storici e/o lontani nel tempo				
capire un testo informativo basato su grafici o tabelle				
capire l'ironia in un testo letterario				
parlare dell'evoluzione storica del fenomeno delle migrazioni				
ascoltare e capire una canzone italiana				
esprimere una mia opinione				
esprimere un mio desiderio				
capire alcuni atteggiamenti scaramantici e tradizioni degli italiani				
elencare una serie di idee o le parti di una spiegazione e di un'argomentazione				

◎ 2. **Quali sono le parole che vuoi ricordare delle unità 4 e 5? Prova a scrivere anche aggettivi, nomi, verbi, avverbi collegati alle parole che vuoi ricordare.**

1. ....

2. ....

3. ....

4. ....

5. ....

6. ....

7. ....

8. ....

3. Conosci altre parole sul tema delle unità? Se sì, quali? E dove hai sentito o hai letto queste parole?

PAROLE NUOVE	tv	radio	internet	per strada	giornali	altri compagni	altro, specificare

4. Rispetto all'inizio del corso, quanto hai sviluppato queste abilità?

	molto ++	abbastanza +	poco –	per niente – –
Dialogare				
Fare una presentazione				
Riassumere un testo scritto/orale				
Prendere appunti				
Spiegare e commentare un testo scritto/orale				
Altro:				

5. Cosa è più utile fare quando non sai dire in italiano alcune parole?

Utilizzare la tua lingua madre.

Cercare le parole sul dizionario.

Cercare di spiegare con altre parole in italiano.

Utilizzare i gesti.

Chiedere aiuto all'insegnante o ai compagni.

Altro: ....

Scheda di autovalutazione 3 (unità 4-5)

Scusa, mi passi la teglia?

Entriamo in tema

➲ Conosci qualche piatto della cucina italiana?

➲ Sei un bravo cuoco o hai una cucina "da sopravvivenza"?

➲ Compri riviste di cucina?

➲ Quando prepari un piatto preferisci seguire una ricetta o chiedere consigli ad un amico?

Comunichiamo

1. **Prima di leggere il testo osserva il significato di queste parole.**

semolino	= farina di grano duro macinata grossa (si usa di solito per le minestre)
pectina	= sostanza usata per preparare marmellate, gelati, gelatine ecc.
pellicola	= foglio sottile, elastico e trasparente usato per conservare cibi
disossare	= separare la carne dall'osso
tasca da pasticciere	= utensile da cucina per riempire o decorare
setaccio	= utensile da cucina con una rete per separare la parte più fine da quella più grossa di alcuni alimenti

2. **Leggi la ricetta e completa la griglia.**

Tortellini al parmigiano liquido con carne e pomodoro

Per la pasta	Per il ripieno e il condimento	Per la salsa al pomodoro	Per la marmellata	Per le polpette di carne
200 gr di semolino 5 tuorli d'uovo un albume d'uovo	100 gr di parmigiano grattugiato 200 gr di panna	185 gr di pomodoro tagliato a cubetti un cucchiaio di olio extravergine della cipolla tritata un pizzico di sale mezzo cucchiaino di zucchero qualche foglia di basilico	50 gr di sherry 2 cucchiai di aceto balsamico 2 cucchiaini di zucchero 1 gr di pectina succo di limone	100 gr di carne un pizzico di sale succo di limone olio extravergine qualche foglia di basilico

Pasta

Mescolate il semolino con i tuorli e l'albume e impastate. Coprite l'impasto con della pellicola e fatelo riposare in frigo per un paio d'ore. Poi stendetelo in una sfoglia sottile e tagliate dei cerchi di 10 cm di diametro.

Edizioni Edilingua

Ripieno

Fate fondere il parmigiano grattugiato insieme alla panna. Frullate e lasciate raffreddare il composto per una notte. Montate la crema ottenuta con uno sbattitore, riempite una tasca da pasticciere e versate un po' di ripieno in ogni cerchio, richiudete a tortellino. Lasciate un po' di crema per condire i tortellini cotti.

Salsa al pomodoro

Bollite per 10 minuti il pomodoro con olio, cipolla, sale, zucchero e basilico. Frullate il tutto e passate al setaccio.

Marmellata

Mettete in una pentola sherry, aceto balsamico, zucchero e pectina. Mescolate e cuocete a 105°. Poi aggiungete qualche goccia di succo di limone e lasciate raffreddare.

Carne

Disossate una bistecca, battetela al coltello e conditela con sale, del succo di limone, dell'olio e del basilico tritato. Con l'impasto ottenuto, fate delle polpette (non le fate troppo grandi!).

Spalmate sulla base del piatto un po' di marmellata, versatele sopra un cucchiaio di salsa di pomodoro tiepida (non versatela troppo calda!) e mettete al centro una polpetta di carne. Fate cuocere i tortellini per due minuti in acqua bollente salata, scolateli e passateli in padella con un cucchiaio di mousse di parmigiano, disponete quindi i tortellini intorno alla carne.

> **(i) UFFICIO INFORMAZIONI**
>
> Uno dei più famosi libri di cucina italiana è quello di Pellegrino Artusi *La Scienza in cucina e l'Arte di mangiar bene - Manuale pratico per le famiglie*. È uscito per la prima volta nel 1891 e poi è stato aggiornato diverse volte. Nella prima edizione c'erano anche le ricette per preparare il caffè e il tè.

adattato da *www.roma-gourmet.net*

Cosa bisogna lasciare raffreddare	Cosa non si cuoce	Cosa si prepara senza strumenti elettrici	Cosa si prepara senza usare il coltello

3. I tortellini sono un piatto tipico emiliano. Conosci l'origine regionale di altri piatti italiani? Con un compagno prova a completare la tabella.

> Lazio - gnocchetti, salsiccia e pecorino grattugiato - Campania
> saltimbocca alla romana - Malloreddos alla campidanese
> pomodoro fresco, mozzarella e basilico

Piatto	Ingredienti	Regione di provenienza
pizza margherita		
	carne di vitello, salvia e prosciutto crudo	
		Sardegna

4. Scrivi le parole della lista sotto le immagini.

> pirofila - pentola a pressione - padella - frullatore - bilancia - batticarne
> teglia - frusta - mestolo di legno - vassoio - ciotola - tagliere

1. .... 2. .... 3. .... 4. ....

5. .... 6. .... 7. .... 8. ....

 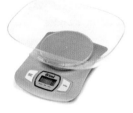  

9. .... 10. .... 11. .... 12. ....

5. Lavora con un compagno. Scrivete il significato dei seguenti verbi usati in cucina. Potete usare un sinonimo o una perifrasi. Vince la coppia che riesce a spiegare il significato
di più verbi.

> impastare - disossare - mescolare - salare - pepare - tritare
> rosolare - condire - saltare - spalmare - stendere - frullare

Facciamo grammatica

Osserva!

- Mescolate il semolino con i tuorli e l'albume e impastate. Coprite l'impasto
  con della pellicola e fatelo riposare.
- Spalmate sulla base del piatto un po' di marmellata, versatele sopra un cucchiaio
  di salsa di pomodoro tiepida (non versatela troppo calda!).

Le forme evidenziate sono all'imperativo.

6. Scrivi la regola.

1. Qual è il soggetto delle frasi con l'imperativo? ....

2. Questa forma di imperativo è esattamente uguale a un altro tempo verbale. Quale? ....

3. Qual è la posizione dei pronomi? ....

Attenzione!

● Non le fate troppo grandi!

Per l'imperativo negativo di seconda persona plurale si usa anche la forma non + pronome + imperativo.

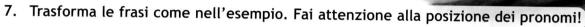

7. **Trasforma le frasi come nell'esempio. Fai attenzione alla posizione dei pronomi!**

Esempio: Tagliate le patate a cubetti. (a fette)
Non tagliatele / Non le tagliate a cubetti, tagliatele a fette.

1. Aggiungete lo zucchero a velo al centro. (su tutta la torta)

....

2. Usate un formaggio fresco. (stagionato)

....

3. Servite la zuppa tiepida. (ben calda)

....

4. Condite l'insalata con olio di semi. (con olio d'oliva)

....

5. Cuocete il sugo a fuoco vivo. (a fuoco basso)

....

6. Friggete le melanzane con poco olio. (immerse nell'olio)

....

7. Cucinate le verdure al forno. (a vapore)

....

8. Tritate l'aglio con il sedano. (con il prezzemolo)

....

Parliamo un po'...

⊃ Conosci altre ricette italiane?
⊃ Sai dire quali sono gli ingredienti principali?
⊃ Qual è il piatto tipico della tua regione?
⊃ Come si prepara?

Analizziamo il testo

8. **Rileggi il testo dell'attività 2 e rispondi.**

1. A chi si rivolge il testo?

....

2. Qual è lo scopo del testo?

....

3. Quali tempi verbali usa?

....

Il testo dell'attività 2 è un testo regolativo. I testi regolativi hanno funzione informativa e forniscono regole, istruzioni o indicazioni da seguire per svolgere correttamente un'attività. In un testo regolativo possono esserci ordini, disposizioni, leggi, permessi, istruzioni.
Questi elementi sono espressi in modo chiaro e semplice; spesso, sono suddivisi in elenchi o indicati come passaggi da seguire in modo ordinato.

Attenzione!

Nei testi regolativi si può usare anche l'infinito. In una ricetta, per esempio, puoi trovare espressioni come queste: *Tagliare la cipolla...*; *Aggiungere sale e pepe...*; *Servire freddo*.

Strategie che usi all'università

9. Elaborare un testo regolativo.

In molte situazioni all'università produrrai, leggerai o ascolterai testi regolativi (bandi di concorso, regolamenti ecc). Se studi Scienze dell'alimentazione, per esempio, ti capiterà di leggere o di dover produrre testi regolativi su un corretto regime alimentare.

Insieme a un compagno, stabilisci delle regole per una sana e corretta alimentazione. Basatevi sui dati presenti nella seguente tabella.

PORZIONI DI RIFERIMENTO		
Ogni porzione corrisponde a 1 QB (Quantità Benessere) settimanale		
ALIMENTO	QB/SETTIMANALI	GRAMMI/QB
ORTAGGI E FRUTTA		
Ortaggi	14	250
Insalata fresca		50
Frutta	21	150
CEREALI E TUBERI		
Pane	16	50
Pasta e riso	8	80
Pasta all'uovo fresca*		120
Prodotti da forno	7	100
Patate	2	200
* Se in brodo la QB si dimezza		
CARNE, PESCE, UOVA E LEGUMI		
Carne rossa (bovina, equina, di maiale)	2	100
Carne bianca (pollo, tacchino)	3	100
Salumi	3	50
Pesce	2	150
Uova	2	1 uovo
Legumi (fagioli, ceci, lenticchie, piselli)	2	30 secchi, 100 freschi
LATTE E LATTICINI		
Latte e yogurt	14	125
Formaggio	4	50 fresco, 100 stagionato
E INOLTRE		
Zucchero	21	5
Vino	7	100 (ml)
Birra		300 (ml)
Acqua	6-8 bicchieri al giorno	

tratto da *http://w3.uniroma1.it/scialim/files/download/attivita/piramide.pdf*

Edizioni Edilingua

Scriviamo insieme

10. "Sopravvivere" alla cucina straniera.

Ora, a piccoli gruppi, provate a scrivere un testo regolativo dal titolo *10 consigli pratici per mangiare piatti sconosciuti in un paese straniero e sopravvivere!*. Scrivete frasi semplici e brevi, usate i verbi all'imperativo, metteteci la vostra fantasia e... tanto umorismo!

Entriamo in tema

⊃ Ti piace cucinare?

⊃ Lo fai spesso o non hai abbastanza tempo?

⊃ Ritieni che cucinare sia un'arte o che tutti possano cucinare bene?

⊃ In generale pensi che in cucina siano più brave le donne o gli uomini?

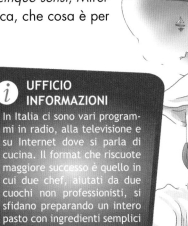

Comunichiamo

11. Ascolta l'intervista. Vero o falso?

	Vero	Falso
1. In cucina bisogna attenersi alle ricette tradizionali senza prendere iniziative.	☐	☐
2. La chef intervistata si paragona a un artista.	☐	☐
3. Secondo la chef, per cucinare è necessaria soprattutto la passione.	☐	☐
4. Quando si cucina non bisogna avere fretta.	☐	☐
5. Per chi assaggia un piatto è importante solo il sapore.	☐	☐
6. Nei periodi di festa si prepara la cena in modo speciale.	☐	☐

12. Ascolta di nuovo e leggi il testo. Controlla le risposte dell'attività 11.

Divertirsi in cucina e giocare con le ricette

1   conduttore: Abbiamo in linea la chef del ristorante *I cinque sensi*, Mirella Spatieri. Allora, signora Spatieri, ci dica, che cosa è per Lei la cucina?

  chef: Per me la cucina è creatività. Cerco

5   di giocare un po' con il mio lavoro dando ai clienti un messaggio. Mi piace molto creare un'immagine, un paesaggio, come un pittore ha la sua tela bianca io ho il mio

10   piatto bianco dove rappresentare i paesaggi che ho in mente. A volte anche passeggiando per strada, o facendo un viaggio in treno si vedono degli scorci di paesaggio e

15   da lì può nascere un piatto.

> **i UFFICIO INFORMAZIONI**
>
> In Italia ci sono vari programmi in radio, alla televisione e su Internet dove si parla di cucina. Il format che riscuote maggiore successo è quello in cui due chef, aiutati da due cuochi non professionisti, si sfidano preparando un intero pasto con ingredienti semplici e molto comuni.

  conduttore: Senta, parliamo ora di un argomento importante: la presentazione dei piatti, come preparare, presentare e consumare in tavola. Lei cosa ci suggerisce?

  chef: Mah... una componente ludica e simbolica del cibo esiste

20   da sempre; cibo e gioco, poi, stanno bene insieme, anche perché possiamo, attraverso il cibo ed il modo in cui lo serviamo, stimolare un uso più attento del senso del gusto. Ma ciò che attrae il cliente verso un piatto è dato molto anche dalla componente estetica, dai colori

25 ed armonia dei profumi. Come si dice: "anche l'occhio vuole la sua parte", no? Ma nel nostro caso la vuole anche il naso.

conduttore: Il segreto dello chef è la velocità o la precisione?

chef: Mah... guardi, la fretta è sicuramente un pericolo, specialmente a tavola. Costruire un piatto è come un gioco, con regole e tempi per la degustazione, è un modo elegante e non difficile per fermarsi sui sapori, qualcosa che, oltre a fare una gran figura, ci fa bene.
30 E come qualsiasi gioco l'impegno e l'applicazione sono importanti, e permettono di giocare al meglio la "partita" successiva. Così è fondamentale non scoraggiarsi se la prima volta che si prepara una pietanza prelibata non tutto riesce perfettamente, ma divertendosi e riprovando con gioia si raggiungono comunque risultati eccellenti!

conduttore: Le nostre ascoltatrici si staranno preparando per la cena di Natale. Ha qualche segreto
35 per questo periodo di festa? Ce lo sveli!

chef: Certo! Cara ascoltatrice, non dimentichi che a Natale la tavola ritrova un po' della forma e del cerimoniale che normalmente perde nella fretta della vita di ogni giorno, e questa maggiore attenzione dedicata al cibo può diventare un gioco, uno spettacolo a cui prendere parte sia con gli occhi che con il palato. Il segreto è uno solo: non pensi troppo a finire di cucinare in tempo! Si concentri invece su ogni pietanza, non le ammucchi in un
40 angolo del piano per cucinare: le guardi invece una per una con gioia, le annusi a occhi chiusi; accosti una verdura ad un'altra per vedere che effetto fanno insieme, le provi a sminuzzare per vedere che cosa si può creare! Insomma, non si comporti come in un qualsiasi altro giorno: giochi un po' in cucina, si diverta, liberi la fantasia. E quando poi la tavola sarà imbandita a dovere e Lei servirà i suoi piatti, le rimarrà solo una cosa da
45 fare per la cena: se la goda!

13. Trova la parola presente nel testo e scrivila accanto alla definizione.

1. che ha a che fare con il gioco (righe 15-20) ....
2. che è relativo alla bellezza (righe 20-25) ....
3. piatto, cibo (righe 30-35) ....
4. di sapore eccellente (righe 30-35) ....
5. presentare un piatto, portarlo in tavola (righe 40-45) ....

14. Discuti con un compagno. Ecco alcuni spunti.

1. Se inviti qualcuno a cena, cosa prepari? 2. Hai un tuo piatto forte o ti piace provare sempre nuove ricette? 3. Oppure odi stare ai fornelli e preferisci offrire la cena in un locale?

Impariamo le parole - I cinque sensi
15. Scrivi le parole della lista sotto le immagini.

tatto - olfatto - udito - gusto - vista

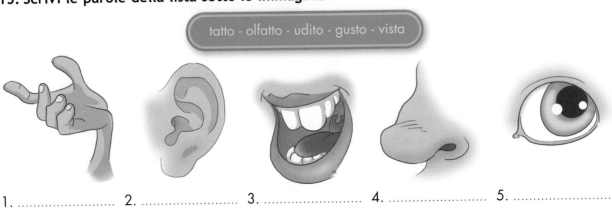

1. .... 2. .... 3. .... 4. .... 5. ....

Edizioni Edilingua

16. Scrivi i verbi della lista sotto il senso a cui si riferiscono. Attenzione: un verbo si può usare per più sensi.

vedere - annusare - ascoltare - sfiorare - guardare - sentire - provare - assaggiare - toccare

vista	olfatto	gusto	udito	tatto

Facciamo grammatica

Osserva!

- Allora, signora Spatieri, ci dica, che cosa è per Lei la cucina?
- Cara ascoltatrice, non dimentichi che a Natale la tavola ritrova un po' della forma e del cerimoniale che normalmente perde nella fretta della vita di ogni giorno.

Le parole evidenziate sono imperativi formali alla forma affermativa e negativa.

17. Rileggi l'ultima risposta dell'intervista e trova tutte le altre forme di imperativo formale.

Imperativo formale affermativo	Imperativo formale negativo
	non dimentichi

18. Scrivi la regola.

1. L'imperativo formale è uguale nella forma a un altro tempo italiano che già conosci: quale?

....

2. Per quali persone si usa l'imperativo formale?

....

3. Come si forma l'imperativo formale negativo?

....

4. Qual è la posizione dei pronomi nell'imperativo formale?

Nell'imperativo affermativo ....

Nell'imperativo negativo ....

I verbi che hanno forme irregolari al congiuntivo presente, hanno un imperativo formale irregolare.

19. Trasforma alcune frasi dell'attività 2 usando l'imperativo formale singolare. Attenzione ai pronomi!

1. Coprite l'impasto con della pellicola.

   ....

2. Tagliate dei cerchi di 10 cm di diametro.

   ....

3. Fatelo riposare in frigo per un paio d'ore. Poi stendetelo in una sfoglia sottile.

   ....

4. Disossate una bistecca, battetela al coltello e conditela.

   ....

5. Non versatela troppo calda!

   ....

6. Fate cuocere i tortellini per due minuti in acqua bollente salata, scolateli e passateli in padella.

   ....

20. Il tuo compagno è un turista appena arrivato nel tuo paese, assaggia un piatto tipico e ti chiede la ricetta. Spiegagli, usando l'imperativo formale, la procedura per prepararlo.

Inizia così: "Non si preoccupi, è facilissimo! Dunque, Lei…".

═◎ Analizziamo il testo

- Senta, parliamo ora di un argomento importante: la presentazione dei piatti.
- Guardi, la fretta è sicuramente un pericolo, specialmente a tavola.

Le forme evidenziate sono segnali discorsivi, alcuni li hai già visti nell'unità 4.

21. Scrivi la regola!

Che funzione hanno queste parole negli esempi?

a. ▢ Attirare l'attenzione e cominciare a parlare

b. ▢ Dare il turno di parola

c. ▢ Rafforzare un concetto

Altri segnali discorsivi che possono avere la stessa funzione sono: Scusa/Scusi/Scusate; Senti/Senta/Sentite; Sai/Sa/Sapete; Vedi/Veda/Vedete; Guarda/Guardi/Guardate.
Alcune formule per cedere il turno di parole sono invece: Prego; Dimmi pure/Dica; Sì, dimmi/Sì, dica.

Quando i segnali discorsivi sono dei verbi, cambiano a seconda della persona a cui ci rivolgiamo: Scusa… (tu); Scusi… (Lei, formale); Scusate… (voi) ecc.

Edizioni Edilingua

22. Completa le frasi con i segnali discorsivi della lista.

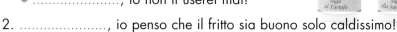

Prego - Sì, dimmi - Vedi - Prego - Guardi

1. ● Cosa ne pensa dei sughi pronti?
   ● ...., io non li userei mai!

2. ...., io penso che il fritto sia buono solo caldissimo!

3. ● Mi scusi, posso aggiungere una cosa? ● ....

4. ● Stefano, ti posso dare un altro consiglio per la cipolla? ● ....

5. Sentiamo ora il parere dello chef. ...., signor Fara.

23. Intervista un tuo compagno e chiedigli cosa ne pensa della cucina tipica del suo paese. Entrambi dovete usare i segnali discorsivi visti sopra.

Entriamo in tema

⊃ Credi che nutrirsi bene aiuti a vivere meglio?

⊃ Pensi che ci siano dei cibi che aiutano a combattere alcuni problemi di salute?

⊃ In estate mangi più frutta e verdura per difenderti dal gran caldo?

Comunichiamo

24. Prima di leggere l'articolo osserva il significato di queste parole ed espressioni.

prevenire	= agire prima che ci sia un problema per evitarlo
sistema immunitario	= attività di difesa dell'organismo contro le malattie
trascurare	= non occuparsi a sufficienza di qualcosa
adeguata	= giusta
andamento	= modo in cui le fasi di un fenomeno/evento si susseguono
fare scorta	= tenere una quantità da parte
verdure lesse	= verdure cotte in acqua bollente
tocchetti	= piccoli pezzi

25. Leggi il testo e rispondi alle domande.

LA «DIETA COLORATA» PER STARE IN SALUTE

Frutta e verdura di cinque colori: è la base dell'alimentazione sana, che può anche aiutare a prevenire l'influenza.

Ce lo suggerisce l'ultimo *America's Phytonutrient Report* che invita a portare in tavola ogni giorno frutta e verdura e a non far mancare i 5 colori-base: bianco, giallo-arancio, rosso, verde, blu-viola! Questo farebbe funzionare meglio il sistema immunitario e ci difenderebbe da influenza e raffreddori.

Tutto grazie ai fitonutrienti, delle proprietà che si trovano nei vegetali e che hanno funzioni diverse, a seconda del colore di frutta e verdura in cui sono presenti. Li troviamo nel rosso di pomodori, radicchio, melograni e lamponi così come nel giallo-arancio di carote, patate dolci e ananas o nel verde di lattughe e cetrioli. Sempre secondo lo stesso rapporto, moltissime persone negli Stati Uniti non introducono fitonutrienti a sufficienza; infatti, sembra che negli *States* non si mangi abbastanza colorato. Conta, insomma, non soltanto la quantità di frutta e verdura che si porta in tavola, ma anche il loro colore. Il blu-viola di melanzane e mirtilli è la «tinta» più trascurata: il 90 per cento degli americani non riesce a introdurla in quantità adeguata nella propria dieta. Poi, ci sono il bianco (86%), il rosso e giallo-arancio (78%). Solo col verde di lattughe e simili le cose vanno un po' meglio, e la percentuale di chi non ne consuma abbastanza scende (si fa per dire) attorno al 70 per cento. E dall'altra parte dell'oceano? Non è proprio tutto rose e fiori come dicono: infatti, anche se in Europa si è sempre cucinato e si è mangiato in maniera più sana grazie alla dieta mediterranea, la dieta alimentare nel vecchio continente non è ancora colorata a sufficienza.

UFFICIO INFORMAZIONI
Alcune regioni italiane sono famose in Italia e nel mondo per i loro prodotti ortofrutticoli. Ne sono un esempio, le mele del Trentino e gli agrumi della Sicilia.

Il direttore dell'Istituto Nazionale di Ricerca per gli Alimenti e la Nutrizione, Carlo Cannella, spiega che in Italia esiste la campagna sui «cinque colori per la vita» e aggiunge: "Mangiare ogni giorno una porzione di frutta e verdura per ognuno dei 5 colori è una delle basi per una corretta educazione alimentare, perché ci aiuta a introdurre nutrienti utili e protettivi per la nostra salute. È comprensibile che i vegetali blu-viola siano quelli per cui è più difficile raggiungere quantità adeguate, perché si tratta di prodotti che sono per lo più presenti in estate. Ma non è del tutto un male, in fondo: la dieta dei colori infatti deve comunque seguire l'andamento delle stagioni. Oggi troviamo il pomodoro anche in inverno, ma si tratta di un prodotto chiaramente molto diverso da quello estivo, naturalmente più ricco di nutrienti". In inverno, ad esempio, lo stesso colore possiamo assicurarcelo facendo scorta di radicchio o arance rosse.

Altri trucchi per colorare la dieta? Non si deve rinunciare ad aggiungere frutta e verdura a ogni occasione, in tutti i piatti: un po' di banana per accompagnare il dolcetto della colazione; cipolle, pomodoro e olive con il pesce al forno; verdure lesse a tocchetti per completare le minestre. L'importante dei colori è non farseli mancare nel piatto.

Anche perché secondo l'*Affordable Nutrition Index* (metodo di valutazione dato dal rapporto fra nutrienti contenuti nel cibo e prezzo sul mercato), proprio frutta e verdura hanno il miglior rapporto qualità-prezzo. Anche se le mele e l'insalata non sono sempre così a buon mercato e a volte il fruttivendolo sembra piuttosto un gioielliere, ogni centesimo speso nei vegetali è speso bene (forse proprio perché i «gioielli» per la nostra salute sono davvero frutta e verdura). Secondo gli statunitensi, sono i vegetali del gruppo giallo-arancio quelli per cui è più favorevole il rapporto qualità-prezzo: arance e banane, carote e patate sono cibi sani, ricchi di nutrienti e tutto sommato poco costosi, di cui è bene fare scorta.

adattato da *www.repubblica.it*

1. Perché è consigliabile mangiare "colorato"?

....

2. Perché non basta mangiare frutta e verdura ma bisogna considerarne anche i colori?

....

3. Quale sembra essere il colore inserito meglio nella dieta?

....

4. Cosa rende difficile l'introduzione dei cibi blu-viola in inverno?

....

5. Perché frutta e verdura vengono paragonate a gioielli?

....

Edizioni Edilingua

26. Discuti con un compagno. Ecco alcuni spunti.

1. Sei interessato alla cucina degli altri paesi?

2. Oltre alla cucina del tuo paese, quali altri piatti ti piacciono?

3. E quale alimentazione di un altro paese non ti piace o non ti convince? Perché?

27. Abbina gli alimenti alla nazione in cui vengono consumati.

1. Giappone
2. Germania
3. Italia
4. U.S.A.
5. India
6. Messico
7. Marocco

a. Cous cous con verdure
b. Tacos e fagioli
c. Pancakes e hamburger
d. Riso e pesce crudo
e. Wurstel, crauti e patate
f. Pasta e pizza
g. Tandoor e cibi molto speziati e piccanti

Parole che usi all'università

28. Conoscere la composizione degli alimenti è utile, soprattutto per chi frequenta la facoltà di Medicina o di Scienze dell'alimentazione. Lavora con un compagno e prova a inserire i componenti degli alimenti accanto alla loro funzione.

grassi - carboidrati - minerali - vitamine - proteine

Legumi - Cereali

Sono i costituenti fondamentali di cereali, frutta, legumi. Rappresentano la componente quantitativamente più importante dell'alimentazione umana, fornendo più della metà delle calorie necessarie giornalmente (circa il 60%).

Carne bianca, rossa, equina - Uova - Latticini

Svolgono diverse funzioni vitali.

Funzione plastica e costruttrice: ci permettono di crescere e di mantenere le strutture del nostro corpo.

Funzione regolatrice: controllano molti processi dell'organismo, sotto forma di enzimi e di ormoni.

Funzione di trasporto ematico: alcune di esse trasportano i nutrienti e altre sostanze nel sangue; per esempio le lipoproteine trasportano i grassi e l'emoglobina l'ossigeno.

Funzione di difesa dagli agenti esterni: la cheratina costituisce unghie, peli e capelli, che proteggono le zone più delicate dagli urti o dal freddo.

Olio di oliva, olio di semi, burro

Sono la fonte più concentrata di energia (1 gr = 9 kcal) e la forma in cui si immagazzina la maggior parte delle riserve energetiche dell'organismo (tessuto adiposo).

Facciamo grammatica

Osserva!

- Ce lo suggerisce l'ultimo *America's Phytonutrient Report*.
- Lo stesso colore possiamo assicurarcelo facendo scorta di radicchio o arance rosse.
- L'importante dei colori è non farseli mancare nel piatto.

Le parole evidenziate sono pronomi combinati o doppi.

29. Scrivi la regola. Scegli l'alternativa giusta.

1. I pronomi combinati o doppi sono formati da:

   un pronome ▢ diretto ▢ indiretto   oppure un pronome ▢ diretto ▢ riflessivo

         + un pronome ▢ diretto ▢ indiretto ▢ riflessivo

2. Se due pronomi si trovano vicini, quindi sono combinati:

   il primo pronome   ▢ cambia ▢ non cambia

   il secondo pronome   ▢ cambia ▢ non cambia

30. Completa ora la tabella dei pronomi combinati con quelli mancanti.

	lo	la	li	le
mi (= a me)				me le
ti (= a te)			te li	
gli (= a lui)		gliela		
le (= a lei)				gliele
Le (= a Lei, formale)				
ci (= a noi)	ce lo			
vi (= a voi)		ve la		
gli (= a loro)	glielo			
si (= a sé, 3ª sing. e plur.)		se la	se li	

31. Scrivi la regola.

I pronomi indiretti di terza persona singolare maschile e femminile e di cortesia (gli, le, Le) e di terza persona plurale (gli), davanti a quelli diretti diventano: ....lo/la/li/le.

Attenzione!

- Dove hai comprato quella macchina fotografica?
- Non è mia me l'ha prestata Giancarlo.

Ricordi la regola dell'apostrofo? Possiamo apostrofare solo le forme singolari dei pronomi diretti (lo, la). Ricorda anche che quando c'è un pronome diretto o un pronome combinato prima di un passato prossimo, il participio passato si accorda con il pronome (vedi anche unità 8 del primo volume).

32. Ricostruisci i mini dialoghi e completa con i pronomi.

1. Hai preparato le verdure per me?
2. Hai già cucinato la minestra a Maria?
3. In inverno mi compro tanta frutta.
4. Sai che i colori indicano le proprietà dei cibi?
5. Cosa ordiniamo? Non conosco nessun piatto.
6. Chi gli ha insegnato a cucinare così bene?

a. Bravo, ma .... dovresti comprare sempre!
b. Credo che .... abbia insegnato sua madre.
c. No, non .... ho ancora cucinata.
d. Certo, ... ho preparate.
e. No, non .... avevano mai detto!
f. Proviamo il sushi: .... consigliano tutti.

Facciamo grammatica

Osserva!

- Sembra che negli *States* non si mangi abbastanza colorato.
- Non è proprio tutto rose e fiori come dicono.
- Anche se in Europa si è sempre cucinato e si è mangiato in maniera più sana [...], la dieta alimentare [...] non è ancora colorata a sufficienza.

I verbi evidenziati sono usati in maniera impersonale.

33. Scrivi la regola. Scegli l'alternativa giusta e completa.

1. I verbi usati in maniera impersonale:
   a. hanno un soggetto espresso e definito
   b. non hanno un soggetto espresso e definito

2. La forma impersonale dei verbi è data dal pronome .... + la prima/seconda/terza persona singolare/plurale del verbo.

3. Usiamo i verbi con la forma impersonale:
   a. solo al modo indicativo
   b. solo nei tempi semplici
   c. sia nei tempi semplici che composti

4. Qual è la forma impersonale del verbo senza il pronome? ....

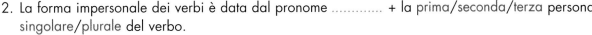

In alcune costruzioni impersonali possiano usare la seconda persona singolare:
- È noto che se mangi bene, vivi sano.

Oppure usiamo uno + il verbo alla terza persona singolare (informale e tipica della lingua parlata):
- Anche se uno fa attenzione all'alimentazione, finisce sempre per fare qualche errore.

34. Trasforma queste frasi alla forma impersonale.

1. Gli americani mangiano in modo poco bilanciato.

   In America ....

2. Gli italiani vivono di più, anche grazie alla dieta mediterranea.

   ....

3. I cibi colorati fanno bene alla salute, lo dicono i nutrizionisti.

   ....

4. Molti pensano che mangiare in maniera sana faccia bene anche all'umore.

   ....

5. È noto che gli spagnoli mangino molto piccante.

   ....

6. Se hai mangiato tanto e non hai fatto sport, è normale che tu sia ingrassato.

   .... *uno* ....

Conosciamo gli italiani

35. Prima di leggere il testo osserva il significato di queste parole.

cardiovascolari	= del cuore e dei vasi sanguigni
apportare	= dare
metabolismo	= insieme di processi che trasformano gli alimenti nel corpo
ipoglicemia	= pochi zuccheri presenti nel sangue
affettati	= salumi che si tagliano a fette come prosciutto, mortadella ecc.
obesità	= forte aumento del peso della persona dovuto a un eccessivo accumulo di grasso
diabetico	= persona che ha troppo zucchero nel sangue

36. Leggi attentamente il testo e indica se le affermazioni sono vere o false.

⊕ Gli errori più comuni dell'alimentazione all'italiana

L'alimentazione all'italiana è conosciuta a livello mondiale per il suo gusto. Negli anni è diventata famosa anche per la moda della **dieta mediterranea** e per la sua efficacia nella prevenzione delle malattie cardiovascolari. Ma c'è da dire che questo tipo di alimentazione non è perfetta: per primi noi italiani commettiamo ancora molti errori.

Ecco gli errori più frequenti.

- **Fare una colazione ricca di zuccheri o non farla affatto.** La colazione è il pasto più importante della giornata. Il 90% degli italiani che fanno colazione al mattino utilizza alimenti ricchi di calorie e poveri di nutrienti, come cornetti e brioche, paste, biscotti ecc. La colazione dovrebbe, invece, essere composta da alimenti proteici (latte, yogurt) e apportare carboidrati sani (fette biscottate, pane). Inoltre, non dovrebbe mai mancare la frutta, sia in succo che fresca. In Italia gran parte della popolazione salta la colazione, assumendo spesso solo caffè, e ciò rappresenta un grande errore che va contro i principi di una sana alimentazione. Chi non fa colazione rallenta il metabolismo, soffre di affaticamento e ipoglicemia, di rallentamento dell'agilità mentale e delle attività intellettuale ecc.

- **Si mangiano più tipi di carboidrati nello stesso pasto.** Un altro frequente errore nella alimentazione italiana è il concetto di primo piatto a base di carboidrati, seguito spesso da un secondo con altri carboidrati o accompagnato da pane o sostituti (grissini, crackers ecc). I carboidrati devono essere ridotti a un tipo per pasto: se consumiamo una porzione di pasta, vanno evitati pane, riso, patate o altri carboidrati.

- **Si mangiano troppi affettati.** Il consumo di affettati è comune nella alimentazione italiana. Molti di questi prodotti sono ricchi di grassi e colesterolo, quindi devono essere consumati con moderazione riducendo la frequenza e la quantità. Si raccomanda di mangiarli solo una volta a settimana, magari preferendo quelli meno grassi, come quelli di pollo o tacchino.

- **Il piatto unico.** È comune trovare sulle tavole italiane piatti molto ricchi che fanno da primo e secondo, generalmente a base di pasta. Bisogna però fare molta attenzione a queste pietanze, perché un piatto unico a base di carboidrati potrebbe contenere più della dose raccomandata di carboidrati ed essere povero di proteine, fibre, vitamine e minerali contenuti invece, in altri alimenti. Si pensa erroneamente che il piatto di pasta sia un alimento nutritivo perché contiene "di tutto", ma in realtà apporta solo carboidrati e grassi in maniera variabile, a seconda del tipo di condimento. Un altro problema è che chi mangia solo carboidrati li digerisce rapidamente, e dopo una o due ore si ripresenta la sensazione di fame. L'ideale sarebbe assumere proteine (carne, pollo, pesce, tacchino, coniglio ecc), frutta e vegetali accompagnati da una quantità limitata di carboidrati.

- **Si danno troppe merendine ai bambini.** La frequente mancanza di tempo da trascorrere in casa spinge le mamme all'acquisto di prodotti alimentari confezionati. Tra questi, le merendine sono sempre più presenti nelle case degli italiani. In questo modo, i bambini assumono sempre più spesso alimenti che contengono "calorie vuote", cioè alimenti troppo calorici e poveri di nutrienti, che contribuiscono solo al diffondersi dell'obesità infantile.

- **Si pensa che lo zucchero sia fondamentale per la vita.** Molti italiani sono convinti che lo zucchero sia indispensabile per una buona salute. In realtà sono i carboidrati complessi, e non quelli semplici come lo zucchero, ad essere importanti per la salute; infatti, sono questi "gli zuccheri" che apportano energie per le funzioni vitali. In realtà, il corpo può perfettamente vivere anche senza lo zucchero. Quindi, il diabetico non deve assolutamente consumarlo, ed individui sani devono controllarne le quantità, meglio ancora sostituendolo con dolcificanti artificiali o con fruttosio.

adattato da *www.alimentazione-salute.it*

	Vero	Falso
1. L'alimentazione italiana aiuta a prevenire le malattie cardiovascolari.	☐	☐
2. L'alimentazione degli italiani non è perfetta.	☐	☐
3. Molti italiani fanno una colazione sana.	☐	☐
4. Fa bene mangiare tanti carboidrati con la pasta.	☐	☐
5. Gli affettati grassi favoriscono lo sviluppo del colesterolo.	☐	☐
6. Il piatto unico non è un pasto sano.	☐	☐
7. Il consumo di molti cibi a base di zucchero è sano per i bambini.	☐	☐
8. Le merendine sono povere di nutrienti.	☐	☐

Parliamo un po'...

> ⊃ Fai attenzione alla tua dieta alimentare per rimanere in linea o per salvaguardare la tua salute? Perché?
> ⊃ Quali sono gli alimenti su cui si basa la cucina del tuo paese?
> ⊃ Quali sono gli alimenti che vengono prodotti nel tuo paese e quali vengono importati?
> ⊃ Quali sono le cose che mangi perché ti piacciono e quelle che mangi solo perché "fanno bene"?

◎ Si dice così!

Ecco alcune espressioni utili per...

Dare istruzioni	Disossate una bistecca, battetela al coltello e conditela con sale, del succo di limone, dell'olio e del basilico tritato.
Esprimere ordini, comandi, esortazioni	Insomma, non si comporti come in un qualsiasi altro giorno.
Attirare l'attenzione di chi ascolta	Guardi, la fretta è sicuramente un pericolo, specialmente a tavola.
Dare il turno di parola	Allora, signora Spatieri, ci dica...
Rendere impersonale un'affermazione	Sembra che negli *States* non si mangi abbastanza colorato. Non è proprio tutto rose e fiori come dicono. Anche se uno fa attenzione [...], finisce sempre per fare qualche errore.

◎ Sintesi grammaticale

● L'imperativo

L'imperativo è il modo usato per esprimere comandi, ordini ed esortazioni. In italiano può essere informale o formale.

	PENSARE	VEDERE	SENTIRE	CAPIRE
tu	pensa	vedi	senti	capisci
Lei	pensi	veda	senta	capisca
noi	pensiamo	vediamo	sentiamo	capiamo
voi	pensate	vedete	sentite	capite
Loro	pensino	vedano	sentano	capiscano

L'imperativo di prima e seconda persona plurale ha la forma uguale al presente indicativo.
L'imperativo formale (*Lei* e *Loro*) ha le stesse forme del congiuntivo presente e quindi ne segue le irregolarità (*dimenticare*: dimentichi, dimentichino; *andare*: vada, vadano).
L'imperativo alla terza persona plurale (*Loro*) è oggi percepito come troppo formale e quindi poco usato. Al suo posto si usa l'imperativo alla seconda plurale (*voi*).

● L'imperativo negativo

L'imperativo negativo della seconda persona singolare si forma mettendo non prima dell'infinito.

Edizioni Edilingua

Esempio:

Non aggiungere il sale nell'insalata.

L'imperativo negativo della prima e della seconda persona plurale si forma mettendo non prima dell'imperativo.

Esempi:

Non torniamo più in questo ristorante! / Non correte perché il pavimento è bagnato!

L'imperativo negativo formale si ottiene semplicemente premettendo non alla forma affermativa.

	PENSARE	VEDERE	SENTIRE	CAPIRE
Lei	non pensi	non veda	non senta	non capisca
Loro	non pensino	non vedano	non sentano	non capiscano

- **L'imperativo e i pronomi**
  I pronomi si mettono SEMPRE dopo la forma affermativa dell'imperativo informale.

  Esempi:

  Aggiungilo! / Aggiungiamolo! / Aggiungetelo!

  Con la forma negativa dell'imperativo informale i pronomi possono stare in due posizioni diverse:

  a) dopo l'imperativo

     Esempi:

     Non aggiungerlo! / Non aggiungiamolo! / Non aggiungetelo!

  b) dopo la negazione

     Esempi:

     Non lo aggiungere! / Non lo aggiungiamo! / Non lo aggiungete!

  I pronomi precedono SEMPRE l'imperativo formale, sia affermativo sia negativo.

  Esempi:

  Non le ammucchi in un angolo del piano per cucinare. / Le guardi invece una per una con gioia. / Le annusi a occhi chiusi.

- **I pronomi combinati o doppi**
  Sono i pronomi formati da un pronome indiretto o riflessivo + un pronome diretto. I pronomi indiretti cambiano la vocale finale -i in -e, mentre i pronomi diretti restano invariati.
  I pronomi indiretti di terza persona singolare e plurale formano un'unica parola con il pronome diretto. In questo caso hanno la forma *glie-*.

	lo	la	li	le
mi (= a me)	me lo	me la	me li	me le
ti (= a te)	te lo	te la	te li	te le
gli (= a lui)	glielo	gliela	glieli	gliele
le (= a lei)	glielo	gliela	glieli	gliele
Le (= a Lei, formale)	Glielo	Gliela	Glieli	Gliele
ci (= a noi)	ce lo	ce la	ce li	ce le
vi (= a voi)	ve lo	ve la	ve li	ve le
gli (= a loro)	glielo	gliela	glieli	gliele
si (= a sé, 3ª sing. e plur.)	se lo	se la	se li	se le

- **Alcune costruzioni impersonali**

  Una costruzione impersonale è una frase senza un soggetto espresso e ben definito.

  Si possono usare tutti i verbi in maniera impersonale con il pronome **si + verbo alla terza persona singolare**.

  Esempio:

  Si dice (= Tutti dicono) che la dieta mediterranea faccia bene alla salute.

  Ricorda che in queste costruzioni impersonali, è obbligatorio ripetere il pronome *si* dopo ogni verbo.

  Esempio:

  In Italia si mangia e si vive bene.

  Nelle costruzioni impersonali seguite da un aggettivo, l'aggettivo è alla forma maschile plurale.

  Esempi:

  Se si mangia bene, *si è* anche più *contenti*.
  Se *si dorme tranquilli*, si sta bene tutto il giorno.

  La costruzione impersonale dei verbi riflessivi si fa con ci si.

  Esempio:

  Dopo un buon pasto ci si sente (= tutti si sentono) meglio.

  Le costruzioni impersonali possono avere tutti i tempi del verbo.

  Esempio:

  Oggi si sa che fumare fa molto male, ma 30 anni fa non si sapeva.

  Altre costruzioni impersonali si formano:

  – con il **verbo alla terza persona plurale**

  Esempio:

  In Spagna cucinano piccante. (= In Spagna *si cucina* piccante.)

  – con il **verbo alla seconda persona singolare**

  Esempio:

  Certo, in alcuni paesi mangi sicuramente meglio che in altri. (= Certo, in alcuni paesi *si mangia* sicuramente meglio che in altri.)

  – con il pronome indefinito **uno**

  Esempio:

  Quando uno va in vacanza Italia, ci va anche per trovare una buona cucina!

- **Il testo regolativo**

  Un testo regolativo contiene obblighi, divieti, consigli, regole che hanno lo scopo di guidare il comportamento del destinatario del messaggio.

  Il testo regolativo, in particolare, si caratterizza per:
  a) lo scopo (dare informazioni precise);
  b) lo stile linguistico (testo schematico);
  c) costrutti logici (uso di frasi semplici e dirette, formate nella maggior parte dei casi da verbo e complemento, con soggetto non espresso);
  d) tempi verbali (imperativo, infinito o presente).

Alcuni esempi di testi regolativi sono:
– le istruzioni per il funzionamento di un'apparecchio, di un elettrodomestico
– le istruzioni dei giochi
– i regolamenti che siamo tenuti a rispettare in diverse situazioni sociali (scuola, piscina, biblioteca, internet ecc.)
– le istruzioni per compilare dei moduli
– le istruzioni per l'uso dei farmaci
– le istruzioni dell'insegnante o dei libri scolastici per eseguire un particolare esercizio
– le ricette
– le etichette che accompagnano un prodotto
– manuali
– le guide pratiche

● **Segnali discorsivi per attirare l'attenzione e dare il turno di parola**
I segnali discorsivi hanno la funzione di organizzare la presentazione del testo. Una delle funzioni che svolgono è quella di delimitare l'inizio e la fine del testo.

Tra i segnali discorsivi che svolgono la funzione di formula di apertura con un richiamo dell'attenzione dell'interlocutore ricordiamo per esempio:
– Sai/Sa/Sapete
– Vedi/Veda/Vedete
– Senti/Senta/Sentite
– Guarda/Guardi/Guardate

Esempi:
Senta, parliamo ora di un argomento importante: la presentazione dei piatti.
Guardi, la fretta è sicuramente un pericolo, specialmente a tavola.

Alcune formule per dare il turno di parola sono invece:
– Prego
– Dimmi pure/Dica
– Sì, dica/Sì, dimmi

Esempio:
● Stefano, ti posso dare un altro consiglio per la cipolla?
● Sì, dimmi.

◎ Grammatica

1. Completa le frasi con il congiuntivo presente o passato.

1. Luigi pensa che il cornetto rosso lo (*proteggere*) .... dal malocchio.

2. L'esame mi è andato male! Temo che mi (*portare*) .... sfortuna il giorno venerdì 17!

3. Vuoi che ti (*leggere*) .... le carte? Sono brava con i tarocchi!

4. È meglio che non (*voi - attraversare*) .... la strada se prima è passato un gatto nero.

5. Spero che nessuno mi (*vedere*) .... mentre facevo gli scongiuri.

/5

2. Trasforma il testo usando il congiuntivo.

Personalmente rispetto i superstiziosi, ma sinceramente non li capisco. Secondo me, le persone superstiziose non sono razionali e non sanno usare la propria intelligenza. Probabilmente hanno avuto esperienze negative e hanno preferito collegarle a qualche evento esterno alla loro vita, come la data o la presenza di un gatto nero. Forse questo li fa sentire più tranquilli: tutto qui.

Personalmente rispetto i superstiziosi, ma sinceramente non li capisco. Penso che ....

.... È probabile che ....

.... Credo che ....

....

/5

3. Scegli la forma dell'imperativo corretta.

1. Gianni, se non vuoi ingrassare, segui/segua la dieta mediterranea.
2. Quando vengo a cena da te, Teresa, non cucini/cucinare troppo.
3. Stasera signora, vada/vai a cena al ristorante giapponese: vedrà che le piacerà!
4. Professore, non mangi/mangiare così in fretta: non fa bene!
5. Paola, scegli/scelga un piatto di pesce perché è più leggero e più sano.

/5

4. Completa con l'imperativo e i pronomi combinati

1. Marco, devi scrivere le ricette a Jane, ... subito!

2. Non date alcolici ai bambini! .... in nessuna occasione!

3. Signora, non deve preparare carne per noi. .... perché siamo vegetariani.

4. Dovete mangiare solo carne bianca! .... soltanto bianca! Quella rossa fa male.

5. Dottore, scriva la dieta alla signora Rossi. .... perché oggi è il giorno del suo appuntamento.

/5

5. Rispondi alle domande con i pronomi combinati.

- Oggi fai la spesa alla mamma? ● No, ...: oggi non posso.
- Cucinavi spesso il pesce ai tuoi figli quando erano piccoli? ● No, non ....

  Edizioni Edilingua

- Mi darai la ricetta delle lasagne? ● Sì, ... quando ti vedo.
- Ci parlerai della cucina del tuo paese? ● Sì, ... volentieri.
- Signora, mi passa il vassoio, per favore? ● Sì, ... subito.

/2,5

6. Forma le frasi.

1. si / che qui / bene / mi hanno detto / spende poco / e / mangia / si

....

2. questo / speciale / sia / dicono / piatto / che / davvero

....

3. puoi / se /, si sa, / mangi salato / di colesterolo / problemi / avere

....

4. e poi / uno / per cucinare bene! / anche / tutto il giorno / deve avere / lavora / il tempo

....

5. mangia bene / si / si / dicono / più allegri / vive / che se

....

/2,5

)) Testualità
7. Scegli l'opzione corretta.

- Il nostro chef ci dirà oggi quali sono le due regole essenziali per preparare bene un piatto. (1) Ecco/ Prego/Vai.
- (2) Allora/Dimmi/Cioè, per preparare bene un piatto, bisogna rispettare alcune regole elementari. (3) Primo/Anzitutto/Importante gli ingredienti devono essere tutti freschi e di ottima qualità, è bene assicurarsi di avere a disposizione tutti gli utensili necessari. (4) Poi/Alla fine/Per prima cosa è anche importante avere tempo da dedicare alla cucina.
- È vero. Troppo spesso cuciniamo in pochi minuti…
- Sì. (5) Vede/Sente/Dica, quando facciamo le cose in fretta non cuciniamo come dovremmo. Ci dedichiamo anche ad altre attività, con il risultato che i piatti poi non vengono davvero buoni e gustosi.

/5

)) Vocabolario
8. Completa con la parola esatta.

1. A Mario va tutto male: è davvero molto ....
2. Quando ho un esame non lo dico a nessuno per ....
3. Per mescolare tutti gli ingredienti usate il ....
4. Per fare gli spaghetti, prima di tutto, mettete a bollire l'acqua in una ....
5. Devi mangiare anche i .... : alimenti come fagioli, ceci, lenticchie, piselli e simili.

/5

9. Scegli l'opzione adeguata.

1. Il corno rosso allontana la sfortuna/superstizione.
2. È di buon auspicio/un imprevisto gettare i cocci dalla finestra a Capodanno.
3. Quando ho un esame porto con me un piccolo amuleto/iettatore.
4. Sono intollerante al latte e non posso mangiare latticini/carboidrati.
5. Come base per il sugo, prendete una cipolla e tagliatela/versatela.

/5

Punteggio Totale **/40**

Puoi comprare i biglietti per il concerto?

◉ Entriamo in tema

⊃ Quando e in quali situazioni ascolti la musica?

⊃ Qual è il tuo cantante o gruppo preferito?

⊃ Qual è il tuo strumento musicale preferito? Ne sai suonare qualcuno o hai mai provato a imparare?

⊃ Quale concerto musicale non vorresti perdere?

◉ Comunichiamo

1. Prima di ascoltare il dialogo, osserva il significato di queste parole ed espressioni.

mi sentivo spenta = mi sentivo poca attiva, un po' giù

spartiti = trascrizioni di composizioni musicali

carta prepagata = carta di credito ricaricabile per fare acquisti

botteghino = biglietteria degli stadi, dei teatri, del cinema

indifferente = che non manifesta le proprie emozioni e i propri sentimenti

2. Ascolta il dialogo. Vero o falso?

8

	Vero	Falso
1. Paola non rispondeva al telefono perché era spento.	☐	☐
2. Paola ha comprato degli spartiti per pianoforte e CD di musica.	☐	☐
3. Antonella ha avuto problemi a pagare con la carta di credito.	☐	☐
4. Fabrizio non ha ancora deciso se andare a Bologna.	☐	☐
5. Paola andrà a comprare i biglietti domani.	☐	☐

3. Ascolta di nuovo il dialogo e leggi il testo. Controlla le risposte dell'attività 2.

8

Paola: Pronto?

Antonella: Ciao Paola, sono Antonella, ma dov'eri finita? È tutto il giorno che ti chiamo!

Paola: Ah... ciao Antonella! Scusa, ero uscita e avevo dimenticato il cellulare a casa.

Antonella: Ah, ecco! Iniziavo a preoccuparmi! E che hai fatto tutto il pomeriggio?

Paola: Mi sentivo spenta e sono uscita per andare a comprare degli spartiti per pianoforte, poi sono passata dal negozio di dischi e mi sono fermata ad ascoltare della musica ma alla fine non ho comprato nessun CD perché avevo speso già molti soldi per gli spartiti. Volevo anche fare una sorpresa a mia sorella, così sono andata ad aspettarla fuori dal suo ufficio. Dopo mezz'ora, non la vedevo uscire, così sono entrata per andarla a cercare ma una sua collega mi ha detto che oggi è rimasta solo fino all'ora di pranzo! E io pensavo che finisse alle sei, come al solito!!! E tu? Sei al lavoro? Perché mi cercavi? Tutto bene?

Antonella: Sì, sono ancora in ufficio. Senti, in effetti, devo chiederti una cosa: potresti comprarli tu i biglietti per il concerto di Vinicio Capossela?

Paola: Ma come? Pensavo che li avessi già presi tu su Internet!

Edizioni Edilingua

Antonella: Eh... no! Non ho più potuto perché il sito non accetta la mia carta prepagata.

Paola: Ah... allora bisogna andare a comprarli direttamente al botteghino...

Antonella: Sì, ma siccome io lavoro fino alle nove stasera, puoi andarci tu?

Paola: Va bene, dài, ci penso io. Quanti ne devo prendere?

Antonella: Allora... Siamo io, tu, Valentina e Fabrizio: quattro!

Paola: Ah bene! Pensavo che Fabrizio non venisse. Non doveva andare a Bologna da suo fratello?

Antonella: Eh... non fare l'indifferente! Sei contenta che venga anche Fabrizio, vero?

Paola: Dài, che scema...

Antonella: Comunque, no, non ci va più da suo fratello.

Paola: Certo che lui è uno strano... Un giorno dice una cosa, il giorno dopo ne dice un'altra...

Antonella: Adesso non ti lamentare. Preferivi che andasse a Bologna?

Paola: Ma no, solo che credevo che avesse deciso di andare a trovare suo fratello, diceva che non lo vedeva da tanto tempo.

Antonella: Sì, ma alla fine, per il concerto di Vinicio, ha pensato di rimandare il viaggio di un paio di giorni.

Paola: Bene, meglio così. Allora senti, io adesso esco e vado a prendere i biglietti, d'accordo? Non vorrei che fossero finiti i posti migliori!

Antonella: Ecco, brava! Vacci subito, dài... E fammi sapere se li trovi!

Paola: Corro! Ciao Antonella, ti chiamo più tardi o domani mattina!

Antonella: Ok! Ciao bella, a dopo!

> (i) **UFFICIO INFORMAZIONI**
> Vinicio Capossela è un cantautore e uno scrittore italiano dallo stile molto originale. Di origine campana, ha vissuto all'estero e in diverse città italiane. È molto apprezzato dalla critica e ha un crescente successo di pubblico. Tra i suoi lavori principali ricordiamo gli album: *Il ballo di San Vito*; *Canzoni a manovella*; *Marinai, profeti e balene*.

Impariamo le parole - Strumenti musicali

4. Scrivi le parole della lista sotto le immagini.

chitarra - pianoforte - batteria - arpa - basso - flauto - sassofono
violino - fisarmonica - clarinetto - tamburo - tromba

1. .... 2. .... 3. .... 4. ....

5. .... 6. .... 7. .... 8. ....

9. .... 10. .... 11. .... 12. ....

Parole che usi all'università

5. Se studi in un Conservatorio italiano o al DAMS (Discipline delle Arti, della Musica e dello Spettacolo) può esserti utile saper classificare gli strumenti. Dall'esercizio 4 scegli gli strumenti che è possibile inserire nella tabella. Se ne conosci altri, aggiungili nella colonna giusta.

Strumenti a fiato

Strumenti a corda

Strumenti a percussione

6. Scrivi il nome dei musicisti che suonano gli strumenti dati sotto, come nell'esempio.

1. chitarra ➡ chitarrista
2. batteria ➡ ....
3. basso ➡ ....
4. flauto ➡ ....

5. sassofono ➡ ....
6. violino ➡ ....
7. clarinetto ➡ ....
8. percussioni ➡ ....

Attenzione!

Una persona che suona il pianoforte si chiama *pianista*. Chi suona la tromba è un *trombettista* e chi scrive il libretto di un'opera lirica si chiama il *librettista*. Come tutte le parole in -ista, al singolare hanno una sola forma per il maschile e per il femminile (*il chitarrista* e *la chitarrista*, ma *i chitarristi* e *le chitarriste*).

Comunichiamo

7. *Andiamo al concerto?* Inventa un dialogo con un compagno seguendo le indicazioni che seguono.

A. Hai avuto due biglietti omaggio per un concerto rock (decidi tu di quale gruppo o cantante) allo stadio di fronte a 60.000 persone. È un evento unico, ma non ti va di andarci da solo/a. Proponi al tuo compagno di venire con te. Proponi di andare con la tua macchina.

Edizioni Edilingua

B. Tu e il tuo ragazzo / la tua ragazza avete l'abbonamento per i concerti di musica classica. Lui/Lei questa sera non può venire. Tu abiti lontano dal teatro, non hai la macchina, ma desideri tantissimo andare a questo concerto. Per fortuna ti sei ricordato che il tuo compagno ha la macchina, potrebbe entrare con l'abbonamento del tuo ragazzo / della tua ragazza e assistere gratis a un concerto meraviglioso! Non potrà rifiutare questa offerta.

Facciamo grammatica

Osserva!

1. Io pensavo che finisse alle sei.
2. Pensavo che li avessi già presi tu su Internet!
3. Pensavo che Fabrizio non venisse.
4. Preferivi che andasse a Bologna?
5. Ma no, solo che credevo che avesse deciso di andare a trovare suo fratello.
6. Non vorrei che fossero finiti i posti migliori!

Le forme evidenziate sono al congiuntivo imperfetto e al congiuntivo trapassato.

8. Prova a completare la tabella con i verbi visti sopra, come nell'esempio.

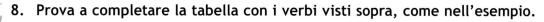

congiuntivo imperfetto	congiuntivo trapassato
finisse (frase 1)	
	avesse deciso (frase 5)

9. Completa la tabella con le desinenze corrette.

congiuntivo imperfetto

	andare	leggere	finire
io	andassi	legge..........	finissi
tu	anda..........	leggessi	fini..........
lui/lei/Lei	anda..........	leggesse	finisse
noi	andassimo	leggessimo	fini..........
voi	andaste	legge..........	finiste
loro	andassero	leggessero	fini..........

Le desinenze del congiuntivo imperfetto sono uguali per tutte e tre le coniugazioni.

Attenzione!

I verbi dare, essere e stare hanno forme irregolari.

dare	dessi, dessi, desse, dessimo, deste, dessero
essere	fossi, fossi, fosse, fossimo, foste, fossero
stare	stessi, stessi, stesse, stessimo, steste, stessero

10. Scrivi la regola del congiuntivo trapassato.

Il congiuntivo trapassato è formato da due verbi: il .... del verbo ausiliare .... oppure .... + il .... del verbo principale.

 11. Completa la tabella.

congiuntivo trapassato			
	comprare	**decidere**	**divertirsi**
io	avessi comprato		mi fossi divertito/a
tu		avessi deciso	
lui/lei/Lei	avesse comprato		si fosse divertito/a
noi		avessimo deciso	
voi	aveste comprato		vi foste divertiti/e
loro		avessero deciso	

Osserva!

- Io pensavo che finisse alle sei.
- Pensavo che li avessi già presi tu su Internet!
- Pensavo che Fabrizio non venisse.
- Preferivi che andasse a Bologna?
- Ma no, solo che credevo che avesse deciso di andare a trovare suo fratello.

Grazie alla concordanza dei tempi verbali si può stabilire il rapporto temporale tra il verbo della proposizione (frase) principale e il verbo della proposizione dipendente.

 12. Trascrivi nella tabella le frasi riportate sopra e tratte dal dialogo; distingui le proposizioni principali dalle proposizioni dipendenti e indica se l'azione della dipendente è contemporanea, precedente o successiva rispetto a quella espressa nella principale, come nell'esempio.

Concordanza dei tempi: congiuntivo imperfetto e congiuntivo trapassato

Proposizione principale	Proposizione dipendente	Rapporto temporale
Io pensavo...	*...che finisse alle sei.*	azione contemporanea o successiva

 Edizioni Edilingua

13. Completa la regola della concordanza dei tempi.

Verbo della frase principale	Verbo della frase dipendente	L'azione espressa dal verbo della frase dipendente è...
Indicativo passato prossimo imperfetto passato remoto	Congiuntivo imperfetto	.... o .... rispetto all'azione espressa dalla frase principale.
	Congiuntivo trapassato	.... rispetto all'azione espressa dalla frase principale.

14. Inserisci il congiuntivo imperfetto o trapassato.

1. Non pensavo che ti (piacere) .... l'*heavy metal*!
2. Non era possibile che (vendere; già) .... tutti i biglietti!
3. Speravano che il concerto (iniziare) .... in ritardo.
4. Da piccolo speravo che i miei genitori mi (regalare) .... una chitarra.
5. Il mio maestro di musica non sapeva che io (studiare) .... canto l'anno prima.
6. Davvero credevi che Gianluca (imparare) .... a suonare il violino in un mese?
7. Sperava che il suo cantante preferito (fare) .... un concerto nella sua città.
8. Ho sempre desiderato che i miei figli (appassionarsi) .... alla musica classica.

Entriamo in tema

- ↻ Osserva le foto: che tipo di musica (*blues*, *heavy metal*, *indie rock*, *jazz*, musica classica, musica da discoteca, *rap*, *reggae*) potrebbero ascoltare queste persone?
- ↻ Pensi che sia possibile associare personalità, modo di vestire e parlare a un determinato gusto musicale? Puoi fare qualche esempio?

Comunichiamo

15. Come descriveresti la personalità degli appassionati dei diversi generi musicali visti sopra? Puoi usare le parole e le espressioni date.

estroverso   creativo   alta/bassa autostima

introverso   egoista

generoso   presuntuoso   buon lavoratore

16. Leggi l'articolo. Le ipotesi che hai fatto nell'esercizio 15 sono corrette?

Dimmi cosa ascolti e ti dirò chi sei

La musica che ascoltiamo descrive la nostra personalità meglio di un curriculum vitae. I ricercatori del dipartimento di psicologia della Heriot Watt University di Edimburgo hanno chiesto a 36 mila appassionati di musica di descrivere la loro personalità ed i loro gusti musicali dimostrando, attraverso la lettura dei risultati, una stretta relazione. Gli appassionati di musica *indie rock*, ad esempio, secondo questo studio, hanno una bassa autostima ma sono molto creativi; chi ascolta musica *rap* è presuntuoso e chi frequenta le discoteche è estroverso ma un po' egoista. "Quello che questa ricerca vuole capire realmente è il motivo per cui la musica è una parte così importante dell'identità delle persone – spiega il professor Adrian North, dell'Università di Edimburgo – Le persone si definiscono attraverso il loro personale gusto musicale, indossando abiti particolari, frequentando certi tipi di locali e usando *slang*".

"Sebbene appaiano a prima vista totalmente differenti, gli amanti dell'*heavy metal* e quelli della musica classica sono uniti dall'amore per la musica – continua North – ed è più probabile che un fan dei Metallica ascolti Mahler o Wagner, piuttosto che un appassionato di *indie rock* ascolti *reggae*". John Gregson, un musicista di formazione classica amante della musica *metal*, sottolinea che "entrambi questi generi sono quelli che richiedono nell'esecuzione più disciplina e studio, poiché sono tecnicamente i più difficili. È probabile quindi che chi abbia ascoltato *metal* da ragazzo, si appassioni col tempo anche alla musica classica". Leggendo la classifica delle personalità legate ai gusti musicali, stilata dai ricercatori, si scopre che chi ascolta *blues* e *jazz* ha un'alta autostima, è creativo e si trova sempre a proprio agio con se stesso e con gli altri; chi ama la musica classica ha una buona autostima, è creativo ma introverso; chi si appassiona di *reggae* ha sempre un alto livello di autostima, è generoso ma non è un buon lavoratore.

adattato da www.agi.it

17. Discuti con un compagno. Ecco alcuni spunti.

1. Ci sono differenze tra quello che pensavi tu e i risultati della ricerca? 2. C'è qualcosa che ti ha sorpreso nell'articolo, oppure la sua lettura ha confermato alcune tue idee? 3. Pensi che il tuo genere musicale preferito si rifletta nel tuo modo di essere?

◎ Facciamo grammatica

Osserva!

- È più probabile che un fan dei Metallica ascolti Mahler o Wagner, piuttosto che un appassionato di *indie rock* ascolti *reggae*.
- È probabile quindi che chi abbia ascoltato *metal* da ragazzo, si appassioni col tempo anche alla musica classica.

18. Ricordi quando si usano il congiuntivo presente e passato? Completa la regola.

1. In queste frasi, il congiuntivo presente e passato si usano quando nella frase principale c'è un verbo

....

2. L'azione espressa con il congiuntivo presente, rispetto alla frase principale, è:

a. contemporanea ▢   b. anteriore ▢   c. posteriore ▢

Edizioni Edilingua

3. L'azione espressa con il congiuntivo passato, rispetto alla frase principale, è:

    a. contemporanea ▪   b. anteriore ▪   c. posteriore ▪

Attenzione!

- Io *pensavo* che finisse alle sei. (*Attività 3*)
- *Pensavo* che li avessi già presi tu su Internet! (*Attività 3*)
- *È probabile* quindi che chi abbia ascoltato *metal* da ragazzo, si appassioni col tempo anche alla musica classica. (*Attività 16*)

Nell'unità 5 abbiamo visto quali verbi ed espressioni richiedono il congiuntivo presente e passato. Il congiuntivo imperfetto e trapassato si usano dopo gli stessi verbi e le stesse espressioni.

19. Osserva la tabella. Nella colonna a destra scrivi una frase con il tempo del congiuntivo indicato tra parentesi, come nell'esempio. Attenzione all'uso dei tempi nella frase principale.

Verbi ed espressioni che richiedono il congiuntivo	
verbi di opinione: *pensare, credere, ritenere, immaginare, convinversi, essere convinti* ecc.	**(presente)** Penso che il *rap* sia un genere di musica principalmente americano. **(passato)** ....
verbi o espressioni che indicano dubbio: *non essere sicuri, dubitare, si dice* ecc.	**(imperfetto)** ....
verbi che indicano volontà, divieto: *volere, ordinare, preferire* ecc.	**(passato)** ....
verbi o espressioni che indicano desideri o stati d'animo: *sperare, augurarsi, desiderare, essere felici, essere contenti* ecc.	**(trapassato)** ....
è + aggettivo/avverbio: *è meglio, è preferibile, è necessario, è bene, è possibile, è probabile* ecc.	**(imperfetto)** ....
verbi impersonali: *bisogna, sembra.*	

Attenzione!

Il congiuntivo si usa in diverse frasi subordinate (secondarie) introdotte da congiunzioni subordinative. Nell'unità 5 ne hai già incontrate alcune: perché e affinché, che introducono le subordinate finali (che indicano il fine o lo scopo), e prima che, che introduce le subordinate temporali.

Osserva!

- Sebbene appaiano a prima vista totalmente differenti, gli amanti dell'*heavy metal* e quelli della musica classica sono uniti dall'amore per la musica.

Sebbene è una congiunzione che richiede il congiuntivo e che introduce una subordinata concessiva. Altre congiunzioni concessive sono nonostante e benché.

20. Scrivi la regola.

Qual è il significato della frase nell'esempio?

a. Anche se appaiono... ▢   b. Dato che appaiono... ▢

La frase concessiva presenta un fatto che è in contrasto con quanto detto nella frase principale; in altre parole "concede", ammette un'opposizione rispetto alla frase principale.

21. Trasforma oralmente le frasi usando le congiunzioni concessive e il congiuntivo, come nell'esempio.

Esempio: Lara non ha mai studiato musica, ma suona benissimo il piano.
Nonostante/Benché/Sebbene Lara non abbia mai studiato musica, suona benissimo il piano.

1. Anche se so leggere uno spartito, non ho mai studiato il solfeggio.
2. Probabilmente non era al massimo, ma ha cantato comunque molto bene.
3. Non sono mai stato a un concerto di Vasco Rossi, anche se vorrei davvero andarci.
4. Non ricordo l'autore del *Rigoletto*, anche se proprio ieri l'ho letto sul testo di Storia della musica.
5. I Conservatori hanno sempre garantito una formazione rigorosa, però soltanto da poco sono diventati vere università.
6. Marco non è un esperto di musica classica, però gli piace molto e la ascolta spesso.

 22. Lavora con un compagno. A turno esprimete le vostre ipotesi su questi argomenti usando espressioni come quelle dell'esempio.

Esempio: Chi è il cantante rock italiano più famoso?
Credo / È probabile che il cantante rock italiano più famoso sia...

1. Chi è il cantante rock italiano più famoso? 2. Chi è l'autore dell'opera *Tosca*? 3. Come si chiama e dove si trova il teatro lirico più famoso al mondo? 4. Chi era Luciano Pavarotti? 5. Qual è la canzone italiana più famosa nel mondo? 6. Che cos'è "l'inno di Mameli"? 7. Chi era il leader del gruppo *The Doors*? 8. Cosa sono *Le quattro stagioni*? 9. In che anno c'è stato il famoso concerto di Woodstock?

23. Chi è il più esperto di musica? Controllate le vostre risposte su Internet o chiedete all'insegnante e correggete le ipotesi errate, come nell'esempio.

Esempio: Credevo che il cantante rock italiano più famoso fosse..., invece è...

◎ Parole che usi all'università

 24. In questa unità hai già visto molte parole che fanno parte della microlingua della musica e che puoi trovare nei testi usati negli istituti universitari come il Conservatorio o il DAMS. Leggi il testo e insieme a un compagno completa la griglia con le parole che rientrano nelle categorie date. Usate un dizionario monolingue, ne trovate anche online.

La nascita dell'opera lirica

La prima opera lirica ufficiale fu *Euridice* composta da Jacopo Peri sul testo dell'egloga pastorale omonima del poeta fiorentino Ottavio Rinuccini; fu rappresentata il 6 ottobre 1600, a Firenze, in occasione delle nozze di Maria de' Medici con il re di Francia Enrico IV.

Edizioni Edilingua

I primordi si possono rintracciare fin dal XVI secolo negli intermezzi realizzati fra un atto e l'altro di una commedia recitata e nella cosiddetta "pastorale drammatica" o "tragicommedia", durante la quale alcuni personaggi intervenivano nell'azione drammatica cantando e suonando strumenti. Alla fine del 1500 un gruppo di musicisti decise poi di sperimentare una nuova forma di rappresentazione. La musica, la poesia, la scena, con il contributo della pittura, della scultura e dell'architettura, dovevano fondersi insieme nella creazione di spettacoli nuovi ed estremamente coinvolgenti dal punto di vista sensoriale. Una vicenda normalmente estratta dalla mitologia o dalle epopee eroiche, si riscriveva in versi poetici. Si occupava di questa parte il librettista che realizzava il libretto. Il musicista componeva la musica che, in teoria, doveva collegarsi drammaticamente al libretto. Lo scenografo infine inventava tutto l'apparato scenografico, fondali, costumi e via dicendo. In questa prima fase, la musica era caratterizzata dall'onnipresente basso continuo, arricchito dalla presenza di strumenti a fiato e ad arco.

L'opera lirica ebbe enorme diffusione in epoca barocca, soprattutto a Roma e Venezia. Spettacolo inizialmente riservato alle corti, e dunque destinato a una *élite* di intellettuali e aristocratici, acquistò carattere di intrattenimento a partire dal 1637, quando aprì le sue porte il Teatro San Cassiano di Venezia, il primo teatro moderno per struttura, per organizzazione, per gestione: il palcoscenico ha fondali dipinti intercambiabili, il pubblico si dispone in platea e ci sono palchetti da affittare. Al pubblico di quest'epoca piaceva soprattutto il virtuosismo dei cantanti (soprani, baritoni, bassi, mezzosoprani). Acuti, svolazzi, gorgheggi musicali, erano prova dell'estensione vocale e della bravura che i cantanti riuscivano a esibire.

I soggetti dell'opera possono essere di vario tipo, cui corrispondono altrettanti sottogeneri: serio, buffo, giocoso, semiserio, farsesco.

L'opera si articola convenzionalmente in vari "numeri musicali", che includono sia momenti d'assieme (duetti, terzetti, concertati, cori) sia assoli (arie, ariosi, romanze, cavatine).

adattato da *it.wikipedia.org*

> ## (i) UFFICIO INFORMAZIONI
>
> Il Conservatorio è un istituto universitario specializzato nello studio della musica e nella formazione artistica e culturale dei musicisti. In tutte le principali città italiane si trova un Conservatorio, dove si può ottenere un Diploma Accademico di I livello o di II livello.

Genere	Cantante	Parti cantate da un solo cantante	Parti cantate da più cantanti o in coro
....	....	....	....
....	....	....	....
....	....	....	....
....	....	....	....

25. Hai notato che molte parole della microlingua della musica e dell'opera lirica sono simili anche nella tua lingua? Ne conosci altre? Con un compagno prova a fare una lista.

....
....
....

Puoi comprare i biglietti per il concerto?

Scriviamo insieme

26. La "nostra" storia dell'opera lirica.

Rileggete il testo sulla nascita dell'opera (*attività 24*) e, servendovi delle informazioni che troverete su Internet, continuate la storia dell'opera lirica. Dividetevi in tre gruppi: il primo gruppo deve descrivere il periodo caratterizzato da Claudio Monteverdi; il secondo gruppo deve descrivere il periodo di Pietro Metastasio; il terzo gruppo deve descrivere il periodo da Vincenzo Bellini in poi. Cercate di mettere in relazione la storia dell'opera lirica con i cambiamenti della società.

Entriamo in tema

⊃ In base a che cosa decidi di comprare un disco (leggi le recensioni, ascolti i consigli degli amici o della radio, guardi le classifiche ecc.)?

⊃ Cosa sai della musica italiana?

⊃ Conosci qualche cantante italiano?

Comunichiamo

27. Prima di leggere il testo osserva il significato di queste parole ed espressioni.

votata	che si dedica con grande impegno a qualcosa
arabeggianti	simili a ciò che c'è nella cultura araba (*gusto arabeggiante*, *musica arabeggiante...*)
incalzanti	ripetuti, insistenti
senza pari	unico, senza paragoni
sarcasmo	ironia che può anche offendere
spietatezza	mancanza di pietà
riferimenti	accenni; connessioni o rapporti tra due cose
cosmologia	natura dell'universo
introspettivi	che riguardano l'osservazione della propria anima e personalità
filo conduttore	aspetto che lega
urgenza	necessità

28. Leggi le recensioni e poi completa la griglia, abbinando le affermazioni date ai tre album.

Carmen Consoli: **Elettra**

Dopo *Eva contro Eva*, Carmen Consoli ha pubblicato (su etichetta Universal) *Elettra*, un altro grande album di una carriera oramai votata alla ricerca stilistica.

Meno di 40 minuti, tanto durano le tracce (10) che compongono l'opera. Sembrano poche, eppure... terminato l'ascolto si ha la sensazione di aver fatto un lungo, emozionante viaggio. Sonorità mediterranee, atmosfere arabeggianti, ritmi incalzanti. Drammi personali e questioni collettive raccontati con rara lucidità e forza espressiva (quasi) senza pari.

Mix molto riuscito di gioie e dolori, lieve sarcasmo e dura spietatezza, *Elettra* non contiene canzoni dal ritornello facile. È un percorso emozionale dedicato ad ascoltatori disposti a lasciarsi guidare. È un gran bel disco della nostra *cantantessa**.

> *La parola "cantantessa" è usata da Carmen Consoli per riferirsi a se stessa, anche se la parola "cantante" indica sia gli uomini che le donne.

Jovanotti: **Ora**

Si possono dire diecimila cose su questo disco di Jovanotti, ma se dovessimo scegliere di dirne una sola, sarebbe questa: *Ora* ha un grande sound. C'è "un po' di apocalisse e un po' di Topolino", in questo disco, come canta Lorenzo nella canzone di apertura, *Megamix*: l'apocalisse sono i suoni, ora incalzanti, ora più rilassati, ma comunque mai banali; Topolino è la melodia, a cui Lorenzo non rinuncia mai.

> ### ⓘ UFFICIO INFORMAZIONI
>
> Il vero nome di Jovanotti è Lorenzo Cherubini. L'artista usa a volte il suo vero nome (*Lorenzo* compare nel titolo di molti suoi album), a volte lo pseudonimo *Jovanotti*. Ha cominciato la sua carriera come DJ e oggi è uno dei cantanti italiani di maggiore successo.

Ci sono canzoni molto nel suo stile (come *Tutto l'amore che ho* e *Ora*) e ci sono canzoni molto *dance* come *Spingo il tempo al massimo* o *Io danzo*. Poi ci sono canzoni più tradizionali, come il rock di *Il più grande spettacolo dopo il big bang*, le ballate *Le tasche piene di sassi* e *L'elemento umano*; ci sono riferimenti alla canzone francese (la bellissima *Quando sarò vecchio*) e alla musica etnica (*La bella vita*, con Amadou & Mariam). Ci sono 25 canzoni (che diventano 15 nella versione "basic" del disco). E sono tante, ma non troppe: ci sono alcuni momenti di stanca come *Dababadance* e *Go!!!!!!!* (più che canzoni sono giochi di musica elettronica) e una bella versione acustica de *L'elemento umano* che forse sarebbero state meglio come *bonus tracks* di una versione digitale. Lorenzo dice che questo, più che un album, è una *playlist*. Però è anche vero che dietro tutto questo c'è un pensiero. Un pensiero che si sente nei temi musicali e lirici che ritornano: si parla molto d'amore, ovviamente, ma anche molto di universo e di cosmologia, nelle canzoni. Detto così si potrebbe pensare a un album serio e triste, invece *Ora* è un disco allegro e soprattutto è un disco che mette allegria, non male come risultato! In una prossima raccolta di successi del cantante, siamo dell'idea che ci potrebbero entrare a buon diritto almeno un paio di canzoni di *Ora*.

Max Gazzè: **Tra l'aratro e la radio**

La partecipazione a Sanremo di Max Gazzè ha avuto l'effetto sorprendente di vedere la sua canzone *Il solito sesso* tra le più scaricate e programmate dalle radio. Ottima partenza per il lancio del disco *Tra l'aratro e la radio* che segue *Un giorno*.

Come spesso accade agli album più belli, il CD ti conquista ascolto dopo ascolto. Musicalmente è infatti ricco di sfumature, come Gazzè ci ha da sempre abituato. Allo stesso tempo suona parecchio rock e ci sono molti pezzi che colpiscono. Non mancano comunque le ballate e i momenti più intimi. I testi sono pieni di giochi lessicali, parole ricercate e *divertissement*. Spesso introspettivi, tanti brani sono piccoli affreschi di momenti di vita quotidiana. C'è un filo conduttore che attraversa l'album, un'urgenza comunicativa.

adattato *da www.soundsblog.it*

1. Contiene dieci canzoni.			
2. Una sua canzone ha avuto grande successo.			
3. Ha riferimenti alla canzone francese.			
4. Contiene molte canzoni.			
5. Contiene anche canzoni intimiste.			
6. I suoi ritornelli non rimangono subito in testa.			
7. Il tema dominante è l'amore.			
8. È un album che dà allegria a chi lo ascolta.			
9. È come un viaggio tra diversi stili musicali.			
10. Alcune canzoni parlano della vita di tutti i giorni.			

Impariamo le parole - Parlare di dischi

29. Collega le seguenti parole dei testi con il loro significato.

1. traccia	a. canzone dal ritmo lento che parla di sentimenti
2. sonorità	b. parole di una canzone
3. ritmo	c. insieme di suoni
4. critico	e. canzoni già pubblicate e rimesse insieme in un unico album
5. ritornello	
6. cantautore	d. persona che canta canzoni scritte da lui stesso
7. ballata	f. canzone registrata su un disco
8. raccolta	g. giornalista che scrive recensioni
9. testo	h. durata delle note e delle pause nella musica
10. lancio	i. parte di una canzone che si ripete
	l. campagna pubblicitaria e promozionale

30. Nella recensione al disco di Max Gazzè, ci sono due sinonimi di *canzoni*. Trovali e scrivili qui sotto.

Analizziamo il testo

Osserva!

- Sembrano poche, eppure... terminato l'ascolto si ha la sensazione di aver fatto un lungo, emozionante viaggio. (*Elettra*)

- Detto così si potrebbe pensare a un album serio e triste, invece *Ora* è un disco allegro e soprattutto è un disco che mette allegria. (*Ora*)

- Allo stesso tempo suona parecchio rock e ci sono molti pezzi che colpiscono. Non mancano comunque le ballate e i momenti più intimi. (*Tra l'aratro e la radio*)

Le parole evidenziate sono connettivi avversativi che contrappongono due frasi all'interno di un testo. Nell'unità 3 abbiamo già visto *ma*, *però*, *tuttavia*, *mentre*, *a differenza di*.

Attenzione!

Mentre ha sia valore temporale che valore avversativo: non confondere i due usi.
- Tutti i suoi amici amano il rock, mentre lui ascolta solo musica classica. (valore avversativo)
- Luigi canta mentre si fa la doccia. (valore temporale)

Osserva!

- Il librettista non scrive la musica, bensì il libretto dell'opera.

Altri connettivi avversativi sono al contrario, anzi, bensì; si usano solo in contrapposizione a una negazione precedente.
L'uso di bensì è comune in un testo di registro formale e accademico.

31. Scegli il connettivo giusto per ogni frase.

1. Ha urlato come un pazzo al concerto tuttavia/perciò/mentre è rimasto senza voce.

2. Il disco di Carmen Consoli non è noioso, perché/nonostante/anzi, è molto coinvolgente.

3. Ha studiato molto, tuttavia/al contrario/quindi non ha passato l'ammissione al Conservatorio.

4. Non aveva mai ascoltato Eros, allora/così/eppure s'è divertito un sacco al concerto.

5. Martina non ha una bella voce, comunque/poiché/quindi è stata ammessa nel coro.

6. Vivaldi non era un pianista, bensì/dunque/oppure un violinista.

Conosciamo gli italiani

32. Leggi il testo e scegli l'alternativa adeguata.

La storia del Festival di
Sanremo

Il *Festival della Canzone Italiana* di Sanremo. Il solo nominarlo scatena nella mente di ogni italiano ricordi e considerazioni. Canzoni che hanno fatto da colonna sonora alla vita di intere generazioni, sogno di ogni cantante emergente, evento di costume senza uguali nel Belpaese. Il Festival di Sanremo, come ormai tutti lo chiamano, non è soltanto una "gara canora". È molto di più: è, soprattutto, una parte di Storia d'Italia.

All'indomani della Seconda Guerra Mondiale, l'Italia è un paese da ricostruire completamente, sia dal punto vista urbanistico che sociale. La popolazione, anche se deve quotidianamente affrontare problemi di sopravvivenza, ha bisogno di divertirsi, si sforza di guardare avanti per dimenticare gli orrori del recentissimo passato, cerca serenità e un rinnovato senso della patria. Sanremo, località della riviera ligure, non faceva eccezione nella realtà italiana del periodo: la cittadina aveva vissuto un momento di grande prosperità durante la *Belle Epoque*, come meta turistica di lusso, aveva un Casinò e grandi alberghi. Ma in seguito alla guerra, le strutture ricettive di Sanremo erano semidistrutte. Subito dopo la fine del conflitto mondiale, le autorità volevano riaprire il noto Casinò Municipale, in cattive condizioni a causa della guerra. Crearono per questo una commissione e una sottocommissione tecnico-artistica; quest'ultima doveva ideare iniziative di carattere culturale, artistico e di intrattenimento per ridare vita al Casinò e rilanciare l'immagine di Sanremo, soprattutto dal punto di vista turistico. È proprio la sottocommissione che presenta l'idea di un festival della canzone, che doveva essere una *kermesse* di canzoni innovative, e non una gara canora.

Ma dopo poco la gestione del Casinò passa ai privati che abbandonano le iniziative della sottocommissione. Il nuovo addetto stampa del Casinò viene a sapere dell'idea del festival e ne parla al direttore del Casinò che dopo qualche anno, nel 1950, riesce a coinvolgere nel progetto la neonata RAI. La RAI vede nel festival un'occasione interessante per diffondere la canzone "all'italiana". Il direttore del Casinò organizza la manifestazione insieme al maestro Giulio Razzi, uomo di grande prestigio nell'ambiente musicale: i due creano il regolamento e prendono contatto con le case discografiche dell'epoca, le invitano a presentare dei brani fra i quali avrebbero scelto le canzoni della prima edizione del Festival di Sanremo. Ne arrivano 240. Infine, scelgono l'orchestra per eseguire i brani e pianificano la diretta radiofonica.

L'evento va in onda per la prima volta la sera del 29 gennaio 1951 alle ore 22, di lunedì, nell'indifferenza generale. Nessuno poteva allora immaginare quale grandezza la manifestazione avrebbe raggiunto nei giorni e negli anni a venire.

adattato da *sanremo.canzoneitaliana.net*

1. Il Festival di Sanremo
   a. presenta colonne sonore dei film
   b. fa parte della Storia italiana
   c. è un evento di moda italiana

2. La popolazione italiana dopo la Seconda Guerra Mondiale
   a. riflette sul passato recente
   b. ha bisogno di distrarsi
   c. non crede più nella patria

3. Prima della guerra, Sanremo
   a. era la città della musica
   b. ospitava una base militare
   c. era una località turistica

4. All'inizio il Festival doveva essere
   a. una gara tra cantanti
   b. una rassegna di musica innovativa
   c. una festa per gli ospiti del Casinò

5. La RAI voleva
   a. promuovere la canzone italiana
   b. rilanciare l'industria discografica
   c. rilanciare l'immagine di Sanremo

6. La prima edizione del Festival di Sanremo del 29 gennaio 1951
   a. ebbe scarso successo
   b. ebbe grande successo
   c. fu un evento in grande stile

Parliamo un po'...

⊃ Hai mai visto il Festival di Sanremo?
⊃ Esiste un festival della musica famoso nel tuo paese?
⊃ Secondo te, partecipare a concorsi di questo tipo è utile per farsi conoscere o pensi che serva di più, per esempio, essere su YouTube?

◎ Comunichiamo

33. *La parola alla giuria!* Dividetevi in gruppi di tre/ quattro persone e seguite le indicazioni date.

a) Tu e i compagni del tuo gruppo siete la giuria di un importante festival musicale. L'insegnante vi farà ascoltare le tre canzoni italiane finaliste del festival. Dovete decidere quale canzone premiare con il primo posto, quale mettere al secondo e quale al terzo della classifica finale del concorso. Dovete essere tutti d'accordo ed esprimere un giudizio su ciascuna canzone per motivare la vostra decisione.

b) Adesso, presentate la vostra classifica finale spiegando al resto della classe il perché della vostra scelta. Confrontate la vostra classifica con quelle degli altri gruppi.

◎ Si dice così!

Ecco alcune espressioni utili per...

Esprimere un'opinione	Pensavo che **Fabrizio non** venisse. Credevo che avesse deciso **di andare a trovare suo fratello.**
Esprimere un desiderio	Vorrei che venisse **anche Fabrizio al concerto!**
Esprimere una speranza al passato	Speravo che suonasse **la mia canzone preferita!**
Mettere in opposizione due frasi o concetti	Non sa leggere la musica, eppure **suona benissimo tre strumenti.** Ad alcuni può sembrare poco interessante, invece **questo è un disco che a me piace molto!**
Esprimere una concessione	Sebbene **appaiano [...] totalmente differenti, [...] sono uniti dall'amore per la musica.**

Sintesi grammaticale

● Il congiuntivo imperfetto

Verbi regolari			
	ANDARE	**LEGGERE**	**VENIRE**
io	andassi	leggessi	venissi
tu	andassi	leggessi	venissi
lui/lei/Lei	andasse	leggesse	venisse
noi	andassimo	leggessimo	venissimo
voi	andaste	leggeste	veniste
loro	andassero	leggessero	venissero

Verbi irregolari	
infinito	**congiuntivo imperfetto**
DARE	*dessi, dessi, desse, dessimo, deste, dessero*
ESSERE	*fossi, fossi, fosse, fossimo, foste, fossero*
STARE	*stessi, stessi, stesse, stessimo, steste, stessero*

● Il congiuntivo trapassato

	COMPRARE	**DECIDERE**	**DIVERTIRSI**
io	avessi comprato	avessi deciso	mi fossi divertito/a
tu	avessi comprato	avessi deciso	ti fossi divertito/a
lui/lei/Lei	avesse comprato	avesse deciso	si fosse divertito/a
noi	avessimo comprato	avessimo deciso	ci fossimo divertiti/e
voi	aveste comprato	aveste deciso	vi foste divertiti/e
loro	avessero comprato	avessero deciso	si fossero divertiti/e

Per gli usi principali del congiuntivo si rimanda alla sintesi grammaticale dell'unità 5.

● Altre congiunzioni subordinanti che introducono il congiuntivo

Oltre a quelle già incontrate nell'unità 5, altre congiunzioni subordinanti che richiedono il congiuntivo nella frase secondaria, sono: sebbene, nonostante, benché con valore concessivo.

Esempi:

Ha portato a termine il concerto, nonostante piovesse.

Sebbene non sia più giovane, ha ancora una gran voce.

● Concordanza dei tempi al congiuntivo

Verbo della frase principale	Verbo della frase dipendente	L'azione espressa dal verbo della frase dipendente accade...
Indicativo presente *Credo...*	**Congiuntivo presente** *...che Laura Pausini canti bene.* *...che a fine mese esca il nuovo disco di Vasco.*	contemporaneamente o dopo l'azione espressa dalla frase principale.
	Congiuntivo passato *...che il concerto sia finito.*	prima dell'azione espressa dalla frase principale.

Verbo della frase principale	Verbo della frase dipendente	L'azione espressa dal verbo della frase dipendente accade...
Indicativo **passato prossimo** **imperfetto** **passato remoto** *Non sapevo...*	**Congiuntivo imperfetto** *...che Capossela fosse in concerto!* *...che il loro tour mondiale partisse da Roma.*	contemporaneamente o dopo l'azione espressa dalla frase principale.
	Congiuntivo trapassato *...che Pavarotti avesse cantato negli Stati Uniti.*	prima dell'azione espressa dalla frase principale.

- **I connettivi avversativi**

  I connettivi avversativi introducono frasi con significato opposto a quello di un'altra frase.

  Oltre a quelli già incontrati nell'unità 3 (*ma, però, a differenza di, tuttavia, mentre*), altri connettivi avversativi sono: al contrario, anzi, bensì, comunque, eppure.

  Esempi:

  Sembrano poche, eppure... terminato l'ascolto, si ha la sensazione di aver fatto un lungo, emozionante viaggio.

  Detto così si potrebbe pensare a un album serio e triste, invece *Ora* è un disco allegro e soprattutto è un disco che mette allegria.

  Suona parecchio rock [...]. Non mancano comunque le ballate e i momenti più intimi.

  I connettivi avversativi al contrario, anzi, bensì si usano per opporsi a una negazione; l'uso di bensì è comune in un testo di registro formale e accademico.

  Esempi:

  Il disco di Carmen Consoli non è noioso, anzi, è molto coinvolgente.

  Il librettista non scrive la musica, bensì il libretto dell'opera.

Non confondere mentre dal significato temporale con quello dal significato avversativo.

Esempio:

Tutti i suoi amici amano il rock, mentre lui ascolta solo musica classica. (*avversativo*)

Luigi canta mentre si fa la doccia. (*temporale*)

Scheda di autovalutazione 4
Unità 6-7

1. Sono in grado di...

	molto ++	abbastanza +	poco –	per niente – –
leggere una ricetta di cucina e preparare il piatto descritto				
parlare di alimentazione				
interpretare una scheda sui fabbisogni alimentari				
rendere impersonale un'affermazione				
dare il turno di parola oppure attirare l'attenzione di chi mi ascolta				
eseguire o dare delle istruzioni				
esprimere un'opinione, uno stato d'animo, una speranza, un dubbio, una volontà al passato				
mettere in opposizione due frasi o concetti				
parlare di strumenti musicali				
parlare di generi musicali				
leggere una recensione musicale				

2. Quali sono le parole che vuoi ricordare delle unità 6 e 7? Prova a scrivere anche aggettivi, nomi, verbi, avverbi collegati alle parole che vuoi ricordare.

1. ....

2. ....

3. ....

4. ....

5. ....

6. ....

7. ....

8. ....

3. **Conosci altre parole sul tema delle unità? Se sì, quali? E dove hai sentito o hai letto queste parole?**

PAROLE NUOVE	tv	radio	internet	per strada	giornali	altri compagni	altro, specificare

4. **Quando fai una composizione scritta preferisci...**

avere la correzione completa e particolareggiata da parte dell'insegnante

avere l'indicazione degli errori secondo alcune categorie (lessico, grammatica, ortografia ecc.)

avere la possibilità di lavorare sull'elaborato da solo a casa, dopo che l'insegnante ha indicato le categorie di errori

avere la possibilità di lavorare sull'elaborato in classe con un compagno, dopo che l'insegnante ha indicato le categorie di errori

altro: ....

5. **Per imparare a parlare bene l'italiano, secondo te, è importante...**

parlare tanto in italiano durante la lezione con i compagni, ogni volta che è possibile

parlare solo con chi è più bravo di me

parlare con italiani madrelingua

parlare solo con chi mi aiuta perché sono straniero/a

parlare con chi conosce la mia lingua e mi può aiutare quando mi blocco

altro: ....

Cinque Terre (Li

Edizioni Edilingua

Hai letto l'ultimo libro di...?

Nati per Leggere

Entriamo in tema

- A cosa ti fa pensare l'immagine?
- Cosa vuol dire, secondo te, *Nati per Leggere*?
- *Nati per Leggere* che tipo di progetto potrebbe essere?
- Tu sei stato educato alla lettura da quando eri bambino?

Comunichiamo

1. **Prima di leggere il testo osserva il significato di queste parole ed espressioni.**

oltralpe	= paesi stranieri che si trovano al di là delle Alpi
divulgazione	= diffusione di idee, comunicazione
in erba	= all'inizio di una professione o attività, con poca esperienza
firme	= autori
condivisa	= che fanno più persone insieme
rigore	= precisione
intrecci	= storie, trame
albo	= libro figurato, fumetto
inconsueta	= originale, diversa dal solito

2. **Leggi il testo e inserisci il titolo dei paragrafi.**

> **a.** Illustrazioni ad arte   **b.** Le avventurose storie di un veterinario-scrittore
> **c.** Assegnazione dei premi   **d.** I piccoli giornalisti imparano dai grandi
> **e.** Letture di qualità per l'infanzia

Premio Andersen
Il mondo dell'infanzia
Gli oscar italiani dei libri per ragazzi

Il Premio Andersen - *Il Mondo dell'Infanzia* è il principale riconoscimento italiano ai migliori libri per ragazzi e ai loro autori, illustratori, editori. Prende il nome dal famoso autore danese di fiabe per bambini famose in tutto il mondo, come *Il brutto anatroccolo*.

 1 [ ]

Le scelte della giuria nascono da un anno di letture, recensioni e analisi, che la redazione della rivista *Andersen* porta avanti insieme ai fondatori della *Libreria per Ragazzi* di Milano. Osservando i nomi dei vincitori del premio è così possibile individuare quali tendenze e tematiche emergono con maggior forza nel panorama dell'editoria per l'infanzia del nostro paese, dal successo dei *pop-up*, per esempio *ABC3D*, miglior libro fatto ad arte, al nuovo interesse per la narrativa d'oltralpe.

2

Nel campo della divulgazione, incontriamo alcuni libri e progetti nati nel nostro paese. Infatti, i giornalisti de *La Repubblica* Laura Montanari e Fabio Galati hanno curato un interessante "manuale per giornalisti in erba", illustrato da Francesca Rossi, con testimonianze e interviste ad alcune delle firme più note del giornalismo italiano, da Marino Sinibaldi a Ezio Mauro. *Il mio giornale*, miglior libro di divulgazione, rappresenta uno strumento molto utile per redigere i giornalini di classe ma anche per i laboratori d'approfondimento sulla lettura di quotidiani e riviste. Inoltre, conoscere le regole di scrittura giornalistica migliora la comprensione dei messaggi diffusi dai mezzi di comunicazione.

ⓘ **UFFICIO INFORMAZIONI**

Nati per Leggere è un progetto nazionale rivolto ai bambini e alle loro famiglie per sostenere la lettura fin da piccoli. Recenti ricerche scientifiche dimostrano che leggere ad alta voce ai bambini di età compresa tra i 6 mesi e i 6 anni migliora le loro capacità di apprendimento e di relazione con gli altri. Questa pratica, inoltre, aiuta a far diventare la lettura una piacevole abitudine che i bambini conserveranno anche più avanti.

3

Nella redazione *Panini Ragazzi* nasce un progetto editoriale d'alta qualità per i più piccoli. Fare libri per la prima infanzia non vuol dire soltanto pensare a una storia, o trovare le illustrazioni giuste: bisogna anche scegliere le caratteristiche tecniche migliori affinché i libri siano sicuri e accessibili ai più piccoli, vale a dire dare sempre attenzione allo sviluppo del bambino e alla sua relazione con l'adulto, poiché la lettura in questo periodo della crescita è sempre un'attività condivisa. I primi titoli della collana *Zerotre*, miglior progetto editoriale dell'anno, scritti da alcuni dei più importanti autori italiani, rispettano tutti questi presupposti. E trovano il giusto equilibrio tra rigore e creatività. Anche il mensile *Gbaby* della San Paolo dedica particolare attenzione ai più piccoli; il direttore, Padre Stefano Gorla, si rivolge a bambini di età prescolare con "un periodico di indubbia vivacità e di non comune freschezza".

4

Orfani veneziani di fine Ottocento, nativi delle grandi pianure nordamericane, bravi soldati che imparano a pensare con la propria testa, gialli avventurosi, storie d'animali e scarafaggi. Non è facile trovare un filo conduttore nell'opera di Guido Sgardoli, premio per il miglior scrittore, se non la sua abilità nel creare intrecci e personaggi che restano impressi nella memoria del lettore. Veterinario e autore per ragazzi, con i suoi romanzi Sgardoli si è affermato come una delle voci più interessanti della nuova narrativa italiana per ragazzi, sperimentando generi e stili differenti, lontani dai territori più battuti del *fantasy,* e privilegiando storie che affondano le loro radici nella realtà e nella storia.

5

Grande attenzione, come sempre, è data al mondo dell'illustrazione. Prima di tutto con il premio ad Alessandro Sanna, miglior illustratore, artista dal tratto raffinato, nelle cui tavole si realizza un perfetto equilibrio tra lo spazio bianco e il disegno. Autore di numerosi albi, tra cui diversi titoli dedicati all'arte come *Mio caro Van Gogh* o *Giotto sarà pittore*, Sanna ha, per esempio, illustrato le poesie di Vivian Lamarque, testi classici di Rodari e Calvino e libri di scrittori contemporanei come David Grossman o Roberto Piumini.

Il miglior albo illustrato dell'anno è invece *Cappuccetto Rosso* di Kveta Pacovska, tra i massimi maestri dell'illustrazione internazionale, che in questo albo si misura con un testo della tradizione, offrendone un'interpretazione originale e inconsueta. Per finire, un altro importante riconoscimento va a *Un giardino sottoterra* dell'illustratore coreano Jo Seonkyeong (Jaca Book). Questo è il miglior libro 0/6 anni, storia di uno spazzino innamorato del proprio lavoro che un giorno decide di piantare un albero dove prima c'era soltanto un cumulo di rifiuti.

adattato da *www.premioandersen.it*

Edizioni Edilingua

3. Rileggi il testo e rispondi alle domande.

1. In che modo la giuria si prepara ad assegnare il Premio Andersen?

   ....

2. Quali sono le caratteristiche principali dei libri per la prima infanzia?

   ....

3. Che cosa colpisce nei romanzi di Guido Sgardoli e in cosa si differenziano dagli altri?

   ....

4. Che lavoro fa Alessandro Sanna?

   ....

5. Di cosa parla *Un giardino sottoterra*?

   ....

PREMIO ANDERSEN
I MIGLIORI LIBRI DELL'ANNO PER RAGAZZI

4. Quanto e cosa ti piace leggere? Parlane con un compagno, ecco alcuni spunti.

1. Hai ricordi legati alla tua infanzia in cui i tuoi genitori e nonni ti leggevano dei libri o ti raccontavano delle fiabe?
2. Quali possono essere, secondo te, i vantaggi della lettura sin dalla nascita?
3. Quali letture preferisci?
4. Quali luoghi e quali momenti, secondo te, sono più adatti alla lettura?
5. Ti piace tenerti informato sui libri in commercio e sulle novità editoriali?
6. Preferisci comprare le ultime novità editoriali o scambiare libri tra amici?

Gianni Rodari
LE AVVENTURE DI TONINO L'INVISIBILE

Impariamo le parole - Testi scritti e generi letterari

5. Trova la parola o l'espressione presente nel testo e scrivila accanto alla definizione.

1. sintetici commenti di un nuovo libro, film ecc.   ....
2. pubblicazione periodica specializzata   ....
3. industria che pubblica e distribuisce libri e periodici   ....
4. libro che insegna le informazioni di base di una disciplina ....
5. compilare, stendere un articolo o un testo scritto   ....
6. giornali che si pubblicano ogni giorno   ....
7. serie di testi o volumi dello stesso tipo   ....
8. rivista che si pubblica ogni mese   ....

6. Lavora con un compagno. Prova a definire le caratteristiche dei generi letterari più diffusi.

1. libro giallo   ....
2. romanzo rosa   ....
3. libro *horror*   ....
4. libro di fantascienza   ....
5. romanzo storico   ....
6. libro comico   ....
7. libro *fantasy*   ....
8. romanzo d'avventura   ....

CARLO LUCARELLI
IL SOGNO DI VOLARE

EINAUDI
STILE LIBERO BIG

7. A piccoli gruppi fate una gara a squadre. Avete 5 minuti di tempo per stilare un elenco con libri famosi a livello internazionale che sono passati alla storia o dai quali è stato tratto un film di successo. Vince la squadra che ne trova di più.

Entriamo in tema

- ⟳ Hai letto libri che ti hanno colpito perché ti eri immedesimato/a in uno dei personaggi?
- ⟳ Conosci qualche autore italiano classico, moderno e contemporaneo?
- ⟳ Hai mai letto un romanzo in lingua italiana?
- ⟳ Hai visto qualche film italiano tratto da un romanzo?

 8. Lavora con un compagno. Accoppia il titolo all'autore.

1. Dante Alighieri	a. *Canne al vento*
2. Natalia Ginzburg	b. *L'infinito*
3. Alessandro Manzoni	c. *Lessico famigliare*
4. Umberto Eco	d. *Pinocchio*
5. Grazia Deledda	e. *La divina commedia*
6. Stefano Benni	f. *La compagnia dei celestini*
7. Oriana Fallaci	g. *Io non ho paura*
8. Giacomo Leopardi	h. *I promessi sposi*
9. Carlo Collodi	i. *Il nome della rosa*
10. Niccolò Ammaniti	l. *Lettera ad un bambino mai nato*

Comunichiamo

9. Prima di leggere il testo osserva il significato di queste parole.

essenza	= sinonimo di sostanza, ciò che è importante
consolidare	= rendere più forte
legame	= un rapporto, una relazione tra due persone
custodire	= controllare qualcosa o qualcuno e proteggerlo da possibili danni
analoga	= simile, che ha elementi in comune
portale	= sito internet che fornisce servizi e informazioni
promotore	= chi organizza un'iniziativa e la fa conoscere, la pubblicizza
indelebile	= che non si può cancellare

10. Leggi i due testi e indica se le affermazioni che seguono sono vere o false.

testo A *Giovani promesse d'amore*

Ormai, passando per Ponte Milvio, non è più possibile notare tutti quei lucchetti che avvolgevano come un rampicante uno dei lampioni.
Ma anche vedendoli, forse non avreste capito di cosa si trattava, mentre molti giovani conoscevano, e ancora ricordano, l'essenza di quel palo ricoperto da catene e lucchetti. Il caso editoriale di Federico Moccia, dopo il seguito del famosissimo *Tre metri sopra il cielo*, ci aveva, infatti, regalato una tradizione cittadina piuttosto particolare: i lucchetti di Ponte Milvio.
Tutto è nato dai protagonisti del romanzo *Ho Voglia di Te*, Babi e Step, che consolidano il loro legame appena nato proprio davanti al terzo lampione dello storico ponte. Scatta la moda e improvvisamente sul lampione di quello che è stato ribattezzato il "ponte dell'amore" spunta una catena. In poco tempo i lucchetti si moltiplicano affidando promesse d'amore al ponte che nel giro di poco tempo diventa famosissimo.

144

Ecco cosa avrebbero dovuto fare, secondo la moda romana, le giovani coppie: recarsi sul ponte dell'amore con un pennarello, un lucchetto e due chiavi; scrivere le proprie iniziali sul lucchetto, chiuderlo sul lampione; infine, prendere una chiave ciascuno e gettarla nel fiume Tevere che avrebbe custodito il patto d'amore.

Ecco cosa scriveva Federico Moccia sul suo blog: «Per te che sogni, per te allora esiste la catena degli innamorati. Magari un giorno andrai lì a Roma su quel ponte, a Ponte Milvio, al terzo lampione, quello che si affaccia sul Tevere e che guarda il ponte di Corso Francia… E tu, quella catena, la troverai».

In realtà, anche se il terzo palo del Ponte Milvio non c'è più, sembra che la tradizione sia andata ben oltre i confini della capitale: anche il Ponte Vecchio di Firenze sarebbe stato infatti decorato con catene e lucchetti, con una situazione analoga a quella romana e, allo stesso modo, tanti altri ponti e luoghi sparsi per il mondo.

adattato da www.06blog.it e www.feltrinelli.it

> ### ℹ UFFICIO INFORMAZIONI
>
> Il regista, sceneggiatore e scrittore Federico Moccia deve il suo successo al suo primo romanzo *Tre metri sopra il cielo* da cui è stato tratto l'omonimo film. In seguito, ha scritto altri romanzi per adolescenti dai quali sono stati tratti altri film di successo.

I lucchetti diventano virtuali

testo B

Una buona notizia per gli innamorati che avrebbero voluto attaccare il loro lucchetto su Ponte Milvio. Il famoso lampione, crollato perché non sosteneva il peso di tutti quei lucchetti, torna ad ospitare le loro promesse d'amore. Non più però sul ponte che attraversa il Tevere, ma addirittura su Internet. L'idea è di un gruppo di creativi romani, che ha dato vita al portale www.lucchettipontemilvio.com. Grazie a una simulazione cinematografica davvero molto realistica, chi sarebbe voluto andare a passeggiare sul ponte per vedere il lampione e non lo può più fare, può fare una passeggiata "virtuale" sull'antico ponte romano, così com'era prima del crollo del lampione, e può anche attaccare un "lucchetto digitale" con la propria dichiarazione d'amore.

«L'idea ci è venuta inizialmente alla notizia del furto dei lucchetti, che poi la polizia avrebbe ritrovato», spiega Flavio Di Pinto, uno dei promotori di questa originale iniziativa. «Abbiamo pensato di trasferire sul web questa tradizione, per consentire, dunque, a chiunque nel mondo di lasciare la propria promessa d'amore. Dopo il crollo del lampione, ne eravamo ancor più convinti». Entrando nel "mondo" di www.lucchettipontemilvio.com, sembra di ritrovarsi proprio su quel Ponte Milvio, con la possibilità di scegliere l'ora esatta della visita (all'alba o al tramonto, di giorno o di notte), di guardare da vicino i "lucchetti digitali" presenti sul lampione e di ascoltare lo scorrere sottostante del Tevere.

Tra gli scopi di questo portale c'è insomma quello di mantenere la memoria di com'era inizialmente il "ponte dei lucchetti". «Chiediamo a tutti gli innamorati che hanno scattato una foto davanti al lampione di inviarcela», spiega Adriano De Maio, un altro degli ideatori. «Inseriremo queste foto nel nostro portale, per chi avrebbe voluto lasciare sul lampione una traccia indelebile di queste promesse d'amore, e lo potrà fare da ora in poi sul web». Nel sito, sarà anche possibile trovare una sorta di "registro ufficiale", con l'elenco aggiornato di tutti i luoghi nel mondo dove sarebbe scoppiata la "lucchettomania", tante altre curiosità e link interessanti.

adattato da www.lucchettipontemilvio.com

Testo A

	Vero	Falso
1. Ponte Milvio è un luogo creato dalla fantasia di Federico Moccia.	▢	▢
2. Ponte Milvio è diventato famoso grazie al romanzo *Tre metri sopra il cielo*.	▢	▢
3. Gli innamorati legano al lampione un lucchetto.	▢	▢

Testo B

4. Il lampione di Ponte Milvio è crollato.	▢	▢
5. Virtualmente è ora possibile per chiunque visitare il famoso ponte.	▢	▢
6. I visitatori del sito devono attaccare i lucchetti in orari stabiliti.	▢	▢
7. La moda dei lucchetti sul ponte è arrivata in altre zone d'Italia e del mondo.	▢	▢
8. Si può scattare una foto del proprio lucchetto digitale e inviarla agli altri.	▢	▢

— ◎ Facciamo grammatica

 Osserva!

- Forse non avreste capito di cosa si trattava. (*Testo A*)
- [*Il*] fiume Tevere […] avrebbe custodito il patto d'amore. (*Testo A*)
- La polizia avrebbe ritrovato [*i lucchetti*]. (*Testo B*)
- Nel mondo […] sarebbe scoppiata la "lucchettomania". (*Testo B*)

 **11. Ricordi la regola?**

Il condizionale passato è formato da due verbi: il .... del verbo

ausiliare .... oppure .... + il ....

.... del verbo principale.

Attenzione!

Nell'unità 3 abbiamo visto l'uso del condizionale passato per esprimere un'azione o un evento che succederà dopo un'altra azione o un altro evento passato (futuro nel passato). Esprime quindi posteriorità rispetto all'altra azione.

Osserva!

- Per gli innamorati che avrebbero voluto attaccare il loro lucchetto.
- Chi sarebbe voluto andare a passeggiare sul ponte […], può fare una passeggiata "virtuale".

 12. Scrivi la regola.

Quando si forma il tempo composto di un verbo modale (*volere, dovere, potere*), bisogna usare l'ausiliare del verbo ....

 13. Rileggi i testi dell'attività 10 e inserisci le frasi con i verbi al condizionale passato nella tabella a seconda del loro uso.

Altri usi del condizionale passato	
per esprimere un'azione che non si è potuta realizzare nel passato o che non si può realizzare nel presente o nel futuro	per presentare una notizia come non certa nel passato

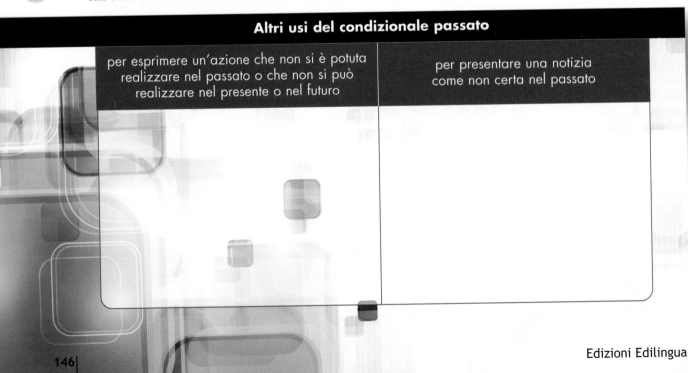

Edizioni Edilingua

14. Metti il verbo al condizionale passato. Attenzione all'ausiliare!

1. Ogni innamorato (volere) .... attaccare un lucchetto d'amore sul famoso lampione, ma non è più possibile.

2. Hanno vietato di mettere lucchetti e catene sul Ponte Vecchio. Peccato, (essere) .... bello farlo insieme!

3. In libreria hanno già venduto tutte le copie dell'ultimo libro di Moccia. Peccato! (noi - dovere) .... prenderlo subito!

4. La moda dei lucchetti (arrivare) .... anche oltreoceano.

5. Il lampione di Ponte Milvio (crollare) .... sotto il peso dei tanti lucchetti.

6. Oggi purtroppo non mi funziona Internet, (volere) .... vedere il sito dei lucchetti di Ponte Milvio.

15. Ora riguarda le frasi dell'attività 14 e indica che cosa esprime ognuna.

	Azione non realizzata / irrealizzabile	Azione non certa
1.	▢	▢
2.	▢	▢
3.	▢	▢
4.	▢	▢
5.	▢	▢
6.	▢	▢

Parliamo un po'...

➲ Nel tuo paese c'è un simbolo che identifica il rapporto tra due persone innamorate?

➲ Esiste nel tuo paese un luogo simbolico per gli innamorati?

➲ Pensi che fare delle dimostrazioni simboliche di amore sia romantico oppure sia una stupidaggine?

➲ Credi che solo gli adolescenti siano capaci di gesti del genere?

➲ Hai mai fatto una pazzia per amore? Se sì, la rifaresti?

◎ Scriviamo insieme

16. *Il romanzo immaginario.*

Pensa a un romanzo che ti è piaciuto in modo particolare o all'ultimo che hai letto. Ricopia su un foglio la scheda che segue. Compilala con uno dei dati richiesti e poi passa la scheda a un tuo compagno. Scriverai il resto dei dati su altre schede che man mano ti verranno passate da un altro compagno e che tu continuerai a far circolare.

Alla fine ognuno avrà la scheda completa di tutti i dati su cui dovrà basarsi per scrivere la trama del "proprio" romanzo.

- Genere del romanzo: ....
- Luogo in cui si svolge la storia: ....
- Nomi dei personaggi principali e loro ruolo: ....
- Tre parole chiave per descrivere la trama: ....

Analizziamo il testo

- *Infatti*, i giornalisti de *La Repubblica* [...] hanno curato un interessante "manuale per giornalisti in erba". (*Attività 2*)
- Bisogna [...] scegliere le caratteristiche tecniche migliori affinché i libri siano sicuri e accessibili ai più piccoli, *vale a dire* dare sempre attenzione allo sviluppo del bambino. (*Attività 2*)
- Sanna ha, *per esempio*, illustrato le poesie di Vivian Lamarque. (*Attività 2*)
- *In realtà*, [...] sembra che la tradizione sia andata ben oltre i confini della capitale. (*Attività 10a*)
- Il Ponte Vecchio di Firenze sarebbe stato *infatti* decorato con catene e lucchetti. (*Attività 10a*)
- Abbiamo pensato di trasferire sul web questa tradizione, per consentire, *dunque*, a chiunque nel mondo di lasciare la propria promessa d'amore. (*Attività 10b*)
- Tra gli scopi di questo portale c'è *insomma* quello di mantenere la memoria di com'era [...] il "ponte dei lucchetti". (*Attività 10b*)

 17. Completa la tabella. Che funzione assumono nei testi le congiunzioni della lista?

infatti - vale a dire - per esempio - in realtà - infatti - dunque - insomma

Segnalare una dichiarazione, una spiegazione, la riformulazione di una frase	Segnalare una conseguenza, una conclusione

Le congiunzioni del primo gruppo sono connettivi dichiarativi o esplicativi. Tra queste ricordiamo: cioè/vale a dire, per esempio, ovvero/in altre parole, allora, infatti, ossia, così, evidentemente, in realtà, in effetti.

Le congiunzioni del secondo gruppo sono connettivi consecutivi o conclusivi. Tra queste ricordiamo: quindi, dunque, pertanto, allora.

 **Attenzione!**

I connettivi, come avrai notato anche nelle unità precedenti, possono assumere diverse funzioni, a seconda del contesto.

- Allora: il verbo "andare", – continuò il professor Grammaticus, – è un verbo intransitivo, e come tale vuole l'ausiliare "essere". (*Unità 4, attività 21*) — valore esplicativo
- Vede, io ho fatto la seconda elementare, ma già *allora* dovevo guardare più alle pecore che ai libri. (*Unità 4, attività 21*) — valore anaforico di tempo
- La libreria era chiusa, *allora* ho preso il libro in prestito in biblioteca. — valore consecutivo

18. Completa liberamente le frasi.

1. Il libro che mi hai prestato mi è piaciuto molto, perciò ....

2. Adoro le manifestazioni d'amore, per esempio ....

3. Mi sono sempre interessata allo studio degli autori stranieri, infatti ....

4. Il lampione del Ponte Milvio è quasi crollato, quindi ....

5. Il Premio Nobel viene assegnato ad autori significativi, ossia ....

6. I libri sono cibo per la mente, vale a dire ....

Entriamo in tema

⊃ A cosa ti fanno pensare queste immagini?

⊃ Cosa vuol dire, secondo te, il termine "letteratura" e che cosa può includere?

⊃ Sei mai stato a teatro?

⊃ Ti piace ascoltare la radio?

⊃ Secondo te, il teatro e la radio possono avere punti di contatto? Se sì, quali?

Comunichiamo

19. Prima di ascoltare l'intervista, osserva il significato di queste parole ed espressioni.

radiodramma	= testo teatrale recitato in radio
in auge	= al vertice del successo
compagnia di rivista	= spettacolo comico-musicale
adoperavano	= usavano
fare mente locale	= concentrarsi, focalizzarsi su qualcosa
espedienti	= rimedi ingegnosi
drammaturgia	= letteratura drammatica appartenente a un'epoca letteraria, a un autore.

20. Ascolta l'intervista ad un attore italiano che parla del rapporto tra radio e teatro. Vero o falso?

	Vero	Falso
1. L'attore intervistato ha sempre avuto rapporti con la radio.		
2. L'importanza della radio e della televisione è cresciuta di pari passo.		
3. L'attore intervistato è anche autore di spettacoli radiofonici.		
4. Le compagnie di rivista erano pubblicazioni teatrali.		
5. Oggi la radio fa meno audience rispetto alla televisione.		
6. La scrittura per la radio deve tener conto di tempi più lunghi.		
7. La cosa che conta di più in radio è la parola.		
8. In radio non si possono ottenere grandi effetti speciali.		

21. Ora ascolta di nuovo l'intervista e cerca di scrivere le informazioni principali per ogni risposta data dall'attore.

● Maestro, innanzitutto volevo chiederLe se il radiodramma, la forma teatrale in radio, ha un futuro, ha un presente o è soltanto una forma appartenente a un glorioso passato?

● ....

....

● Sì, molti di noi ricordano Suoi spettacoli di grande successo...

● ....

....

● Quindi era anche un richiamo pubblicitario, in qualche modo la radio era un mezzo di promozione del teatro?

● ....

....

● È vero, è vero, tipo quella di Fiorello.

● ....

....

● Maestro, Lei che ha scritto di tutto: ha scritto radio, teatro ed anche altre forme di comunicazione; che differenza individua tra la scrittura teatrale per la radio e la scrittura teatrale in senso proprio?

● ....

....

● A questo proposito, Lei come vede l'effetto speciale in teatro e in radio?

● ....

....

● Dunque, a suo avviso, dal punto di vista puramente espressivo-artistico, la drammaturgia in radio, può raggiungere dei risultati diversi rispetto alla drammaturgia in senso ampio?

● ....

....

Edizioni Edilingua

 9

22. Ora riascolta l'intervista, leggi il testo e controlla le risposte dell'attività 21.

● Maestro, innanzitutto volevo chiederLe se il radiodramma, la forma teatrale in radio, ha un futuro, ha un presente o è soltanto una forma appartenente a un glorioso passato?

● Diciamo che ha avuto un passato veramente straordinario. Io mi ricordo da ragazzino che mi ascoltavo i radiodrammi. Mi ricordo, soprattutto, che appena sono entrato a fare teatro, alla radio ho lavorato tanto. E ho cominciato prima, questo era logico, a fare trasmissioni radiofoniche e poi, un po' più tardi, ho cominciato con quelle televisive; si può dire addirittura, all'origine della televisione. La radio, per me e molti altri, è stato il primo passo verso la televisione. E già allora c'era... questa, questa... grossa forza della televisione e si sentiva che calava un pochino l'ascolto. Però poi c'è stato, in determinati momenti, un periodo in cui il mezzo radiofonico è ritornato *in auge* e io ho scritto e interpretato vari spettacoli.

● Sì, molti di noi ricordano Suoi spettacoli di grande successo...

● Sì, è vero, beh... purtroppo non proprio tutti... Magari avessero avuto tutti lo stesso successo! Comunque, addirittura, ancora, gli spettacoli radiofonici allora erano talmente importanti che alcune compagnie di rivista, allora si chiamavano così gli spettacoli di arte varia, adoperavano nelle locandine il titolo della loro trasmissione radiofonica pur di avere sicurezza di successo, in quanto era entrato nella memoria, nell'interesse della gente.

● Quindi era anche un richiamo pubblicitario, in qualche modo la radio era un mezzo di promozione del teatro?

● Sì, sì. Tanto, tanto era importante il far fare mente locale alla trasmissione. Mi piacerebbe che fosse nuovamente così. E ultimamente ci sono state trasmissioni radiofoniche di tanto successo che hanno avuto gli stessi ascolti, anzi quasi hanno superato gli ascolti della televisione.

● È vero, è vero, tipo quella di Fiorello.

● Sì, sì. Per esempio.

● Maestro, Lei che ha scritto di tutto: ha scritto radio, teatro ed anche altre forme di comunicazione; che differenza individua tra la scrittura teatrale per la radio e la scrittura teatrale in senso proprio?

● In radio si deve raccontare, svolgere tutto in un tempo più rapido, più sintetico, non devi prolungarti proprio perché bisogna cogliere l'interesse soltanto attraverso la parola, la musica, soprattutto il suono, che è il "sottocampo" della rappresentazione. Infatti, questi spettacoli introducevano anche musiche, canti.

● A questo proposito, Lei come vede l'effetto speciale in teatro e in radio?

● È importantissimo. Ci sono degli effetti, non lo so... ai miei tempi, quando presentavo questi spettacoli, i suoni venivano realizzati direttamente sul posto con degli espedienti, degli abili trucchi, che erano gli stessi del teatro. Non lo so... il vento, le macchine, il cavallo... che poi il cavallo non c'era in scena. Non c'erano nemmeno delle registrazioni, si eseguivano. Facevano tutti i fonici, bravissimi, dei veri e propri imitatori che realizzavano i suoni sul posto; che so io... la nave che salpa, la nave nella tempesta, le urla, il coro.

● Dunque, a suo avviso, dal punto di vista puramente espressivo-artistico, la drammaturgia in radio, può raggiungere dei risultati diversi rispetto alla drammaturgia in senso ampio?

● Certo: ha il grande vantaggio di costringere l'autore teatrale a inserirsi proprio nel cervello di chi ascolta, sarebbe importante che l'ascoltatore riuscisse a immaginare anche cose che non si potrebbero realizzare nel cinema o nella televisione. Si riescono a ottenere degli effetti straordinari, con la radio, pur con la semplicità dei mezzi a disposizione.

adattato dall'intervista a
La trasmissione di Morelli

23. Abbina le parole al significato corrispondente.

1. autore		a.	trasmettere uno spettacolo
2. opera di prosa		b.	palco di legno dove recitano gli attori
3. attore		c.	spettacolo teatrale solo recitato, non cantato
4. trama		d.	tenda pesante che separa e nasconde gli attori dal pubblico
5. radiofonico		e.	attore che riproduce fedelmente rumori o voci altrui
6. mandare in onda		f.	tecnico che si occupa della registrazione del suono
7. interpretare		g.	intreccio, storia di un'opera narrativa, teatrale o cinematografica
8. palcoscenico		h.	chi presenta uno spettacolo in radio, teatro, televisione ecc.
9. sipario		i.	che è trasmesso alla radio
10. fonico		l.	chi crea un'opera letteraria, scientifica
11. imitatore		m.	chi recita una parte in uno spettacolo
12. conduttore		n.	portare sulla scena, rappresentare in pubblico

24. Scegli l'opzione corretta.

Luigi Pirandello ha ricevuto il Premio Nobel per la Letteratura nel 1934. Nato a Girgenti (oggi Agrigento) in Sicilia, nel 1867, ben presto inizia la sua carriera di (1) attore/ autore con le raccolte di poesie *Malgiocondo* e *Pasqua di Gea*. Morì a Roma nel 1936. Il successo di Pirandello è legato soprattutto a opere di (2) prosa/scienza: sono infatti molto famosi i suoi romanzi e le sue raccolte di novelle. Il grande successo arriva però con il (3) cinema/teatro; infatti, in alcuni casi le (4) trage-die/trame delle sue novelle sono state adattate e portate in scena.
Ancora oggi le sue opere teatrali sono (5) rappresentate/imitate ovun-que e molti sono gli attori, anche famosi, che vogliono interpretare il ruolo del (6) protagonista/personaggio nelle sue opere più famose, come ad esempio *Sei per-sonaggi in cerca di autore*.
Dopo una (7) rappresentazione/trasmissione pirandelliana, quando il sipario si chiude sul (8) teatro/palcoscenico, il pubblico è sempre portato a riflettere sul significato dell'esistenza umana nei suoi molti, infiniti aspetti.

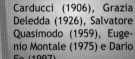

ⓘ UFFICIO INFORMAZIONI

Altri italiani che hanno vinto il Premio Nobel per la Letteratura sono Giosuè Carducci (1906), Grazia Deledda (1926), Salvatore Quasimodo (1959), Euge-nio Montale (1975) e Dario Fo (1997).

25. Completa le frasi con le parole dell'attività 23.

1. *Il ruggito del coniglio* è il titolo del mio programma .... preferito, va in onda la mattina presto. I due .... sono veramente simpatici!

2. Al teatro *Verdi* hanno appena restaurato il ....

3. Il pubblicò continuò ad applaudire gli .... anche dopo la chiusura del ....

4. Un tempo in radio molti suoni erano riprodotti da abili ....

5. Dario Fo è .... di diverse opere teatrali.

6. Non riesco a raccontarti di cosa parla questo romanzo, la .... è troppo complessa!

26. Che ne pensi dell'intervista che hai letto? Discutete a piccoli gruppi, ecco alcuni spunti.

1. La radio è un mezzo di comunicazione ormai superato.

2. Ascoltare la radio tiene compagnia durante i viaggi in macchina.

3. Ascoltare un programma radiofonico con costanza è come seguire un telefilm a puntate, impossibile perderne una!

4. I programmi culturali in radio sono/non sono noiosi, interessanti.

Strategie che usi all'università

27. Sintetizzare un testo.

Sintetizzare un testo per l'esposizione è fra le strategie di studio più usate all'università. Adesso riorganizza in un unico testo le informazioni che hai raccolto nelle attività 20 e 21. Utilizza i connettivi che conosci, in particolare quelli dell'attività 17, per collegare le frasi in un discorso coerente. Scrivi circa 100 parole.

Facciamo grammatica

Osserva!

1. Magari avessero avuto tutti lo stesso successo!
2. Mi piacerebbe che fosse nuovamente così.
3. Sarebbe importante che l'ascoltatore riuscisse a immaginare.

28. Riconosci questi tempi verbali?

I tempi evidenziati appartengono al ....

Abbiamo già visto i tempi e i diversi usi di questo modo nelle unità 5 e 7.

29. Scrivi la regola. Completa e scegli l'alternativa corretta.

1. Che cosa esprime chi parla in queste frasi?
   ....

2. Da cosa dipende il verbo al congiuntivo nella prima frase?
   ....

3. Quale tempo verbale nella principale determina l'uso del congiuntivo nelle frasi 2 e 3?
   ....

4. Negli esempi 2 e 3 la frase dipendente, rispetto alla principale, è:

   2) antecedente ⬛   contemporanea ⬛   successiva ⬛
   3) antecedente ⬛   contemporanea ⬛   successiva ⬛

Osserva!

Frase principale	Frase secondaria	Rapporto temporale L'azione espressa dal verbo della frase dipendente accade...
Condizionale presente *Vorrei...* (adesso)	**Congiuntivo imperfetto** ...*che venissi anche tu allo spettacolo.* (ora o nell'immediato futuro)	contemporaneamente o dopo l'azione espressa dalla frase principale.
	Congiuntivo trapassato ...*che fossi venuto anche tu allo spettacolo.* (ieri, due settimane fa, un anno fa...)	prima dell'azione espressa dalla frase principale.
Condizionale passato *Avrei voluto...* (ieri)	**Congiuntivo imperfetto** ...*che venissi anche tu allo spettacolo.* (in quel momento o poco dopo)	contemporaneamente o dopo l'azione espressa dalla frase principale.
	Congiuntivo trapassato ...*che fossi venuto anche tu allo spettacolo.* (prima di ieri)	prima dell'azione espressa dalla frase principale.

30. Completa le frasi con il congiuntivo. Attenzione al tempo della principale!

1. Mia madre vorrebbe che (io - andare) .... a teatro con lei stasera.
2. Avrei voluto tanto che mi (loro - chiamare) .... per partecipare al quiz di Radio DJ!
3. Ieri sera ho visto la nuova libreria Feltrinelli, vorrei che la (vedere) .... anche tu.
4. Mi avrebbe fatto molto piacere se Alessandro (partecipare) .... a quella trasmissione di Radio2.
5. I nostri professori di lettere vorrebbero che (noi - ascoltare) .... il nuovo programma di commento su *I promessi sposi*.
6. Avresti voluto che ti (io - ascoltare) .... certo! Avremmo avuto i biglietti per la prima fila, ma non i soldi per la cena!

◎ Comunichiamo

31. Con un compagno inventa un dialogo seguendo queste indicazioni.

A. Hai l'abbonamento per la stagione di prosa del Teatro *Verdi* e domani danno *Sei personaggi in cerca d'autore* di Luigi Pirandello, uno dei tuoi autori teatrali preferiti. Luisa, la tua vicina di casa, che di solito viene con te, è malata e tu non vuoi andare da solo/a. Invita il tuo compagno di banco del corso di italiano: deve assolutamente venire!

B. Il/La tuo/a compagno/a di banco ti invita ad andare al teatro *Verdi* con lui/lei. Lo spettacolo ti sembra molto interessante ma ti hanno detto che quando lui/lei va a teatro fa commenti a voce alta e scoppia a ridere, disturbando gli altri spettatori. Tu hai paura che ti faccia fare qualche brutta figura quindi cerchi una scusa per non andare...

◎ Strategie che usi all'università

32. Fare una presentazione.

In molte situazioni all'università ti capiterà di scrivere un testo per fare una presentazione orale. Scegli uno degli autori della Letteratura italiana citati nell'attività 8, scrivi una sua breve biografia, un testo per raccontare la sua opera più famosa e poi fai la tua presentazione davanti alla classe. Puoi reperire le informazioni necessarie su Internet. Ricorda che la biografia e la trama sono generi testuali di tipo narrativo (vedi unità 4).

◎ Conosciamo gli italiani

33. Prima di leggere il testo osserva il significato delle parole evidenziate.

influenzare	= agire in modo da avere effetto sul pensiero e sulla volontà di altri
indagine	= attività di ricerca
propensione	= tendenza naturale
significativa	= alta, importante
qualora	= nel caso (in cui)
fruire	= avere a disposizione
plasmare	= formare la personalità e il carattere di un persona con l'educazione, l'esempio ecc.

Edizioni Edilingua

34. Leggi il testo e scegli l'alternativa corretta.

Le abitudini di lettura in Italia: fra tradizione ed E-BOOK

Secondo alcuni studi, sembra che gli stimoli offerti dai genitori possano influenzare in modo determinante l'interessamento alla lettura di bambini e ragazzi. Una recente indagine sulla lettura degli italiani prende infatti in considerazione i fattori familiari come il titolo di studio, la propensione alla lettura dei genitori e il possesso di libri in casa. L'indagine dimostra, per esempio, come il titolo di studio più alto posseduto in famiglia dai genitori influenzi in maniera significativa i comportamenti di lettura dei figli. Se, infatti, a livello generale la quota di ragazzi di 6-10 anni che ha letto almeno un libro nel tempo libero nei 12 mesi precedenti è pari al 47,1%, qualora un genitore risulti laureato tale quota sale al 67,6%, mentre per chi ha un genitore con diploma superiore si arriva al 49,7%. Al contrario, in presenza di bassi titoli di studio tra i genitori la quota di piccoli lettori scende al 39,8%, per chi ha un genitore con licenza media, e al 16,1%, per chi invece ha un genitore con licenza elementare o nessun titolo.

Il fatto di vivere con genitori che leggono libri, in particolare quando sono ambedue i genitori a leggere, ha una forte influenza sui piccoli e sui giovani lettori. Quando solamente uno dei due genitori legge libri, risulta più importante il ruolo che può avere una madre che legge rispetto ad un padre che legge, questo è vero soprattutto per i figli nella fascia di età che va dai 6 ai 10 anni.

Un altro elemento che può influenzare le abitudini di lettura dei ragazzi è il numero di libri presenti in casa (in altre parole il crescere in mezzo ai libri). Legge, infatti, solo il 23,6% dei ragazzi di 20-24 anni che non ha nessun libro in casa contro ben l'81,1% di chi vive e cresce in un casa con più di 200 libri.

Un'altra indagine correlata con le abitudini di lettura evidenzia come sia in aumento la lettura degli e-book: è quasi un ragazzo su due a fruire oggi dei libri digitali, il doppio rispetto agli anni passati. Si triplica addirittura il numero degli adulti tra i 30 e i 40 anni che leggono e-book, passato dal 14 al 41% nel giro di due anni. Si segnala come il maggior aumento nelle attività di e-reading sia stato registrato sui dispositivi mobili quali smartphone e tablet: fino a pochi anni fa, solo tre giovani su cento leggevano un e-book da iPad e sette su cento, invece, da un e-reader, mentre oggi si parla di un ragazzo su cinque che legge da un dispositivo portatile.

Tre giovani su quattro leggono un e-book in casa mentre solo uno su quattro lo fa anche a scuola. Il lettore giovane medio è di sesso femminile e ha tra i 9 e i 14 anni, ma è comunque in aumento anche la percentuale dei più piccoli – tra i 6 e gli 8 anni – e degli adolescenti – tra i 15 e i 17 anni – che hanno iniziato a fruire massicciamente di tale tipo di esperienza.

L'indagine evidenzia anche il ruolo che possono avere i genitori nel plasmare le scelte di lettura dei propri ragazzi, almeno nel formato. Il 72% di loro, infatti, vorrebbe che il bambino iniziasse a fruire degli e-book e il 31% delle mamme e dei papà che sono passati al formato digitale ha dichiarato di aver letto molti più libri di quanto facesse prima: insomma, in questo modo sperano di "dare il buon esempio" ai figli.

1. Sull'abitudine alla lettura dei figli, il titolo di studio più elevato dei genitori:
   a. ha influenza positiva
   b. ha influenza negativa
   c. non ha influenza

2. Sui bambini ha più influenza l'abitudine a leggere:
   a. del padre
   b. della madre
   c. dei fratelli

3. La presenza di libri in casa è correlata:
   a. all'acquisto di e-book
   b. alla frequente lettura dei ragazzi
   c. all'uso di tecnologie mobili

4. Negli ultimi anni i lettori di e-book sono aumentati tra giovani e adulti:
   a. nella stessa misura
   b. maggiormente tra i ragazzi
   c. maggiormente tra gli adulti

5. Rispetto all'uso degli e-book da parte dei figli, i genitori sono:
   a. contrari
   b. favorevoli
   c. scettici

- Secondo te, è vero che se i genitori leggono molto, riescono a trasmettere questa abitudine anche ai figli?

- Per te è uguale leggere un quotidiano o seguire le ultime notizie online?

- Regali spesso agli amici libri cartacei?

- Preferisci leggere un libro cartaceo oppure un e-book?

- Qual è il livello di diffusione degli e-book nel tuo paese?

- Umberto Eco, un famoso intellettuale italiano, fa una distinzione tra "libri da consultare" e "libri da leggere". Secondo te, il futuro di tutti i libri sarà quello di diventare e-book?

Si dice così!

Ecco alcune espressioni utili per...

Introdurre una spiegazione o riformulare una frase	Sanna ha, per esempio, illustrato le poesie di Vivian Lamarque. Può influenzare le abitudini di lettura dei ragazzi [...] il numero di libri presenti in casa (in altre parole il crescere in mezzo ai libri).
Introdurre la conclusione o segnalare la conseguenza di quanto detto	Tra gli scopi di questo portale c'è insomma quello di mantenere la memoria di com'era [...] il "ponte dei lucchetti". Abbiamo pensato di trasferire sul web questa tradizione, per consentire, dunque, a chiunque [...] di lasciare la propria promessa d'amore.
Riferire una notizia non certa	Il Ponte Vecchio di Firenze sarebbe stato infatti decorato con catene e lucchetti.
Esprimere un'azione che non si è potuta realizzare nel passato o che non si può realizzare	Per gli innamorati che avrebbero voluto attaccare il loro lucchetto.
Esprimere un desiderio non realizzabile o non realizzato	Magari avessero avuto tutti lo stesso successo!

Sintesi grammaticale

- ### Altri usi del condizionale passato

  Per gli usi principali del condizionale si rimanda alla sintesi grammaticale dell'unità 3.

  Questo tempo verbale si usa anche per:

  1. esprimere un'azione che non si è potuta realizzare nel passato o che non si può realizzare nel presente o nel futuro

     Esempio:
     Chi sarebbe voluto andare a passeggiare sul ponte [...], può fare una passeggiata "virtuale".

2. presentare una notizia come non certa nel passato

Esempio:

Il Ponte Vecchio di Firenze sarebbe stato infatti decorato con catene e lucchetti.

- ● I connettivi esplicativi e conclusivi

Connettivi esplicativi (o dichiarativi) introducono una spiegazione o la riformulazione di una frase	Connettivi conclusivi (o consecutivi) introducono una conseguenza o la conclusione di quanto detto
cioè/vale a dire, per esempio, ovvero/in altre parole, allora, infatti, ossia, così, evidentemente, in realtà, in effetti, ...	quindi, dunque, pertanto, allora, insomma, perciò, ...

Esempi:

Sanna ha, per esempio, illustrato le poesie di Vivian Lamarque.

Il Ponte Vecchio di Firenze sarebbe stato infatti decorato con catene e lucchetti.

Un altro elemento che può influenzare le abitudini di lettura dei ragazzi è il numero di libri presenti in casa (in altre parole il crescere in mezzo ai libri).

Esempi:

Abbiamo pensato di trasferire sul web questa tradizione, per consentire, dunque, a chiunque [...] di lasciare la propria promessa d'amore.

Il 72% di loro, infatti, vorrebbe che il bambino iniziasse a fruire degli e-book e il 31% delle mamme e dei papà che sono passati al formato digitale ha dichiarato di aver letto molti più libri di quanto facesse prima: insomma, in questo modo sperano di "dare il buon esempio" ai figli.

Attenzione!

I connettivi possono assumere diverse funzioni a seconda del contesto.

Esempio:

— Allora: il verbo "andare", – continuò il professor Grammaticus, – è un verbo intransitivo, e come tale vuole l'ausiliare "essere". (*Unità 4, attività 21*)   valore esplicativo

— Vede, io ho fatto la seconda elementare, ma già allora dovevo guardare più alle pecore che ai libri. (*Unità 4, attività 21*)   valore anaforico di tempo

— La libreria era chiusa, allora ho preso il libro in prestito in biblioteca.   valore consecutivo

- ● Il congiuntivo per esprimere volontà, desiderio, insicurezza

Le frasi che esprimono un desiderio irrealizzabile o non ancora realizzato possono essere introdotte da magari che, in questo caso, ha un significato simile all'espressione *sarebbe bello se...*

a. Il verbo che segue *magari* è al congiuntivo imperfetto se l'azione si riferisce al presente

Esempio:

Magari potessi venire con te a teatro! (oggi)

b. Il verbo che segue *magari* è al congiuntivo trapassato se l'azione si riferisce al passato

Esempio:

Magari avessero avuto tutti lo stesso successo! (diversi anni fa)

- **Congiuntivo in dipendenza da condizionale**

   Se nella frase principale c'è un verbo che indica volontà, desiderio o insicurezza al condizionale, nella frase secondaria si usa il congiuntivo.

   Esempi:

   Mi piacerebbe che fosse nuovamente così...

   Sarebbe importante che l'ascoltatore riuscisse a immaginare.

   Ricorda che la concordanza tra i due verbi dipende dal rapporto temporale tra le due azioni:

Frase principale	Frase secondaria	Rapporto temporale L'azione espressa dal verbo della frase dipendente accade...
Condizionale presente *Vorrei...* (adesso)	**Congiuntivo imperfetto** *...che venissi anche tu allo spettacolo.* (ora o nell'immediato futuro)	contemporaneamente o dopo l'azione espressa dalla frase principale.
	Congiuntivo trapassato *...che fossi venuto anche tu allo spettacolo.* (ieri, due settimane fa, un anno fa...)	prima dell'azione espressa dalla frase principale.
Condizionale passato *Avrei voluto...* (ieri)	**Congiuntivo imperfetto** *...che venissi anche tu allo spettacolo.* (in quel momento o poco dopo)	contemporaneamente o dopo l'azione espressa dalla frase principale.
	Congiuntivo trapassato *...che fossi venuto anche tu allo spettacolo.* (prima di ieri)	prima dell'azione espressa dalla frase principale.

Edizioni Edilingua

Grammatica

1. Completa con il condizionale passato.

1. Ieri sera (*volere*) .... finire il libro ma non ce l'ho fatta.
2. (*Andare*) .... volentieri al concerto, ma non ho trovato i biglietti.
3. Secondo alcuni giornalisti, gli U2 (*annunciare*) .... il loro scioglimento.
4. Laura (*potere*) .... diventare una grande scrittrice, ma non è mai arrivata l'occasione giusta.
5. Mi (*piacere*) .... partecipare al concorso di giovani scrittori l'anno scorso, ma non ho potuto.

/5

2. Volgi le frasi al passato.

1. Credo che Luca suoni la chitarra da un anno.

....

2. Speriamo che tu riesca a pubblicare il tuo disco.

....

3. Vuoi che prenoti due poltrone per il prossimo spettacolo?

....

4. Anna pensa che siamo andati al cinema sabato scorso.

....

5. Per trovare un posto vicino al palco è meglio che tu vada al concerto almeno due ore prima.

....

/5

3. Completa il testo con la forma corretta del congiuntivo.

Il mio primo concerto rock l'ho visto a 18 anni. Era il concerto del primo maggio e siamo partiti da Palermo in dieci con il treno. Credo che (*essere*) (1)............................... Gaia, la mia amica, a organizzare tutto. All'inizio non ero convinta: pensavo che il viaggio in treno da Palermo (*essere*) (2).......... .... troppo lungo e, in effetti, 12 ore in treno non sono state leggere, ma... quanto ci siamo divertiti! Al concerto poi c'erano tutti i miei cantanti preferiti: Zucchero, Ligabue, Jovanotti... mi sembra che (*esibirsi*) (3)............................... anche Laura Pausini. Alla fine di questo lunghissimo ed entusiasmante concerto, mi sembra che (*finire*) (4)............................... verso l'una di notte, abbiamo scoperto che Gaia non aveva prenotato nessun albergo. Così, abbiamo passato tutta la notte a girare per Roma. Per me è stata una bellissima esperienza e credo che anche per tutti i miei amici (*rimanere*) (5)............................... un ricordo indelebile.

/5

4. Trasforma le frasi usando la forma verbale corretta.

1. Voglio che tu legga questo libro.
   Vorrei ....

2. Spero che l'ultimo romanzo di De Carlo sia ancora disponibile.

Magari ....

3. Volevo che mio figlio provasse a scrivere un romanzo.

.... voluto ....

4. Sono contento che tu abbia apprezzato le mie poesie.

Mi .... piaciuto ....

5. È probabile che abbia già finito di scrivere il suo nuovo libro.

Magari .... già ....

/5

◎ Testualità
5. Indica la funzione della parola evidenziata.

	Indicare un contrasto	Spiegare	Concludere
1. Il concerto non è stato per niente noioso, anzi mi sono molto divertita.	▢	▢	▢
2. Il dato sulla lettura è incoraggiante, cioè i bambini leggono di più.	▢	▢	▢
3. Hai ragione, è uno scrittore non facile da capire, a volte irritante. Comunque resta il mio preferito.	▢	▢	▢
4. Il cantante ha una gran voce e il chitarrista suona da Dio! Insomma mi sono davvero piaciuti.	▢	▢	▢
5. La poesia è meno fruibile della narrativa, perciò se ne legge di meno.	▢	▢	▢

/5

6. Scegli l'opzione corretta.

1. Questo libro non è male, anzi/perciò è piuttosto interessante.
2. Brutta la musica, brutti i testi, brutti gli arrangiamenti. In altre parole/Eppure, un disco orribile!
3. Non mi piace particolarmente la poesia, quindi/tuttavia riconosco il valore di alcuni testi poetici.
4. Il concerto è durato quattro ore, però/infatti non mi sono stancato.
5. I biglietti per le prime file erano esauriti; pertanto/ossia abbiamo prenotato delle poltrone centrali ma in dodicesima fila.

/5

◎ Vocabolario
7. Completa le frasi con la parola giusta.

1. Una canzone cantata da due cantanti è un ....
2. La promozione di un nuovo disco si definisce ....
3. Lo strumento che si suona con le bacchette è la ....
4. Un cantante che scrive le sue canzoni è un ....
5. Il musicista che suona il violino è un ....

/5

8. Scrivi il nome di cinque generi letterari.

....
....
....

/5

Punteggio Totale   **/40**

Edizioni Edilingua

All'estero qualche volta ci prendono in giro...

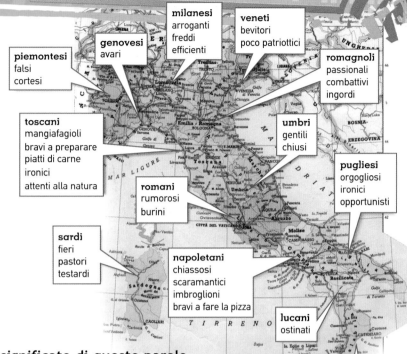

milanesi
arroganti
freddi
efficienti

veneti
bevitori
poco patriottici

genovesi
avari

piemontesi
falsi
cortesi

romagnoli
passionali
combattivi
ingordi

toscani
mangiafagioli
bravi a preparare
piatti di carne
ironici
attenti alla natura

umbri
gentili
chiusi

pugliesi
orgogliosi
ironici
opportunisti

romani
rumorosi
burini

sardi
fieri
pastori
testardi

napoletani
chiassosi
scaramantici
imbroglioni
bravi a fare la pizza

lucani
ostinati

siciliani
mafiosi
omertosi
gelosi

calabresi
sospettosi
testardi
gelosi

Entriamo in tema

⊃ Quali sono, secondo te, tre aspetti negativi dell'Italia?

⊃ Che immagine offrono i mass media dell'Italia? Secondo te, si tratta di un'immagine distorta?

⊃ Guarda la mappa degli stereotipi sugli italiani. Conosci qualcuno di questi stereotipi?

⊃ C'è uno stereotipo per cui il tuo paese è conosciuto all'estero? Questo offre un'immagine negativa o, in fondo, rispecchia la realtà?

Comunichiamo

1. Prima di leggere il testo osserva il significato di queste parole.

sfottono	= prendono in giro (*registro informale*)
deride	= prende in giro (*registro formale*)
cristallizzare	= fissare, irrigidire
veline	= vallette, belle donne che in TV hanno ruoli secondari
avventore	= cliente di un locale, di un bar
poliglotta	= che parla diverse lingue
canotta	= maglietta senza maniche
scudetto	= simbolo con i colori della bandiera italiana usato sulle maglie dei calciatori
incalliti	= che ripetono continuamente qualcosa (*aggettivo*)
dongiovanni	= uomini che corteggiano molte donne
caratterizzazione	= immagine
euristico	= che riguarda la ricerca

2. Leggi il testo e metti in ordine i paragrafi.

Pizza, Pasta e Mandolino

All'estero ci sfottono come sempre.
Maleducati, gradassi, incapaci con le lingue, mangioni e donnaioli. La nostra immagine nel mondo continua a essere sempre la stessa. Perché?

A | 1 | Dopo anni di successi degli italiani nel mondo (da Benigni alla nostra nazionale di calcio), saremo finalmente riusciti a dare un'immagine diversa e più attuale all'estero? Sembra di no, è sempre la solita pizza. Noi italiani proprio non riusciamo a liberarci dagli stereotipi che ci fanno apparire tutti "ristoranti, pasta e mandolino". Almeno è così che ci vede l'Olanda; infatti, è ormai noto a tutti un suo spot televisivo che deride piuttosto esplicitamente alcuni aspetti tipici dell'italianità. ➡

B L'Italia nel mondo

A cristallizzare l'immagine dell'italiano "tutto spaghetti e mandolino" ci ha pensato il *Financial Times* che, intitolando un suo articolo: *L'Italia è un paese di veline e le donne sono solo oggetti* certo non ha contribuito a eliminare i *cliché* che ci portiamo dietro da anni. In quel caso la prestigiosa rivista sosteneva che il modello femminile continuamente proposto dai mass media sia la causa della scarsità di donne che occupano posizioni rilevanti nel mondo della politica e del lavoro.

C Il controverso spot

Lo spot, tutto in italiano con sottotitoli in olandese e in onda in prime-time, finisce con la frase "gli olandesi diventano sempre più intelligenti" perché studiano le lingue. Protagonisti dei ristoratori italiani molto maleducati che l'avventore poliglotta apostrofa con il termine "Ehi, pagliaccio di pasta", battuta che in lingua olandese (*Hé pastapipo*) fa ridere molto. Il problema è che ancora una volta viene fuori il vecchio stereotipo dell'italiano emigrato.

> ### ⓘ UFFICIO INFORMAZIONI
>
> Lo stereotipo dell'italiano *latin lover* ha origini antiche, da Casanova (scrittore e avventuriero veneziano, amante di molte donne) a Rodolfo Valentino, famosissimo e bellissimo attore di origini italiane degli anni Venti e Trenta del secolo scorso. Per indicare una persona che corteggia le donne sono comuni le espressioni: "essere un dongiovanni", "fare il dongiovanni", "essere un Casanova".

D Quale soluzione?

Forse, come afferma la professoressa Pinheiro, gli stereotipi non sono del tutto negativi (infatti, anche a me è capitato che una ragazza inglese con la quale uscivo mi disse un giorno: «Sai, pensavo che gli italiani fossero dei rubacuori, ma tu sei un *first-class charmer*». Insomma, ogni tanto qualche stereotipo aiuta... – ndr). Tuttavia, è essenziale far scoprire tutti gli aspetti positivi che ci contraddistinguono a coloro che non ci conoscono e ci vedono solo attraverso i film sulla mafia, la satira o gli articoli contro di noi nei giornali. Quello che dobbiamo fare è mostrare il vero e più comune aspetto degli italiani: (possibilmente) aperti, solari, un tantino goliardici, gente di gusto, simpatica, accogliente. L'ignoranza di solito svanisce al primo contatto con la verità, quindi dobbiamo essere ragionevolmente accoglienti con coloro che sono semplicemente vittime di ingenue illusioni. Solo dopo che avremo realmente imparato ad aprirci e a farci scoprire, potremo cambiare l'immagine negativa e stereotipata che molti stranieri hanno di noi.

E Il precedente: "Toni", l'italiano medio

In precedenza, una nota catena di rivenditori di elettrodomestici aveva realizzato alcuni spot poco carini nei confronti degli italiani. Catena al collo, canotta azzurra con scudetto italiano, occhialoni da sole e capello effetto bagnato. Così appariva "Toni", protagonista di 4 spot tedeschi sui luoghi comuni del Bel Paese e stereotipo dell'italiano medio. E anche questa volta siamo stati dipinti come bugiardi, furbi, incalliti truffatori e dongiovanni.

F Il valore degli stereotipi

Lo spot olandese e quello tedesco sono solo alcuni esempi di una caratterizzazione negativa dell'immagine italiana nel mondo. Ma c'è anche chi sottolinea l'importanza degli stereotipi. È il caso di Teresa Pinheiro, professoressa di "Trasformazione culturale e sociale" in Germania: «Gli stereotipi possono far sorridere sulle differenze che caratterizzano i vari paesi e offrono orientamento in un mondo complesso ed eterogeneo. Ci permettono così un avvicinamento euristico alla realtà». Ed effettivamente gli stereotipi (almeno nel caso italiano) un fondo di verità ce l'hanno di sicuro. E forse non è un caso se gli italiani all'estero si fanno sempre riconoscere.

adattato da *www.virgilio.it*

Edizioni Edilingua

3. Rileggi il testo. Vero o Falso?

Vero   Falso

1. L'immagine degli italiani all'estero sta cambiando rispetto al passato.
2. Uno spot olandese presenta gli italiani come mafiosi.
3. Il *Financial Times* critica il modello di donna italiana.
4. Il numero di donne italiane che rivestono ruoli di potere è rilevante.
5. Uno spot tedesco ha offerto un'immagine negativa dell'italiano medio.
6. Secondo Teresa Pinheiro, lo stereotipo non ha solo valore negativo.
7. Gli stereotipi negativi sugli italiani corrispondono tutti alla realtà.
8. Farsi conoscere serve a cambiare l'immagine degli italiani all'estero.

4. Cosa pensi dell'articolo che hai letto nell'attività 2? Ecco alcuni spunti per discutere con un compagno.

1. Secondo te, da che cosa nascono gli stereotipi?
2. Quanto ti influenzano gli stereotipi quando conosci persone di paesi diversi dal tuo?
3. Hai avuto esperienze personali che hanno confermato o smentito l'idea che avevi di un popolo o di un paese?
4. Conosci italiani che confermano gli stereotipi dell'articolo?
5. L'immagine del tuo popolo all'estero è stereotipata o è veritiera?

Impariamo le parole - Descrizione della personalità

5. Trova la parola o l'espressione presente nel testo e scrivila accanto alla definizione.

1. non cordiali, non cortesi ....
2. arroganti, spacconi ....
3. che amano eccessivamente mangiare ....
4. disposti ad accettare gli altri ....
5. con un atteggiamento molto positivo e allegro ....
6. scherzosi, spensierati ....
7. con buon senso estetico ....
8. che mettono a proprio agio le altre persone ....
9. che non dicono la verità ....
10. intelligenti per un interesse personale ....
11. disonesti, imbroglioni ....
12. uomini che seducono le donne (3 parole) ....

6. Tra le parole che hai scritto nell'attività 5, trova i contrari degli aggettivi della lista.

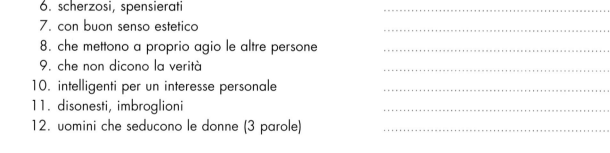

aggettivi	contrari
1. sciocchi, stupidi	....
2. chiusi, intolleranti	....
3. cupi, tetri	....
4. modesti	....
5. seri	....
6. gentili	....
7. sinceri	....
8. onesti	....

l'italiano all'università

7. *Il signor Rossi è...* Con un compagno fai il gioco che segue.

A turno pensate a tre possibili situazioni in cui protagonista è il signor Rossi, l'italiano medio. Ogni volta dovete mettere in evidenza un aspetto del suo carattere (positivo o negativo) senza mai usare l'aggettivo specifico che lo descrive. Il vostro compagno deve indovinare com'è il signor Rossi.

Esempio: ● Il signor Rossi è in ritardo perché si è alzato tardi, ma ha inventato una scusa per non dire la verità...
● È bugiardo.

◎ Facciamo grammatica

Osserva!

● Dopo anni di successi degli italiani nel mondo (da Benigni alla nostra nazionale di calcio), saremo finalmente riusciti a dare un'immagine diversa e più attuale all'estero?

● Solo dopo che avremo realmente imparato ad aprirci e a farci scoprire, potremo cambiare l'immagine negativa e stereotipata che molti stranieri hanno di noi.

Le parole evidenziate sono il futuro anteriore dei verbi *riuscire* e *imparare*.

 8. Scrivi la regola. Completa e scegli l'alternativa corretta.

1. Il futuro anteriore si forma con il .... del verbo ausiliare ....
.... oppure .... + il participio passato del verbo.

2. Nella prima frase il futuro anteriore indica un'azione già successa/che deve ancora succedere e dà alla frase un valore di certezza/possibilità.

3. Nella seconda frase il futuro anteriore indica un'azione che avviene prima/dopo rispetto a quella indicata dal futuro semplice.

 9. Inserisci i verbi al futuro anteriore.

1. Non so perché Ted si sia offeso: forse (fare) .... qualche battuta sugli americani, ma volevo soltanto scherzare.

2. Avrò un'opinione più obiettiva sugli italiani dopo che (andare) .... in Italia.

3. Probabilmente, rispetto a 20 anni fa, molti (cambiare) .... la loro opinione negativa sugli italiani.

4. Arriverò a casa alle 9 e tu (uscire; già) ....

5. A diffondere i luoghi comuni sugli italiani (contribuire) .... senz'altro i mass media.

6. Gli stereotipi diminuiranno quando le persone (conoscersi) .... più a fondo.

7. (Imparare; già) .... l'italiano visto che vivete in Italia da due anni, no?

8. Quando (finire) .... gli esami, potremo andare in vacanza.

Edizioni Edilingua

10. Forma le frasi con il futuro semplice e anteriore, come nell'esempio.

Esempio: andare in Italia / conoscere meglio gli italiani
> Dopo che sarò andato in Italia, conoscerò meglio gli italiani.

1. finire gli studi / fare un viaggio in Europa

....

2. trovare un lavoro / andare ad abitare da solo

....

3. finire di leggere il libro / prestartelo

....

4. allargarsi il numero dei paesi dell'Unione Europea / in Europa (noi) parlare oltre 50 lingue

....

5. laurearsi / decidere dove andare a vivere

....

6. telefonare in albergo / dirti se ci sono stanze disponibili

....

11. Rileggi il testo dell'attività 2 e scrivi la forma dei verbi dati.

infinito	forma presente nel testo	tempo verbale
Contribuire		passato prossimo
Sostenere		imperfetto
Dire		passato remoto
Potere		futuro semplice
Realizzare		trapassato prossimo
Apparire		imperfetto

12. Ricordi le funzioni di questi tempi verbali? Scrivi la regola.

1. Il passato prossimo si usa per indicare azioni ....

....

2. L'imperfetto si usa per indicare azioni ....

....

3. Il trapassato prossimo si usa per indicare azioni ....

rispetto ad altre azioni ....

4. Il passato remoto si usa per indicare azioni ....

....

5. Il futuro semplice si usa per indicare azioni future e per ....

....

13. Inserisci nel testo i verbi della lista.

erano - ricorderà - avevano ... acquisito - indossò - ha rispecchiato - suoneranno - risponderà - erano

Alcuni stereotipi sugli ITALIANI

Gli stereotipi e i luoghi comuni sugli italiani sono sempre esistiti: "Italiani mafiosi", "Italiani tutti pizza e mandolino", "Italiani, fagioli e maccheroni", "Italiani brava gente" (1)................................ immagini che molti stranieri (2)............................. già .... prima dell'amplificazione fatta dai mass media. In seguito, molta filmografia di Hollywood sugli italiani (3)........................ .... una visione non necessariamente negativa, ma comunque pregiudiziale nei confronti degli italiani. Se domandate ad un americano, di passaggio nel Bel Paese, quale sia la cosa che gli piaccia più dell'Italia, vi (4)............................. certamente: pizza e spaghetti. Probabilmente una delle prime strade che (5)............................. sarà Via Monte Napoleone a Milano, e soltanto i cognomi di Valentino, Armani e Versace, gli (6)............................. familiari.

La rockstar Madonna, mossa da un'improvvisa nostalgia per l'Italia, anni fa (7)............................. una maglietta su cui era scritto *Italians do it better* (Gli italiani lo fanno meglio), riaprendo tutto un dibattito sul supposto mito del *latin lover*. Nella visione stereotipata gli italiani (8)............................. e restano, inoltre, tradizionalisti e legati indissolubilmente alla famiglia.

⊚ Comunichiamo

14. *L'università dei raccomandati...* In piccoli gruppi discutete del tema proposto.

Si dice spesso che nelle università italiane vanno avanti solo i raccomandati. Secondo te, è davvero così? E tu hai mai cercato una raccomandazione per un esame? Qual è l'atteggiamento dei professori del tuo paese riguardo a questo fenomeno? Succede che un figlio o un parente di un professore faccia lo stesso lavoro? Quali possono essere le misure per frenare la pratica delle raccomandazioni?

⊚ Entriamo in tema

- ⊃ Cosa sai della mafia siciliana?
- ⊃ Perché è nata, secondo te?
- ⊃ Sapresti descrivere un atteggiamento mafioso?
- ⊃ Pensi che sia pericoloso visitare la Sicilia?
- ⊃ Avresti difficoltà a diventare amico di un siciliano?

⊚ Comunichiamo

15. Ascolta il dialogo. Vero o Falso?

Vero   Falso

1. Alex ha paura di andare in Sicilia.
2. In Sicilia la mafia non esiste più.
3. I siciliani sono gentili.
4. Matteo ha avuto problemi con gli atteggiamenti dei siciliani.
5. In Sicilia si parla il dialetto e l'italiano.
6. Alex ha una visione stereotipata della Sicilia.

Edizioni Edilingua

16. Ascolta di nuovo il dialogo e leggi il testo. Controlla le risposte dell'attività 15.

Alex: Allora, Matteo, com'è andato il viaggio in Sicilia?

Matteo: Benissimo, Alex, la Sicilia è meravigliosa.

Alex: Sì, me lo dice qualsiasi persona ci sia stata. Io vivo in Italia da cinque anni però ho ancora un po' paura ad andarci.

Matteo: E perché?

Alex: Beh... la Sicilia resta sempre terra di mafia. Ho sentito certe storie... Non si sa mai chi si possa incontrare o cosa ti possa capitare...

Matteo: Perché? Tu credi che sia pericoloso?

Alex: Un po' sì... Lo senti anche tu in televisione che sparano per le strade... e poi mi sembra che certi siciliani abbiano sempre un atteggiamento un po' ambiguo, poco chiaro...

Matteo: Ecco, appunto! Certi siciliani, non qualunque siciliano! Io sono stato a Palermo, il capoluogo della Sicilia, e la gente è stata sempre cordiale e molto ospitale: non ho mai ricevuto alcuna minaccia e nemmeno una piccola scortesia. Certo, devi stare con gli occhi aperti! In strada o in autobus, c'è sempre la possibilità che un ladro faccia uno scippo, ma come in qualunque città medio-grande del mondo. La violenza e la criminalità esistono dappertutto.

Alex: Ma forse in Sicilia esistono un po' di più...

Matteo: Ma cosa credi? Che i siciliani siano tutti mafiosi che vanno in giro armati? Che ammazzino o derubino la gente per strada? Certo, la mafia è ancora un grande problema per chi vive in Sicilia, soprattutto per le estorsioni ai commercianti che hanno ancora paura a denunciare i reati che subiscono... ma i mafiosi sono una piccola minoranza. La maggior parte dei siciliani sono brave persone.

Alex: Sì, certo. Senti, ma con la lingua hai avuto qualche problema?

Matteo: In che senso?

Alex: Scusa, i siciliani non parlano solo il dialetto?

Matteo: Assolutamente no! Non ho avuto alcun problema. Ovviamente e per fortuna, si parla ancora il dialetto, ma, come in tutto il resto d'Italia, le persone parlano anche in italiano.

Alex: E le donne come vanno in giro? Vestite di nero e con gli occhi bassi?

Matteo: Ma quando mai?! Si vestono e si comportano come tutte le donne d'Italia. Mi sa che hai visto troppi film degli anni Cinquanta. Guarda, vai a fare una vacanza in Sicilia quando puoi, così ti accorgerai da solo di quanto sia diversa dagli stereotipi che circolano!

Matteo descrive la Sicilia ad Alex, un suo amico americano che vive in Italia.

> ⓘ **UFFICIO INFORMAZIONI**
>
> Tradizionalmente nel Sud Italia si distinguono tre grandi organizzazioni criminali: la mafia (o Cosa Nostra) in Sicilia, la 'ndrangheta in Calabria e la camorra in Campania.
> In realtà, ne esiste anche una in Puglia, la Sacra Corona Unita, la quale però oggi, grazie all'efficace intervento dello Stato, risulta molto frammentata e disomogenea, e priva di una struttura verticistica.

◎ Impariamo le parole - La criminalità

17. Abbina le parole alla definizione corrispondente.

1. scippo
2. criminalità
3. ammazzare
4. violenza
5. derubare
6. armato
7. minaccia
8. estorsione
9. denunciare
10. reato

a. che porta un'arma
b. azione contraria alla legge
c. atto di prendere denaro con violenza e minacce
d. uccidere
e. segnalare un reato alla polizia
f. discorso o frase rivolti a qualcuno per fare paura
g. insieme di organizzazioni criminali
h. azione molto aggressiva
i. sottrarre denaro a qualcuno con la violenza o una truffa
l. furto in strada, rapido e violento, di una borsetta, un portafogli

18. Ricostruisci le espressioni e poi inseriscile nelle frasi che seguono.

1. criminalità	a. alla polizia
2. denunciare	b. a mano armata
3. estorsione	c. inaudita
4. minaccia	d. di denaro
5. violenza	e. organizzata
6. rapina	f. di morte

1. In Sicilia, ancora oggi, è molto potente la ....

2. L'associazione *Addio pizzo* vuole sconfiggere l'.. a cui sono sottoposti gli imprenditori.

3. I malviventi hanno compiuto una .... in banca.

4. Il giudice ha ricevuto una .... prima di emettere la sentenza.

5. La guerra esplosa tra le cosche mafiose negli anni '80 è stata di una ....

6. Molti imprenditori hanno paura di .... i reati che subiscono.

 Facciamo grammatica

> **Osserva!**

- Sì, me lo dice qualsiasi persona ci sia stata.
- Ho sentito certe storie…
- Certi siciliani, non qualunque siciliano!
- Non ho mai ricevuto alcuna minaccia.
- Non ho avuto alcun problema.

> Le parole evidenziate sono aggettivi indefiniti.

19. Completa la tabella degli aggettivi indefiniti.

Singolare		Plurale	
maschile	femminile	maschile	femminile
qualsiasi	.... persona	X	X
qualunque siciliano	.... siciliana	X	X
un certo discorso	.... notizia	.... siciliani	.... notizie
alcun problema/amico .... spazio	.... storia	.... siciliani	.... storie

20. Scrivi la regola. Rispondi e scegli l'alternativa corretta.

1. Quale parola indica una quantità zero? ....

2. Quali parole potresti sostituire con *tutti i/gli, tutte le* oppure *ogni*? ....

3. Quale parola indica una quantità indefinita? ....

4. Quale parola si può usare nelle frasi negative? ....

5. La posizione di questi aggettivi è generalmente prima del/dopo il nome.

Edizioni Edilingua

Attenzione!

Alcuni/Alcune si usa in frasi affermative con lo stesso significato di *qualche* (*alcune volte* = *qualche volta*). Qualche si usa solo con i nomi numerabili al singolare.

Alcun/Alcuno/Alcuna nelle frasi negative ha lo stesso significato di *nessuno* (*Non c'è alcun problema* = *Non c'è nessun problema*).

Certo/Certa/Certi/Certe esprime il massimo grado di indefinitezza.

21. Con un compagno commenta le seguenti affermazioni come nell'esempio. Usa gli aggettivi indefiniti.

Esempio: Gli italiani fanno i furbi.
  Secondo me, certi italiani fanno i furbi.

1. *Gli italiani fanno i furbi.*
2. Gli americani si vestono male.
3. Gli svizzeri sono puntuali.
4. I brasiliani hanno senso ritmico.
5. Gli spagnoli sono estroversi.
6. Gli inglesi sono riservati.

22. Completa le frasi con gli indefiniti adatti.

1. .... cosa faccia, tu mi critichi sempre!
2. .... esperienze è meglio non farle!
3. Non ho .... voglia di uscire con te stasera.
4. Mario, non mi sei stato di .... aiuto.
5. .... popolo ha aspetti culturali positivi e negativi.
6. Giorgio mi ha parlato di .... persone che farebbero al caso nostro.

Attenzione!

Esistono anche pronomi, cioè parole usate al posto del nome, per indicare una quantità non precisa. Alcuni pronomi e aggettivi indefiniti hanno la stessa forma.

Esempi: *Alcune cose* (aggettivo) *è meglio non dirle.*
  Alcuni (pronome, solo al plurale) *pensano che la Sicilia sia pericolosa.*
  Non ho avuto nessun *problema* (aggettivo).
  Non ho speranze... nessuno (pronome, invariabile) *mi può aiutare!*

Altri pronomi indefiniti sono qualcuno (solo al singolare per riferirsi a persone o cose. Esempio: *Qualcuno dice che non è così*); uno/a (per riferirsi a persone o cose. Esempio: *Marco parla con uno che non conosco*); qualcosa (invariabile, per riferirsi a cose. Esempio: *Posso offrirti qualcosa?*).

Scriviamo insieme

23. *Mafia e illegalità.*

Volete prendere parte alla discussione sulla criminalità organizzata nel forum di un sito italiano. Dividetevi in tre gruppi: il primo gruppo traccia una breve storia della mafia italiana (dove, quando e perché/come nasce; quali sono le sue attività); il secondo gruppo esprime la sua opinione sull'atteggiamento degli italiani verso la mafia e l'illegalità in generale e racconta, se possibile, un episodio ➡

➡ significativo che conosce; il terzo gruppo indica i danni che la criminalità provoca ai cittadini e suggerisce cosa si potrebbe fare per sconfiggere questo fenomeno.

ALDO
CAZZULL

VIVA
L'ITALI

Risorgimento e Resistenz
perché dobbiamo essere orgogliosi
della **nostra nazione**
Prefazione di **FRANCESCO DE GREGORI**
MONDADORI

◎ Entriamo in tema

- ⊃ Quanto ti senti legato al tuo paese?
- ⊃ Il forte attaccamento alle tradizioni del proprio paese si chiama "campanilismo". Quali sono, secondo te, gli aspetti negativi del campanilismo?
- ⊃ Ti è mai capitato di essere criticato all'estero a causa del tuo paese di provenienza?
- ⊃ Come hai reagito o come reagiresti se succedesse?

◎ Comunichiamo

24. Prima di leggere il testo osserva il significato di queste parole o espressioni.

culinaria	= della cucina
inaffidabili	= poco seri, poco professionali
andazzo	= abitudine, tendenza, modo di comportarsi criticabile
sarcasmo	= ironia
ha gravitato intorno a me	= ha avuto rapporti con me; ha lavorato con me
preconcetti	= stereotipi, pregiudizi
filarsela	= scappare via, fuggire

25. Leggi queste lettere inviate al direttore di una rubrica online. Poi indica a quale lettera si riferiscono le affermazioni che seguono.

Caro Beppe Severgnini,
perché noi italiani siamo così tolleranti e generosi con lo straniero? In un gruppo di soli italiani se arriva un inglese o un americano, a meno che non sia palesemente insopportabile, siamo subito aperti al dialogo, siamo simpatici e gli offriamo con un grande sorriso anche la specialità culinaria locale. Perché non succede altrettanto quando l'italiano si trova da solo in mezzo a un gruppo di stranieri, anzi subisce subito qualche battuta acida? Noi italiani veniamo derisi in mezzo mondo perché si sostiene che abbiamo portato solo la mafia e che siamo inaffidabili e ridicoli. Perché noi non facciamo altrettanto con gli altri stranieri con cui siamo a contatto e non creiamo serie televisive o ironizziamo sulle loro tradizioni? Insomma, secondo me noi italiani non veniamo rispettati non perché siamo i peggiori del mondo, come sostiene qualche anti-italiano *radical chic* di casa nostra, ma perché diamo troppa confidenza e non chiediamo rispetto. Io sto reagendo a questo strano andazzo diventando meno generoso con lo straniero e rispondendo al sarcasmo contro gli abitanti della Penisola facendo a mia volta del sarcasmo forte sui difetti altrui.
Insomma, avremo pure tanti difetti, ma gli altri chi si credono di essere?
Un saluto da Maurizio.

Edizioni Edilingua

Caro Beppe,
ti scrivo a seguito di tutte le lettere pubblicate riguardo agli stereotipi nei confronti di noi italiani. Personalmente penso che lamentarsi e criticare a nostra volta gli altri popoli per i loro difetti non serva assolutamente a niente. Vivo e lavoro in Inghilterra da 7 anni, paese che ha accolto me e tanti altri professionisti a braccia aperte dando delle immense opportunità di crescita e carriera difficili in altri paesi europei. Purché si lavori onestamente e seriamente, gli inglesi sono tutt'altro che ostili. Da sette anni, nel mio piccolo, attraverso duro lavoro e una buona integrazione sociale, penso di aver influenzato e cambiato tanti concetti e stereotipi di tutta quella gente che ha gravitato intorno a me. E questo succede a tanti italiani che come me cercano di esportare la serietà e professionalità del nostro popolo. Purtroppo ci sono anche tanti individui che confermano questi preconcetti, vendendo giacche di "pelle" o orologi per le strade di Londra, aprendo conti bancari e carte di credito per poi andare in rosso e filarsela, fare false dichiarazioni alle assicurazioni e purtroppo ce ne sarebbero tante altre da citare...
Però, a patto che gli italiani onesti diventino sempre di più rispetto a quelli furbi e disonesti, sono convinta che potremo guadagnare rispetto all'estero attraverso serietà e duro lavoro, e chi ci ospita nel proprio paese capirà (tanti l'hanno già capito) che ha molto da imparare da noi, come noi da loro.
Un saluto da Monica

adattato da *italians.corriere.it*

i UFFICIO INFORMAZIONI

All'estero lavorano e vivono milioni di italiani. Molti italiani che sono andati a lavorare all'estero negli ultimi anni svolgono lavori altamente professionalizzanti: ricercatori, dirigenti e tecnici specializzati che lavorano principalmente negli USA, in Canada e in Australia.

All'estero qualche volta ci prendono in giro...

	Lettera 1	Lettera 2
1. Anche in Italia qualcuno afferma che gli italiani sono peggiori degli altri.	☐	☐
2. Gli italiani sono cortesi con gli stranieri.	☐	☐
3. Molti italiani si comportano in modo da rafforzare gli stereotipi.	☐	☐
4. Gli stranieri sono spesso sarcastici con gli italiani.	☐	☐
5. La soluzione per essere apprezzati all'estero è lavorare con professionalità.	☐	☐
6. Anche gli italiani dovrebbero essere sarcastici con gli stranieri.	☐	☐
7. Gli italiani danno troppa confidenza agli stranieri.	☐	☐
8. È inutile fare notare agli stranieri i loro difetti.	☐	☐

26. Discuti con un compagno.

1. Con quale punto di vista ti trovi maggiormente d'accordo?

2. Basta soltanto comportarsi bene all'estero e accettare tutte le critiche o è utile difendersi, anche in maniera decisa?

Facciamo grammatica

Osserva!

1. Se arriva [...] un americano, a meno che non sia palesemente insopportabile, siamo [...] aperti al dialogo.

2. Purché si lavori onestamente e seriamente, gli inglesi sono tutt'altro che ostili.

3. A patto che gli italiani onesti diventino sempre di più rispetto a quelli furbi e disonesti, sono convinta che potremo guadagnare rispetto all'estero.

OSPITALITÀ ITALIANA
QUALITY APPROVED

27. Scrivi la regola. Completa e scegli l'alternativa corretta.

a. In quali frasi si indica una condizione che deve accadere perché si realizzi quello che si dice nella frase principale? .... Le frasi subordinate di questo tipo si chiamano condizionali.

b. In quale frase si indica una condizione che NON deve accadere perché si realizzi quello che si dice nella frase principale? .... Le frasi subordinate di questo tipo si chiamano eccettuative.

c. In tutte e tre le frasi si usa l'indicativo/il congiuntivo.

Altre congiunzioni come *purché* sono a condizione che, a patto che.
Altre congiunzioni come *a meno che (non)* sono eccetto che, tranne che.

28. Scegli l'opzione corretta.

1. Bisogna rispettare tutti gli stranieri a meno che non/purché siano onesti.
2. Mi confronto con gli altri, a patto che/tranne che anche gli altri rispettino il mio modo di vivere.
3. Gli italiani sono apprezzati all'estero a condizione che/tranne che non siano furbi o truffatori.
4. Le differenze arricchiscono un paese eccetto che/a patto che ci sia la disposizione al confronto.
5. Non verrò con te in Sicilia, a meno che/purché tu non ti ricreda sui siciliani.
6. Purché/A meno che gli altri non mi rispettino, ritengo di essere una persona aperta e gentile.

◎ Analizziamo il testo

I testi che hai letto sono a carattere principalmente argomentativo, servono cioè a esprimere un'opinione su qualcosa e a sostenerla o argomentarla.
I testi a carattere argomentativo si rivolgono a un destinatario (in questo caso il direttore e i lettori della rubrica) e riguardano un tema che può essere in parte già conosciuto.

29. Abbina le funzioni indicate nella lista alle parti del testo.

A. Introdurre argomenti a sostegno della propria tesi.
B. Fare riferimento all'argomento già trattato precedentemente.
C. Introdurre argomenti che possono essere contrari alla propria tesi.
D. Ribadire ulteriormente la propria tesi.
E. Introdurre la propria tesi.

1. ....
Caro Beppe,
ti scrivo a seguito di tutte le lettere pubblicate riguardo agli stereotipi nei confronti di noi italiani.

2. ....
Personalmente penso che lamentarsi e criticare a nostra volta gli altri popoli per i loro difetti non serva assolutamente a niente.

3. ....
Vivo e lavoro in Inghilterra da 7 anni, paese che ha accolto me e tanti altri professionisti a braccia aperte dando delle immense opportunità di crescita e carriera difficili in altri paesi europei. Da sette anni, nel mio piccolo, attraverso duro lavoro e una buona integrazione sociale, penso di aver influenzato e cambiato tanti concetti e stereotipi di tutta quella gente che ha gravitato intorno a me. E questo succede a tanti italiani che come me cercano di esportare la serietà e professionalità del nostro popolo.

4. ....
Purtroppo ci sono anche tanti individui che confermano questi preconcetti, vendendo giacche di "pelle" o orologi per le strade di Londra, aprendo conti bancari e carte di credito per poi andare in rosso e filarsela, fare false dichiarazioni alle assicurazioni e purtroppo ce ne sarebbero tante altre da citare...

5. ....
Però [...]sono convinta che potremo guadagnare rispetto all'estero attraverso serietà e duro lavoro, e chi ci ospita nel proprio paese capirà (tanti l'hanno già capito) che ha molto da imparare da noi, come noi da loro.

Un saluto da Monica

Edizioni Edilingua

30. Completa la tabella con gli elementi linguistici utilizzati in un testo argomentativo.

> allora - insomma - penso - dato che - eppure - visto che - anzi - dunque - ritengo
> non è vero che - per concludere - bensì - quindi - infine - pertanto - ma
> concludendo - credo - però - tuttavia - al contrario

Per introdurre una tesi	Per introdurre una causa	Per introdurre una conseguenza	Per indicare un contrasto	Per concludere

Strategie che usi all'università

31. Produrre un testo argomentativo.

All'università ti capiterà di dover produrre un testo argomentativo per presentare una tua opinione, per esempio quando un professore chiede esplicitamente il tuo punto di vista su qualcosa. Segui la struttura del testo argomentativo, che hai visto nell'esercizio 29, e rispondi a queste domande che un professore potrebbe fare ad un esame di Storia o di Antropologia culturale.

- Mi esponga il suo punto di vista sulle presunte superiorità culturali di alcuni popoli rispetto ad altri.
- Secondo Lei, come si potrebbe combattere il fenomeno mafioso in Italia?
- Si potrebbe dire che la mafia è un fenomeno culturale. Qual è la sua opinione in proposito?

Conosciamo gli italiani

32. Leggi il testo e rispondi alle domande.

Siamo veramente un popolo di mammoni, fannulloni e maleducati? Ecco alcune smentite interessanti

I falsi stereotipi sugli italiani

Gli stranieri ci definiscono mammoni, inaffidabili, incivili e pigri. E questi sono solo alcuni degli stereotipi che ci affibbiano quando andiamo all'estero. I luoghi comuni che ruotano attorno all'italiano medio sono un dato di fatto. Basta oltrepassare le Alpi e subito ci accorgiamo che gli stranieri hanno una conoscenza a volte approssimativa e distorta della nostra Penisola: una sorta di amore-odio nei nostri confronti.

Ma gli italiani sono veramente degli scansafatiche? A dispetto di quanto si creda, le ultime statistiche riguardanti l'occupazione smentirebbero ufficialmente queste affermazioni. I lavoratori dipendenti italiani sono infatti i meno assenteisti d'Europa e tra quelli che trascorrono più ore sul posto di lavoro (1.619 ore all'anno). Stupisce come soltanto il 2 per cento degli intervistati italiani confessi di fingere di essere malato per non andare al lavoro. C'è anche un 46 per cento

All'estero qualche volta ci prendono in giro...

I falsi stereotipi sugli italiani

del campione che decide di lavorare anche in caso di malattia per paura di perdere il posto. Tra i più "furbi" d'Europa in quanto ad assenteismo ci sono francesi, inglesi e austriaci (questi ultimi, sono quelli che si avvalgono maggiormente di certificati medici non veritieri). Anche se le vacanze dei lavoratori italiani sono in media più lunghe rispetto a quelle degli altri europei, l'Italia è tra i paesi europei in cui le assenze per malattia, maternità o permessi sono meno utilizzati.

Un'altra sorprendente ricerca smentirebbe il fatto che i maschi italiani siano un popolo di mammoni senza sogni né ideali, come sostiene invece la stampa estera. Si è scoperto che sarebbero, piut-

tosto, i genitori italiani a ritardare l'uscita di casa dei propri figli attraverso delle vere e proprie strategie. In Italia l'80 per cento dei giovani tra i 18 e i 30 anni vive ancora con i genitori; una percentuale molto alta rispetto al 50 per cento degli inglesi e al 40 per cento degli statunitensi, che a 18 anni vengono quasi "sbattuti" fuori di casa. Dobbiamo però tirare in causa principalmente la società in cui viviamo dove spesso pagare un affitto o un mutuo alto con uno stipendio non adeguato scoraggerebbe chiunque dal mettere il naso fuori casa. Gli stipendi italiani sono tra i più bassi d'Europa. In Italia, il 68 per cento dei lavoratori vive con meno di 1.300 euro al mese e il 35 per cento non arriva a guadagnarne 1.000. La casa dei genitori, quindi, resta l'unica soluzione al problema.

Gli italiani all'estero vengono spesso "affondati" dai messaggi a volte distorti che il cinema o la pubblicità propongono. Un ritratto di noi italiani con allusioni a volte sfrontate. Il settimanale tedesco *Der Spiegel* ha mostrato qualche anno fa una copertina che raffigurava un piatto di spaghetti con sopra appoggiata una pistola P38 per avvisare i turisti tedeschi in vacanza a stare attenti alla mafia. A Berlino però il 90 per cento dei ristoranti è italiano e i tedeschi continuano a privilegiare il nostro paese come meta delle loro vacanze. La pubblicità americana ci ritrae come maleducati, delinquenti (il che vuol dire mafiosi) e ignoranti. Intanto, il *New York Times* ha lodato la nostra Sicilia con le sue trattorie e il canale TV *Nbc* ha riconosciuto l'arcipelago della Maddalena, in Sardegna, una delle venti spiagge preferite dagli americani. L'estate scorsa, il quotidiano inglese *Financial Times* ha criticato la televisione italiana per l'eccesso delle vallette seminude in TV e il trattamento a loro riservato, sottolineando il fatto che sono tra le più sottorappresentate d'Europa.

In tutto questo contesto sono di nuovo le statistiche a parlare: l'Italia si trova ancora in cima alla classifica dei paesi più desiderati dagli stranieri.

adattato da *www.ilcassetto.it*

1. Qual è la "classifica" degli assenteisti europei?

....

2. Qual è l'atteggiamento degli italiani riguardo a permessi e ferie?

....

3. Quali sono i motivi per cui molti italiani restano nella casa dei genitori?

....

4. Quale immagine dell'Italia danno alcuni mass media stranieri?

....

5. Com'è l'atteggiamento dei turisti nei confronti dell'Italia?

....

Edizioni Edilingua

Parliamo un po'...

- ↻ Pensi che i bassi stipendi giustifichino il fatto che gli italiani non escano di casa prima dei 30 anni?
- ↻ Nel tuo paese a che età di solito si lascia la casa dei propri genitori?
- ↻ Ti ricordi un episodio in cui il tuo paese è stato descritto in maniera particolarmente negativa dai media stranieri?
- ↻ Quali sono gli aspetti maggiormente positivi per cui gli stranieri apprezzano il tuo paese?
- ↻ Qual è o quale potrebbe essere un simbolo positivo per pubblicizzare il tuo paese nel mondo?

◎ Si dice così!

Ecco alcune espressioni utili per...

Esprimere due azioni consecutive future	Solo dopo che avremo realmente imparato ad aprirci e a farci scoprire, potremo cambiare l'immagine negativa.
Esprimere un'azione che probabilmente si è già realizzata	A quest'ora Marco sarà già tornato a casa.
Introdurre una tesi	Pensiamo che sia sbagliato criticare le persone sulla base di preconcetti. Si ritiene che gli stereotipi abbiano un fondo di verità.
Introdurre una causa	Dato che/Visto che molti ci giudicano in base a stereotipi, è necessario far conoscere i nostri lati positivi.
Introdurre una conseguenza	Siamo molto condizionati da informazioni superficiali dei mass media, pertanto sarebbe opportuno dare giudizi meno forti sulle culture diverse dalla nostra.
Indicare un contrasto	Molti pensano che gli italiani siano fannulloni. Al contrario, lavorano molto.
Concludere un'argomentazione	Concludendo, molte idee sugli italiani si rivelano dei falsi miti.

◎ Sintesi grammaticale

● Il futuro anteriore

Il futuro anteriore si usa generalmente per:

1. indicare un'azione futura precedente rispetto a un'altra azione futura. Di solito segue *dopo che, quando, (non) appena*

   Esempio:
   Solo dopo che avremo realmente imparato ad aprirci e a farci scoprire, potremo cambiare l'immagine negativa.

   L'azione di "imparare ad aprirsi" dovrà avvenire nel futuro, prima dell'azione di "cambiare l'immagine negativa".

   Nell'italiano parlato si tende a usare per indicare entrambe le azioni il futuro semplice.
   Esempio:
   Quando impareremo ad aprirci e a farci scoprire, potremo cambiare l'immagine negativa.

2. fare un'ipotesi (come il futuro semplice) in riferimento a un'azione passata, probabilmente già avvenuta
   Esempio:
   A quest'ora Marco sarà già arrivato a casa.

● **I tempi dell'indicativo**

Il passato prossimo si usa generalmente per indicare azioni puntuali e concluse nel passato.
L'imperfetto si usa generalmente per indicare azioni indefinite o abituali nel passato.
Il trapassato prossimo si usa per indicare un'azione passata rispetto a un'altra azione passata.
Il passato remoto si usa principalmente per indicare azioni passate, distanti nel tempo o percepite distanti da chi parla.
Il futuro semplice si usa generalmente per indicare un'azione futura o fare un'ipotesi nel presente.

● **Alcuni aggettivi indefiniti**

Singolare		Plurale	
maschile	**femminile**	**maschile**	**femminile**
qualsiasi	qualsiasi	X	X
qualunque	qualunque	X	X
certo	certa	certi	certe
alcun/alcuno	alcuna	alcuni	alcune

Qualunque e qualsiasi si usano allo stesso modo. Possono riferirsi a persone o cose e si usano prima di un nome maschile o femminile al singolare. Si potrebbero sostituire con *ogni* oppure con *tutti i/gli, tutte le*. In questo ultimo caso però l'aggettivo indefinito si riferisce a un nome plurale.

Esempi:
So che la Sicilia è molto bella. Me lo dice qualunque/qualsiasi/ogni persona ci sia stata.
So che la Sicilia è molto bella. Me lo dicono tutte le persone che ci sono state.

Certo/Certa/Certi/Certe indica il massimo grado di indeterminatezza. Al singolare si usa generalmente preceduto dall'articolo indeterminativo.

Esempio:
Mi ha fatto un certo discorso che non ho capito bene.

Alcun/Alcuno/Alcuna può riferirsi a persone o cose, al singolare. Si usa in frasi negative e ha lo stesso significato di *nessuno*.

Esempio:
Quando sono andato in Sicilia non ho avuto alcun/nessun problema.

Alcuni/Alcune si usa in frasi affermative con lo stesso significato di *qualche*. Qualche si usa con i nomi numerabili al singolare.

Esempi:
Lo spot deride piuttosto esplicitamente alcuni aspetti tipici dell'italianità.
Lo spot deride piuttosto esplicitamente qualche aspetto tipico dell'italianità.

● **Alcuni pronomi indefiniti**

Singolare		Plurale		
maschile	**femminile**	**maschile**	**femminile**	**Invariabile**
X	X	alcuni	alcune	qualcosa (per riferirsi a cose)
uno	una	X	X	niente (quantità zero, per
nessuno	nessuna	X	X	nulla riferirsi a cose)

- ## Congiunzioni che introducono subordinate condizionali ed eccettuative

Le congiunzioni purché, a condizione che, a patto che introducono una subordinata condizionale che esprime una condizione che deve accadere perché si realizzi quello che si dice nella frase principale.

Esempi:

Purché si lavori onestamente e seriamente, gli inglesi sono tutt'altro che ostili.

A patto che gli italiani onesti diventino sempre di più rispetto a quelli furbi e disonesti, sono convinta che potremo guadagnare rispetto all'estero.

Le congiunzioni a meno che (non), eccetto che, tranne che introducono una subordinata eccettuativa che esprime una condizione che NON deve accadere perché si realizzi quello che si dice nella frase principale.

Esempio:

Se arriva un americano, a meno che non sia palesemente insopportabile, siamo aperti al dialogo.

Nelle subordinate introdotte da queste congiunzioni si usa il congiuntivo.

- ## Il testo argomentativo

Il testo argomentativo è un tipo di testo (orale o scritto) con cui si presenta e si argomenta un'opinione. Per produrre un buon testo argomentativo si devono identificare innanzi tutto la tesi (da sostenere o da dimostrare) e il destinatario del testo con il quale abbiamo di solito conoscenze condivise.

Esempio:

Presentazione della tesi "Gli stereotipi sugli italiani sono falsi"

ARGOMENTI	**A favore della tesi, da sottolineare con enfasi:** Chi giudica per stereotipi spesso non conosce gli italiani; l'atteggiamento degli italiani è molto cambiato negli anni. Personalmente penso che lamentarsi e criticare a nostra volta gli altri popoli per i loro difetti non serva assolutamente a niente. Secondo me, noi italiani non veniamo rispettati non perché siamo i peggiori del mondo, ma perché diamo troppa confidenza e non chiediamo rispetto ecc. **Contro la tesi, da confutare:** Non è vero che gli italiani sono mafiosi: soltanto una minima percentuale lo è; non è vero che gli italiani lavorano poco: anzi lavorano più degli altri europei ecc.

Si può scegliere se presentare gli argomenti dal più importante al meno importante o viceversa.

In un testo argomentativo l'uso della prima persona dà uno stile più personale; per adottare uno stile più neutro si usa la prima persona plurale o le forme impersonali e passive.

Spesso si producono testi argomentativi all'università, per esempio per rispondere a domande in cui si richiede espressamente la nostra opinione.

1. Sono in grado di...

	molto ++	abbastanza +	poco –	per niente – –
leggere una recensione di un libro				
parlare di generi letterari				
presentare una notizia come non certa nel passato				
parlare di un fatto non realizzabile nel presente o nel futuro				
riassumere un testo scritto				
fare una presentazione orale su un argomento di letteratura				
esprimere la mia opinione e argomentarla su temi di interesse generale				
capire un dialogo in cui i parlanti utilizzano espressioni di sorpresa e ironia				
leggere un articolo di costume				
scrivere un testo sotto forma di relazione su temi di interesse generale				
scrivere un testo per esprimere la mia opinione su temi di interesse generale				

2. Quali sono le parole che vuoi ricordare delle unità 8 e 9? Prova a scrivere anche aggettivi, nomi, verbi, avverbi collegati alle parole che vuoi ricordare.

1. ....
2. ....
3. ....
4. ....
5. ....
6. ....
7. ....
8. ....

3. Conosci altre parole sul tema delle unità? Se sì, quali? E dove hai sentito o hai letto queste parole?

PAROLE NUOVE	tv	radio	internet	per strada	giornali	altri compagni	altro, specificare

4. Ci sono attività del corso che non fai in maniera rilassata?

No, nessuna.

La comprensione di ascolti difficili.

Le composizioni scritte.

La verifica degli esercizi di grammatica.

I dialoghi in cui devo esprimermi e discutere in italiano con gli altri.

La lettura di lunghi testi scritti.

Altro: ....

5. In genere quando leggi un testo scritto abbastanza lungo...

leggi sempre nello stesso modo, cercando di capire i concetti generali.

leggi in maniera diversa a seconda del testo e del tipo di compito.

leggi in maniera analitica e cerchi sul dizionario le parole che non conosci.

ti fermi a ogni paragrafo e riassumi mentalmente i concetti principali.

sottolinei i punti più importanti.

scrivi accanto al testo una frase o una parola chiave che lo riassume.

altro: ....

6. Cosa pensi se un test di italiano non va bene?

Non ho studiato abbastanza.

Il test era difficile.

Con più attenzione e più tempo il test sarebbe andato bene.

Non ho predisposizione per le lingue.

Taormina (Sicilia)

Risp x fav!

◉ Entriamo in tema

- ↻ Quanta importanza hanno nel tuo paese le tendenze tecnologiche?

- ↻ Quanto sono usati i dispositivi elettronici (computer, telefono cellulare) nella comunicazione pubblica e in quella privata?

- ↻ L'uso di queste nuove forme di comunicazione modifica la lingua, secondo te? Se sì, in che modo?

◉ Comunichiamo

1. Prima di ascoltare il testo osserva le immagini. Di che cosa parlerà il testo? Fai delle ipotesi e confrontati con i compagni.

1. il (telefono) cellulare / il telefonino

2. la messaggistica istantanea

3. il messaggino

4. la Sim Card (ricaricabile / in abbonamento)

2. Ascolta il programma radiofonico: di che cosa parla? Puoi scegliere più di un'opzione.

- a. Della vendita di dispositivi elettronici. ▢
- b. Delle tecnologie della comunicazione. ▢
- c. Dell'evoluzione del telefonino. ▢
- d. Degli usi della lingua legati ai nuovi *media*. ▢

Edizioni Edilingua

3. Ascolta di nuovo il programma radiofonico. Di chi sono le opinioni della colonna a sinistra?

	Giornalista	Matilde	Esperto di comunicazione	Linguista	Tecnico informatico
1 L'unione lingua parlata, lingua scritta, immagini, suoni è tipica dei mezzi di comunicazione informatici.					
2 L'uso di dispositivi elettronici per comunicare cambia il modo di gestire le relazioni.					
3 Per comunicare si usa il cellulare più di altri dispositivi elettronici, come computer e tablet.					
4 La lingua delle chat e degli sms è una forma di parlato.					
5 Il cellulare è un *medium* complesso come il computer, anche se non sembra.					

4. Ascolta di nuovo e leggi il testo. Controlla le risposte delle attività 2 e 3.

Giornalista Sms e chat sono in varia misura il nuovo modello di lingua e di comunicazione. Attraverso i social network e i servizi di messaggistica istantanea ci raccontiamo, ci scambiamo emozioni, ci diamo appuntamento. A volte li usiamo per conoscere o persino per lasciare qualcuno. E tutto questo attraverso lo schermo del telefonino o del tablet. Sentiamo cosa ne pensano utenti ed esperti di lingua e tecnologie della comunicazione. Ciao! Ci parli un po' di come comunichi con i tuoi amici?

Matilde Ciao! Mi chiamo Matilde e ho 15 anni. Come comunico con i miei amici? Beh, dipende. Io spesso comunico con il cellulare... Comunque preferisco comunicare a voce. Infatti, se dovessi scegliere tra le due cose, preferirei telefonare a un'amica piuttosto che inviarle un messaggio. Figurati che una mia amica è stata lasciata dal suo ragazzo con un sms... una cosa bruttissima! Se succedeva a me, andavo a cercarlo!

Giornalista E usi anche le chat?

Matilde Sì, sì, certo. In genere quando sono a casa preferisco chattare, dal computer o dal tablet di mia madre. Se invece devo parlare con più persone contemporaneamente e sono fuori, mi collego a Facebook dal mio telefonino. Cerco di collegarmi a una rete wifi così non spendo niente. Io ho una ricaricabile e il mio piano offre solo poche ore gratis di collegamento a Internet. Sicuramente con un abbonamento ci sono piani anche più convenienti...

Giornalista Secondo alcuni studiosi, il "fenomeno digitale" è contagioso, secondo altri impoverisce la lingua contemporanea, secondo altri ancora infine ci riporterebbe indietro al linguaggio dei bigliettini scritti.
Ascoltiamo ora il parere degli esperti e cominciamo con un esperto di comunicazione. ➡

UFFICIO INFORMAZIONI

Anche la prestigiosa *Accademia della Crusca* di Firenze ha dimostrato da subito interesse verso l'italiano digitato organizzando il convegno *Se telefonando... ti scrivo* in cui esperti del mondo della comunicazione e della tecnologia hanno discusso dei cambiamenti prodotti sulla lingua dall'uso delle nuove tecnologie.
L'Accademia della Crusca, attiva a Firenze dalla seconda metà del 1500, è uno dei principali centri per lo studio della lingua italiana. Nel 1612 gli accademici della Crusca pubblicarono il primo dizionario della lingua italiana.
(www.accademiadellacrusca.it)

Esperto di comunicazione	Be'... un telefonino come l'iPhone è un *medium* molto più complesso di quanto sembri. In altre parole, è molto semplice averlo in mano, ma in realtà è un vero e proprio computer a tutti gli effetti. Ora, con lo smartphone si può fare di tutto: è un mezzo che serve a parlare, a scrivere, a socializzare, ad ascoltare la propria musica preferita e anche a registrare messaggi da ascoltare successivamente.
Giornalista	Diamo ora la parola a un linguista e sentiamo il suo parere.
Linguista	Proprio questi strumenti elettronici, legati all'altissima velocità della comunicazione, partono tutto sommato dal parlato: non è possibile, non c'è tempo per redigere testi, chat, sms pensati a lungo nella loro forma. Quindi, avvicinano ulteriormente il parlato allo scritto, il che non è di per sé un male, purché ci si ricordi che la scrittura ha delle funzioni molto particolari, quando la mettiamo su carta, con un pensiero meditato, più ampio, più ricco.
Giornalista	Tecnici, informatici e sviluppatori di nuove tecnologie sostengono anche un'altra ipotesi: secondo alcuni infatti, se i prezzi degli smartphone e dei tablet saranno contenuti, la pratica degli sms sparirà completamente sostituita dalla pratica dell'*instant messaging*. Lei, che è un esperto di informatica, cosa ne pensa?
Tecnico informatico	Sì... in questo momento, più che mai, c'è stata un'unione fra parola parlata, parola scritta, video, audio. Voglio dire: i vari linguaggi e mezzi tendono a sovrapporsi e quindi a convergere anche nello stesso testo. Non solo oggi si inviano mms, cioè messaggi con testo ed immagini tramite il cellulare, ma anche il semplice uso degli *emoticons* – le così dette "faccine" – sottolinea questa contaminazione di codici.
Giornalista	I cambiamenti prodotti dalle nuove tecnologie nella comunicazione sono anche testimoniati da opere come *L'amore ai tempi del global* di Tiziana Nenezic, in cui si analizzano le relazioni sentimentali nate attraverso i siti di incontri, e *Amore 2.0*, la raccolta di racconti in cui i veri protagonisti sono il telefonino e la Rete, con personaggi che la notte non dormono in attesa di un messaggio da parte dell'amato o controllano continuamente la posta elettronica in attesa di una "sua" e-mail. Insomma, alla fine viene quasi da chiedersi: "Ma se queste persone non avessero avuto computer e telefonino, cosa avrebbero fatto?".

adattato da spring09l5simona.blogspot.com

 5. Qual è il tuo rapporto con la tecnologia? Discutine con un compagno, ecco alcuni spunti.

1. Quanto è importante per te avere sempre una connessione Internet disponibile?

2. Usi chat e sms per comunicare?

3. Sei iscritto a uno o più social network (Facebook, Twitter, Instagram ecc.)? Che ruolo hanno nella tua vita quotidiana?

4. Cosa pensi dell'uso sempre più diffuso delle tecnologie per comunicare?

5. Quali effetti ha, secondo te, sulle relazioni umane?

Edizioni Edilingua

Impariamo le parole - La lingua degli sms e delle chat

6. Osserva le abbreviazioni, i simboli più usati in italiano nelle chat, negli sms. Alcune, evidenziate in grassetto, si scrivono in caratteri MAIUSCOLI. Perché, secondo te?

A presto = ap
Aspetta = asp
Baci e abbracci = ba&ab
Bacio = ba 😙
Baci = bb/**BB** 😙 😙
Bene = bn 🙂
Capito = cpt
Cellulare = cell
Che = ke (ch = k)
Ci = c (Ci sei? = c 6?)
Come = cm
Comunque = cmq
Domani = dom/doma
Dopo = dp
Dove = dv (Dove sei? = dv 6?)
Mi fai venire sonno = zzz 😴

Mille volte ti amo = 1000ta
Mi dispiace = mi disp
Mi manchi tantissimo = mmt+
Messaggio = msg/sms
Non = nn
Numero = nm
Per = x
Perché = xché/xké
Perdere = xdere
Per favore = pls (dall'inglese *please*)/x fav
Per sempre = xs/**XS**
Però = xò
Perso = xso
Più = +
Meno = –
Più tardi = + trd
Qualcuno = qlcn

Qualcosa = qlcs
Rispondimi = risp (Rispondimi subito = ris)
Scusa = scs
Sei la migliore/il migliore = 6 la/il +
Soldi = €
Tanti baci = xxx/**XXX** 😙 😙 😙
Ti amo = ta/**TA**
Ti amo tanto = tat/**TAT**
Ti odio = **TO**
Ti voglio bene = tvb/**TVB**
Ti voglio tanto bene = tvtb/**TVTB**
Ti voglio tanto tanto tanto bene = tvtttb/**TVTTTB**
Tu sei = tu6
Un/Uno/Una = 1

Inoltre, spesso si omettono le vocali: pc sta per *poco*, cn per *con*, grz per *grazie* ecc.

Fare uno squillo significa telefonare a qualcuno e far suonare, squillare una sola volta il telefono; la persona chiamata non risponde. È un segnale per comunicare qualcosa di molto semplice, per cui non vale la pena spendere i soldi della telefonata.
Si può *fare uno squillo* per dire "ti sto pensando" o per rispondere affermativamente a una domanda: ad esempio, Matilde scrive ad Alice: *c ved h 8?* (*ci vediamo alle otto?*). Alice risponde con uno squillo (= *sì, va bene*).

A volte ci si può accordare su un altro significato:
● Ti passo a prendere alle 8. ● Ok, *fammi uno squillo* e scendo!
In questo caso lo squillo significa "ci sono, sono arrivato/a".

7. Completa gli sms inserendo le abbreviazioni viste nell'attività 6.

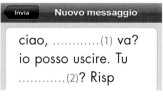

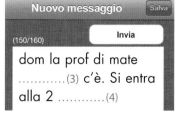

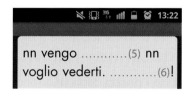

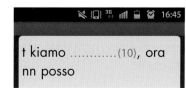

8. Preparare una tesina.

Prendere appunti mentre ascolti, riorganizzarli in una tesina in cui proponi e motivi la tua opinione sull'argomento trattato, sono fra le strategie di studio usate all'università. Ascolta il testo e prendi appunti (puoi usare anche le abbreviazioni viste).

Alcuni esperti parlano a una tavola rotonda di come le nuove tecnologie hanno cambiato il modo di gestire le informazioni e la propria rete sociale.

La tecnologia ha cambiato definitivamente il ruolo e il mestiere del giornalista, infatti, ...
....
.... (1).

Gli utenti diventano anche produttori di informazione: ....
....
.... (2).

Furto di password e stalking sono reati comuni sul Web perché ....
....
.... (3).

La vita dei "nativi digitali" è caratterizzata da ....
....
.... (4).

I social network hanno cambiato il concetto di amicizia ....
....
.... (5).

Questi sono i motivi per cui le persone si iscrivono ai social network: ....
....
.... (6).

adattato da *www.youtube.it*

Ora riorganizza gli appunti che hai preso in un testo scritto che puoi integrare con le informazioni raccolte nelle attività 2 e 3 e altri dettagli che ritieni importanti. Nell'ultima parte aggiungi la tua opinione e porta degli argomenti a sostegno della tua idea.

Facciamo grammatica

Osserva!

1. Se dovessi **scegliere** [...], preferirei **telefonare** a un'amica.
2. Se succedeva a me, andavo a cercarlo!
3. Se i prezzi degli smartphone e dei tablet saranno **contenuti**, la pratica degli sms sparirà completamente.
4. Ma se queste persone non avessero avuto **computer** e telefonino, cosa avrebbero fatto?

Quelli riportati sopra sono esempi di frasi ipotetiche, ma non tutte esprimono lo stesso grado di realizzabilità.

Edizioni Edilingua

9. Scrivi la regola. Rispondi alle domande e completa la tabella.

a. Quale frase esprime un'ipotesi realizzabile? ....

b. Quale frase esprime un'ipotesi possibile? ....

c. In quale/i frase/i si esprime un'ipotesi irrealizzabile o impossibile? ....

d. Qual è la differenza fra la frase 2 e la frase 4? ....

	Tempo e modo verbale nella Condizione/Ipotesi	Tempo e modo verbale nella Conseguenza
Periodo ipotetico di I tipo esprime un'ipotesi realizzabile	Se .... + ... oppure	
Se piove, prendo l'ombrello. *Se piove, prenderò l'ombrello.*	Se .... + ... oppure	
Esempi: *Frase* ....3.......	Se .... + ...	
Periodo ipotetico di II tipo esprime un'ipotesi possibile **Esempi**: *Frase/i*	Se .... + ...	
Periodo ipotetico di III tipo esprime un'ipotesi irrealizzabile o impossibile **Esempi**: *Frase/i*	Se .... + ... oppure Se .... + ...	

Attenzione!

In italiano dopo se non si usa MAI né il condizionale (presente/passato) né il congiuntivo presente.

10. Completa le frasi con la forma verbale corretta.

1. Pietro sta sempre attaccato al suo telefonino: se non lo avesse, (sentirsi) .... perso.

2. In genere non rispondo se (ricevere) .... una telefonata da un numero sconosciuto.

3. L'esperto di tecnologia dichiara che nessuno userà più gli sms se i prezzi dei cellulari di nuova generazione (essere) .... bassi.

4. Avremmo comprato un nuovo computer portatile per nostra figlia, se (avere) .... più soldi.

5. Se Matilde è a casa, (preferire) .... chattare.

6. Se mi dicessero che tutte le tecnologie non saranno disponibili per un mese, (essere) .... contento!

7. Il linguista avverte che dobbiamo ricordare che la lingua degli sms appartiene al parlato, se (scrivere) .... un messaggio vero e proprio, dobbiamo essere più precisi.

8. Paola è rimasta chiusa in ascensore. Nessuno la sentiva e l'allarme non funzionava: chissà quanto tempo rimaneva lì dentro, se non (avere) .... il telefonino per chiamare aiuto!

l'italiano all'università

11. Osserva queste immagini e discuti con un compagno.

Quanto hai pagato i jeans?

Vedo che ti stanno benissimo!

1. Cosa penseresti se fossi il ragazzo con il cappello e la giacca a quadri che sta guardando le ragazze?

Non ti sopporto. Non chiamarmi più!

Il bimbo non è mio. Arrangiati e lasciami stare!

2. Cosa avresti risposto, se avessi ricevuto uno di questi sms?

A che ora è il party?

Alle 9. Vediamoci lì!

3. Se questi due ragazzi comunicano con gli sms anche a pochi metri di distanza, come sarà la loro relazione?

12. Discuti con un compagno.

Prova a immaginare una vita senza cellulare e senza Internet. Fai delle ipotesi su come faresti per:
1. organizzare un viaggio;
2. ritrovare e/o rimanere in contatto con amici lontani;
3. consultare l'orario dei treni;
4. condividere le tue foto e i tuoi video con amici e parenti lontani.

13. Osserva queste immagini e parla con un compagno di questi mezzi di comunicazione.

telefono pubblico

telefonino

programma di messaggistica istantanea e (video)chiamate

social network

telefono fisso/ di casa

Edizioni Edilingua

Comunichiamo

14. Prima di leggere il testo osserva il significato di queste parole.

scorciatoia	= strada più corta (*anche in senso metaforico*)
inquietare	= preoccupare, mettere ansia, irritare
goffo	= senza eleganza
schiantarsi	= andare con violenza contro qualcosa e distruggersi (*uso metaforico*)
commissione ministeriale	= gruppo di lavoro del Parlamento che deve prendere una decisione importante
neologismo	= parola nuova
modaiolo	= che si interessa molto alla moda e la segue sempre
pavido	= che ha paura
pedante	= che segue le regole in modo eccessivamente attento

15. Leggi il testo e rispondi alle domande.

Ho deciso: skyperò
di Beppe Severgnini

1 Ho riletto il messaggio, spedito a casa dall'aeroporto di Adelaide, e non ci volevo credere: "Skypo @ vs h 13". Lasciate perdere la seconda parte. @ = alle, vs = vostre, h = ore: sono sms-scorciatoie. Anche se oggi possono sembrare strane, forse, un giorno, diventeranno un italiano parallelo; forse no. Per ora costituiscono un codice di comunicazione. Utile e impuro. Perciò, cari puristi, lasciatelo in pace.

5 Passando ad altro, devo dire che mi ha inquietato quel verbo: *skypo*, prima persona, presente indicativo, verbo *skypare*. Come molti (ma non tutti) sanno, viene da Skype, un *software* che consente telefonate gratuite sulla Rete (*VoIP, Voice over Internet Protocol*). Il prodotto permette anche di scambiarsi messaggi in diretta e vedere gli interlocutori.

Non fate quella faccia: è roba semplice. È così che molti nonni italiani guardano crescere i nipotini sparsi
10 per il mondo, senza pagare neanche un centesimo in più.

Però, lo ammetto: prima di usarlo, non avevo mai letto, né sentito, il verbo *skypare* (pronuncia, "scaipare"). L'ho usato d'istinto perché la traduzione italiana - "telefono con Skype" - è più lunga (sedici lettere contro cinque). Per lo stesso motivo, credo, s'imporrà *googlare* (= "cercare con Google", celeberrimo motore di ricerca). Le resistenze dipendono dalla coniugazione del verbo, un po' goffa ("Gloria mi ha detto
15 d'avermi *googlato*. E se la *googlassi* anch'io?").

Qualcuno dirà: non bisogna stupirsi. Ogni nuovo strumento ha creato i suoi vocaboli, per descrivere le nuove situazioni che esso produce. Da principio stupiscono, poi ci si fa l'abitudine. Prima dell'invenzione del fucile, di sicuro, non esisteva il verbo *fucilare*. Per restare alle telecomunicazioni: *telegrafare, telefonare* e *citofonare* sono entrati nell'uso corrente. Anche *faxare* ce l'ha quasi fatta. "Te lo faxo", dieci anni fa,
20 suonava ridicolo. Oggi che i fax non li usa quasi più nessuno, il verbo viene accettato: dai dizionari e dal nostro "senso del pudore linguistico" (© Luca Serianni).

Non va sempre così. *Lettera, telegramma* e *email* non hanno prodotto verbi all'altezza. *Letterare, telegrammare* ed *emailare* si sono schiantati (giustamente) al primo ostacolo. Non c'è stato bisogno di commissioni ministeriali: il tribunale dell'uso è più spietato. I parlanti e gli scriventi – orrendi participi presenti, ma ren-
25 dono l'idea – sono saggi, risparmiano energie, hanno orecchio e fantasia.

Torniamo ai neologismi legati a tecnologie, scoperte o nuove abitudini. Perché alcuni si sono imposti nella lingua originale (quasi sempre l'inglese), mentre altri hanno sfondato in traduzione? ➡

Risposta: se troviamo rapidamente un buon equivalente italiano, lo utiliz-
ziamo volentieri (a parte i modaioli, i pigri, i pavidi e i conformisti). È il caso di
30 *tastiera* per *keyboard*, *schermo* per *screen*, *allegato* per *attachment*, *scaricare*
per *download*. In altri casi la parola originale viene italianizzata, naturalmente
quando questo è possibile, e allora nascono verbi come *skypare*, appunto, o
come *chattare*. Niente da fare, invece, se la traduzione è inefficace (*puntatore*
per *mouse*), pedante (*collegamento* per *link*), inesistente (*marketing!*) o troppo
35 lunga (*malessere che segue i lunghi viaggi aerei dovuto al rapido cambiamento di
fusi orari* invece di *jet-lag*: ora che lo si pronuncia, si è arrivati a destinazione).
Quindi, ora dobbiamo decidere: cosa ne facciamo di Skype e Google? Traduciamo,
38 conserviamo, coniughiamo? Io ho scelto: dall'Australia, skyperò. Voi, fatemi sapere.

adattato da *www.corriere.it/italians*

i UFFICIO
INFORMAZIONI

Beppe Severgnini è uno dei più
famosi giornalisti italiani contemporanei. Autore di articoli e saggi
sull'Italia e gli italiani, fra cui il già
ricordato *La testa degli italiani*, da
anni è una delle firme più ap-
prezzate del *Corriere della Sera*.
(www.beppesevergnini.com)

1. Che cosa significa *skypare*?
   ....

2. Perché vengono inventate e usate parole come *skypare*?
   ....

3. Come sono nate parole come *telefonare* e *faxare*?
   ....

4. Quando esiste un buon equivalente italiano perché, secondo Severgnini, ci sono persone che preferiscono usare le parole in inglese?
   ....

5. Perché ci sono parole ed espressioni che non sono generalmente tradotte in italiano? Fai qualche
   esempio.
   ....

Impariamo le parole - Espressioni idiomatiche, Internet e computer

16. Individua nel testo le espressioni date e collegale alla giusta definizione.

1. farcela (righe 15-20)
2. all'altezza (righe 20-25)
3. rendere l'idea (righe 20-25)
4. avere orecchio (righe 20-25)
5. sfondare (righe 25-30)
6. cosa farne di (righe 35-38)

a. avere sensibilità musicale
b. riuscire in qualcosa
c. come comportarsi con
d. dello stesso livello
e. far capire bene
f. avere successo, affermarsi

17. Completa le frasi con le espressioni idiomatiche viste.

1. Emiliano suona la chitarra molto bene perché .... Figurati
   che non ha mai studiato musica, non so se ho ....! È ancora
   molto giovane, ma secondo me è un tipo che .... di sicuro.

2. Devo finire questo lavoro entro stasera: per fortuna .... quasi ....
   perché sono stanchissimo!

3. Francesco ha studiato molto per l'esame di ingegneria informatica, ma ha paura di non essere
   .... e quindi di non superarlo.

Edizioni Edilingua

18. Scrivi le parole della lista al posto giusto, come nell'esempio.

la tastiera - lo schermo - le cuffie - il mouse - la stampante - il videoproiettore
la chiavetta/penna - la lavagna interattiva multimediale

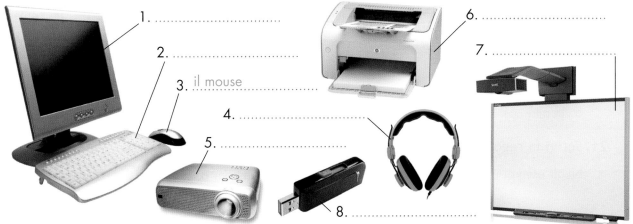

1. ....

2. ....

3. il mouse ....

4. ....

5. ....

6. ....

7. ....

8. ....

19. Inserisci le parole della lista.

scaricare - allegato - link - sito - in copia

◄ ► C ⌂ X + **Appuntamento**   Q

Da: Patrizia Rosi <p.rosi@yahoo.it>   **A:** Giovanni Dannone <g.dannone@virgilio.it>
Oggetto: Appuntamento   **CC:** Marta Cellai <marta.cellai@libero.it>
Data: 18 marzo, 10:08 GMT+02:00   **Allegato:** Classi_concorso.pdf

Caro Giovanni,
ti scrivo questa email per informarti che non potrò venire al nostro appuntamento di lunedì prossimo a causa di un impegno di lavoro imprevisto.
In ....(1) troverai comunque il documento di cui dobbiamo discutere, in modo
che tu lo possa ....(2) e leggere per decidere come procedere.
Trovi informazioni interessanti anche sul ....(3) del Ministero della Pubblica Istru-
zione. Se ti interessa leggere anche altri documenti, ecco di seguito il ....(4):
www.istruzione.it.
Ho messo ....(5) anche Marta perché sia anche lei informata della situazione.
Scusami tanto per l'inconveniente!
Ciao, a presto,
Patrizia

20. Adesso leggi il testo completo, controlla le tue risposte e scrivi un'e-mail di risposta.

il 18 marzo, alle 10:08, "Patrizia Rosi" p.rosi@yahoo.it ha scritto:

Caro Giovanni,
ti scrivo questa email per informarti che non potrò venire al nostro appuntamento di lunedì pros-
simo a causa di un impegno di lavoro imprevisto.
In allegato troverai comunque il documento di cui dobbiamo discutere, in modo che tu lo possa
scaricare e leggere per decidere come procedere.
Trovi informazioni interessanti anche sul sito del Ministero della Pubblica Istruzione. Se ti interessa
leggere anche altri documenti, ecco di seguito il link: www.istruzione.it.
Ho messo in copia anche Marta perché sia anche lei informata della situazione.
Scusami tanto per l'inconveniente!
Ciao, a presto,
Patrizia

Osserva!

1. Anche se oggi possono sembrare strane, forse, un giorno, diventeranno un italiano parallelo.
2. È così che molti nonni italiani guardano crescere i nipotini [...], senza pagare [...] un centesimo in più.
3. Ogni nuovo strumento ha creato i suoi vocaboli, per descrivere le nuove situazioni che esso produce.
4. Prima di usarlo, non avevo mai letto, né sentito, il verbo *skypare.*
5. In altri casi la parola originale viene italianizzata, naturalmente quando questo è possibile.

21. Scrivi la regola. Completa e scegli l'alternativa corretta.

Negli esempi riportati, vediamo che con tutte le congiunzioni o la preposizione *per* si usa il modo ....(1) oppure ....(2). Ognuna di esse può essere sostituita da una congiunzione che richiede il modo congiuntivo. Questa ultima forma è tipica dei testi formali, accademici, sia scritti che orali:

1. *anche se* + ...(3) = sebbene/benché/nonostante (che) + congiuntivo
2. ....(4) + infinito = senza + che + congiuntivo
3. ....(5) + infinito = perché/affinché + congiuntivo
4. *prima* + ...(6) + infinito = prima + ...(7) + congiuntivo
5. *quando* + ...(8) = qualora + congiuntivo

Attenzione!

Possiamo usare senza + infinito e prima di + infinito solo se il soggetto della frase principale e il soggetto della frase secondaria coincidono, cioè sono la stessa persona.

22. Adesso prova a riformulare le frasi degli esempi con il congiuntivo.

1. ....
2. ....
3. ....
4. ....
5. ....

23. Trasforma le seguenti frasi usando l'indicativo o l'infinito.

1. Sebbene non mi piaccia molto il computer, lo trovo utile per restare in contatto con amici lontani.
   ....

2. Vi spediremo un'e-mail perché (affinché) siamo sicuri di avervi trasmesso tutte le informazioni.
   ....

3. Ho preso l'iPhone di mio figlio senza che me ne accorgessi!
   ....

4. Prima che partiate, dovete lasciarci i vostri recapiti.
   ....

Edizioni Edilingua

Analizziamo il testo

Osserva!

- Io spesso comunico con il cellulare... Comunque preferisco comunicare a voce. (*Attività 4*)
- In altre parole, è molto semplice averlo in mano. (*Attività 4*)
- Ora, con lo smartphone si può fare di tutto. (*Attività 4*)
- Voglio dire: i vari linguaggi e mezzi tendono a sovrapporsi e quindi a convergere anche nello stesso testo. (*Attività 4*)
- Figurati che una mia amica è stata lasciata dal suo ragazzo con un sms... (*Attività 4*)
- Passando ad altro, devo dire che mi ha inquietato quel verbo. (*Attività 15*)
- Per restare alle telecomunicazioni: *telegrafare* [...] e *citofonare* sono entrati nell'uso. (*Attività 15*)
- Torniamo ai neologismi legati a tecnologie, scoperte o nuove abitudini. (*Attività 15*)

Le parole evidenziate sono segnali discorsivi. In questi esempi si usano per riformulare una frase, segnalare un cambio netto di discorso, indicare una ripresa.

Espressioni come figurati/si figuri/figuriamoci/figuratevi, che letteralmente significano "immaginati/si immagini/immaginiamoci/immaginatevi (la situazione)", si usano per dare enfasi.

24. Scrivi la regola. Ordina i segnali discorsivi degli esempi secondo il loro significato. Se ne ricordi altri, scrivi anche quelli.

Riformulare	Cambio netto	Una ripresa

25. Inserisci i segnali discorsivi della lista. Attenzione ce ne sono 2 in più!

Torniamo - Ora - Figurati - Comunque - Per restare - Ecco - In altre parole

Ho comprato un iPhone perché non potevo più farne a meno. In questo modo posso gestire tutto e sempre dal mio telefonino: telefonate, sms, chat, e-mail, musica... Posso anche andare su Facebook in qualsiasi momento e restare sempre in contatto con i miei amici. (1).......................... non voglio usarlo troppo perché non vorrei diventarne dipendente. (2).......................... ho paura di non poter più vivere senza questa magnifica tecnologia completamente portatile. (3).......................... che ho sentito di gente che addirittura dorme con l'iPhone vicino! Mi sembra davvero un po' troppo: la vita diventa tutta virtuale e qualcuno non ha più neanche voglia di uscire, tanto è tutto lì, in quella bella "scatola" compatta!

(4).........................., la tecnologia è bella, ma è venuto il momento di trovare un equilibrio! Mi sembra necessario e sano, o si rischierà di non dare più il giusto valore alle relazioni umane. Non ti pare?

(5).......................... all'iPhone. Tu quando pensi di comprarlo?

Scriviamo insieme

26. *Le nuove tecnologie.*

Lavorate in tre gruppi e fate una ricerca sulle nuove tecnologie. Il primo gruppo dovrà parlare delle invenzioni che hanno rivoluzionato il modo di comunicare negli ultimi 50 anni; il secondo gruppo documenterà gli effetti delle nuove tecnologie sull'uomo e sulla società; infine il terzo gruppo parlerà del futuro delle comunicazioni e dei media, di come si potranno sviluppare secondo le previsioni degli esperti.

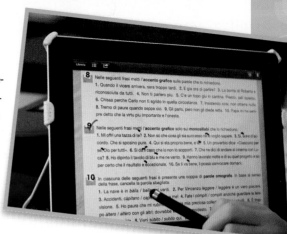

Analizziamo il testo

27. Rileggi ora il testo di Beppe Severgnini (attività 15) e completa le affermazioni.

Come spesso succede, il testo non ha un solo scopo, ma uno scopo principale ed altri secondari: è un testo misto.

1. Lo scopo principale è ...., ma ha anche parti di:

   ▢ a. descrizione   ▢ b. narrazione   ▢ c. argomentazione

2. Quale parte viene prima? Quale viene dopo? Ordina:

   1. .... 2. .... 3. ....

Strategie che usi all'università

28. Esprimere la propria opinione in un testo scritto.

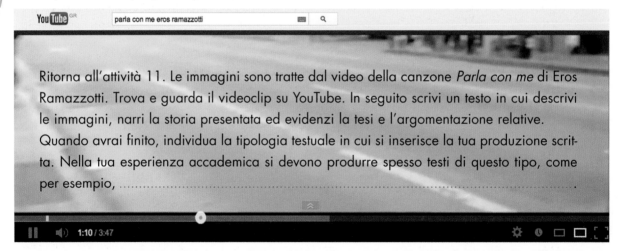

Ritorna all'attività 11. Le immagini sono tratte dal video della canzone *Parla con me* di Eros Ramazzotti. Trova e guarda il videoclip su YouTube. In seguito scrivi un testo in cui descrivi le immagini, narri la storia presentata ed evidenzi la tesi e l'argomentazione relative.
Quando avrai finito, individua la tipologia testuale in cui si inserisce la tua produzione scritta. Nella tua esperienza accademica si devono produrre spesso testi di questo tipo, come per esempio, ...

Conosciamo gli italiani

29. Prima di leggere il testo osserva queste parole ed espressioni.

primato assoluto	= risultato migliore di tutti
divario	= differenza, spesso anche grande
si affida	= si rivolge a qualcuno o a qualcosa in cui ha fiducia
quota	= numero
con ampio margine	= con un grande vantaggio
bacheca	= spazio, anche virtuale, in cui lasciare messaggi e informazioni di interesse generale
si tiene aggiornato	= si mantiene informato sulle notizie più recenti

Edizioni Edilingua

30. Leggi il testo. Vero o falso?

Gli italiani crescono con Internet e la tecnologia

È un quadro complesso quello che emerge dalle ultime ricerche statistiche nel capitolo dedicato agli italiani e le tecnologie. Un quadro fatto di molte conferme e qualche novità.

Per quanto riguarda i dispositivi elettronici, risultano maggiormente diffusi tra i cittadini italiani il telefonino (solo il 5,1% non lo usa mai) e la TV (il 7,3% non la guarda). Un italiano su quattro, invece, non ascolta mai la radio; meno della metà degli intervistati usa il lettore DVD, ma sono ancora meno i cittadini che utilizzano lettori MP3/iPod, console per videogiochi, iPad/tablet ed e-book, per la maggior parte giovani.

Durante la giornata, però il primato assoluto torna alla TV. Segue, a una certa distanza, il cellulare, per il quale prevale un consumo giornaliero fino a un'ora, ma c'è chi lo usa addirittura da due a quattro ore al giorno, talvolta anche più di quattro ore al giorno. La TV non è affatto sparita dalle abitudini mediatiche degli italiani ma, anzi, ne è ancora la protagonista.

Lo conferma anche il dato sull'**informazione**: più della metà dei cittadini utilizza la televisione come mezzo principale per tenersi informato. Al secondo posto, con un forte divario, si collocano i quotidiani online, poi i blog e altri siti Internet d'informazione. Resiste una piccola percentuale di italiani che si affida ancora in primo luogo ai quotidiani cartacei, alla radio, e in pochissimi seguono le notizie sulla *free press*.

Internet L'utilizzo più frequente di Internet da parte degli utenti abituali è la ricerca di informazioni di loro interesse. Di poco inferiore è la quota di chi invia e riceve mail. Si stanno sempre più affermando social network, acquisti online, servizi di *instant messaging*, videogiochi online, siti per scaricare musica/film/giochi/video e iscrizioni a forum di discussione.

Social Network Facebook si conferma con ampio margine il social network più diffuso in Italia: lo usa quasi il cento per cento dei navigatori *social*, soprattutto per guardare le attività e le foto dei propri amici e per tenersi in contatto con loro attraverso commenti. Più della metà degli intervistati condivide le proprie foto ed i propri video, chatta con gli amici, si tiene aggiornato su eventi/incontri, condivide link, musica e video. Quasi tutti i partecipanti si iscrivono a pagine su personaggi e argomenti di loro interesse, conoscono nuove persone e condividono sulla propria bacheca quel che pensano e che fanno.

Twitter si conferma al secondo posto usato da quasi un soggetto su tre, soprattutto per leggere quel che scrivono i personaggi di loro interesse e gli amici. La maggioranza si tiene aggiornata sulla politica e l'attualità, risponde ai *tweet* degli amici, scrive cosa pensa, condivide link, articoli, siti.

Al terzo posto si classifica Linkedin, meno diffuso è Pinterest.

Sul versante del **commercio online**, più della metà dei navigatori abituali è iscritto ad almeno un gruppo d'acquisto e in molti fanno abitualmente acquisti attraverso uno di questi gruppi. I prodotti/servizi più acquistati tramite i gruppi online sono pasti (pranzi, cene, aperitivi), comprati dalla metà di chi ha fatto acquisti; seguono apparecchiature tecnologiche, trattamenti estetici, pacchetti benessere, viaggi. Molto acquistati anche biglietti per spettacoli/mostre, visite mediche, corsi, prodotti alimentari. La crescita del commercio online testimonia dunque la potenzialità che l'economia digitale ha nel nostro paese.

adattato da *www.techeconomy.it*

	Vero	Falso
1. In Italia i media più usati sono cellulare e televisione.	▢	▢
2. Lettori MP3/iPod, console per videogiochi, iPad/tablet ed e-book sono molto usati in Italia.	▢	▢
3. Quotidiani online, blog e altri siti online di informazione sono abbastanza seguiti dagli italiani.	▢	▢
4. Internet è prevalentemente usato per ricerche e invio di mail.	▢	▢
5. Il social network più usato in Italia è Facebook.	▢	▢
6. Twitter è il social network meno frequentato dagli italiani.	▢	▢
7. I gruppi di acquisto italiani hanno pochi iscritti.	▢	▢
8. In Italia il commercio online è in espansione.	▢	▢

Parliamo un po'...

- Quali fasce della popolazione usano di più i social network (Facebook, Twitter, Instagram) nel tuo paese?
- Cosa pensi dell'importanza attribuita alla tecnologia in Italia? Pensi sia giusto?
- Nel tuo paese quanto è diffuso l'uso della tecnologia per incontrare nuove persone e stabilire relazioni affettive? Sei contrario o favorevole?
- Quale dovrebbe essere, secondo te, il giusto rapporto uomo-tecnologia?
- Chi usa di più la tecnologia per comunicare nel tuo paese? Anziani/bambini sotto i 12 anni/casalinghe...?

Si dice così!

Ecco alcune espressioni utili per...

Fare ipotesi reali, possibili, impossibili/irreali	Se dovessi **scegliere** [...], preferirei **telefonare a un'amica.** Se succedeva **a me,** andavo **a cercarlo!** Se **i prezzi degli smartphone e dei tablet** saranno **contenuti, la pratica degli sms** sparirà **completamente.** Ma se **queste persone non** avessero avuto **computer e telefonino, cosa** avrebbero fatto**?**
Dare enfasi	Figurati **che una mia amica è stata lasciata dal suo ragazzo con un sms...**
Riformulare	Un telefonino come l'iPhone è un *medium* molto più complesso di quanto sembri. In altre parole, è molto semplice averlo in mano, ma in realtà è un vero e proprio computer.
Riprendere un argomento	Per restare alle telecomunicazioni: *telegrafare* [...] e *citofonare* sono entrati nell'uso corrente.
Cambiare argomento	Passando ad altro, devo dire che mi ha inquietato quel verbo.

Sintesi grammaticale

- **Il periodo ipotetico**

Periodo ipotetico di I tipo esprime un'ipotesi realizzabile	
Se piove, prendo *l'ombrello.*	**Se indicativo presente +** indicativo presente **oppure**
Se piove, prenderò *l'ombrello.*	**Se indicativo presente +** indicativo futuro semplice **oppure**
Se piove, prendi *l'ombrello!*	**Se indicativo presente +** imperativo **oppure**
Se i prezzi degli smartphone e dei tablet saranno contenuti, la pratica degli sms sparirà.	**Se indicativo futuro semplice +** indicativo futuro semplice **oppure**
Se pioverà, prendi *l'ombrello!*	**Se indicativo futuro semplice +** imperativo

Edizioni Edilingua

> **Periodo ipotetico di II tipo** esprime un'ipotesi possibile

Se dovessi scegliere, preferirei telefonare a un'amica.	*Se* congiuntivo imperfetto + condizionale presente

> **Periodo ipotetico di III tipo** esprime un'ipotesi irrealizzabile o impossibile

Se succedeva a me, andavo a cercarlo. oppure *Ma se [...] non avessero avuto computer e telefonino, cosa avrebbero fatto?*	*Se* indicativo imperfetto + indicativo imperfetto oppure *Se* congiuntivo trapassato + condizionale passato

Attenzione!

In italiano dopo *se* non si usa MAI né il condizionale (presente/passato) né il congiuntivo presente.

Esempi:

Se dovessi scegliere [...], preferirei telefonare a un'amica.

Se succedeva a me, andavo a cercarlo!

Se i prezzi degli smartphone e dei tablet saranno contenuti, la pratica degli sms sparirà.

Ma se queste persone non avessero avuto computer e telefonino, cosa avrebbero fatto?

- **Frasi concessive, esclusive, temporali, finali**

  Dopo anche se si usa l'indicativo; dopo senza, prima di e per si usa il modo infinito, quando il soggetto della frase principale e quello della frase secondaria coincidono, sono cioè la stessa persona. Ognuna di queste espressioni può essere sostituita da una congiunzione o espressione che richiede il modo congiuntivo. Quest'ultima forma è tipica dei testi formali, accademici, sia scritti che orali. Si distinguono secondo quello che esprimono:

  – una **concessione**: *anche se* + indicativo = *sebbene/benché/nonostante (che)* + congiuntivo
    Esempio:
    Anche se oggi possono sembrare strane, forse, un giorno, diventeranno un italiano parallelo.

  – un'**esclusione**: *senza* + infinito = *senza che* + congiuntivo
    Esempio:
    È così che molti nonni italiani guardano crescere i nipotini [...], senza pagare un centesimo in più.

  – **anteriorità**: *prima di* + infinito = *prima che* + congiuntivo
    Esempio:
    Prima di usarlo, non avevo mai letto, né sentito, il verbo *skypare*.

  – il **fine**: *per* + infinito = *affinché/perché* + congiuntivo
    Esempio:
    Ogni nuovo strumento ha creato i suoi vocaboli, per descrivere le nuove situazioni che esso produce.

● **I segnali discorsivi**

Le espressioni usate per **riformulare** (voglio dire, in altre parole, ...), per **segnalare un cambio netto di discorso** (comunque, ora, passando ad altro, ...), per **dare enfasi** (figurati, ...), per **segnalare una ripresa** (per restare a, torniamo a, ...) sono tipici della lingua parlata, del parlato riportato e dello scritto che si avvicina al parlato.

Esempi:

Voglio dire: i vari linguaggi e mezzi tendono a sovrapporsi e quindi a convergere anche nello stesso testo.

In altre parole, è molto semplice averlo in mano.

Io spesso comunico con il cellulare... Comunque preferisco comunicare a voce.

Ora, con lo smartphone si può fare di tutto.

Passando ad altro, devo dire che mi ha inquietato quel verbo.

Figurati che una mia amica è stata lasciata dal suo ragazzo con un sms...

Per restare alle telecomunicazioni: *telegrafare* [...] e *citofonare* sono entrati nell'uso corrente.

Torniamo ai neologismi legati a tecnologie, scoperte o nuove abitudini.

Edizioni Edilingua

◎ Grammatica

1. Scegli l'opzione corretta.

1. Accetterò/Avrò accettato di parlare con te solo dopo che mostrerai/avrai mostrato rispetto per il posto da cui provengo, per la mia cultura e quindi per me.
2. Lunedì prossimo parto per la Cina. Starò/Sarò stato via un mese. Ti racconterò/avrò raccontato tutto dopo che tornerò/sarò tornato, lo prometto.

_____ /5

2. Trova l'errore e correggi le frasi.

1. La criminalità è un problema di alcuna città.   ....
2. L'Italia non è solo terra di mafiosi. Qualunque persone che ci sia stata può dirlo.   ....
3. Non ho avuto alcuno problema con i siciliani quando ho visitato la Sicilia.   ....
4. Non ho qualche idea su quale possa essere la soluzione migliore.   ....
5. Se alcuni italiani sono truffatori, non è detto che lo siano qualsiasi.   ....

_____ /5

3. Completa le frasi con la forma adatta dei verbi.

1. Il nuovo tablet della Nokia costa 500 euro. Se li (avere) ...., lo (comprare) .... già ....
2. Perché quando sei uscito non mi hai inviato un messaggio? Se me lo (mandare) .... , ti (raggiungere) ....
3. Se (noi - scrivere) .... le e-mail come scriviamo gli sms, (usare) .... una lingua non appropriata.
4. (noi - Risparmiare) .... un sacco di soldi in telefonate se (scoprire) .... Skype qualche anno fa.
5. Facebook mi sembra un'invasione della privacy! Se (dipendere) .... da quelli come me, i social network (durare) .... poco.

_____ /5

4. Trasforma le frasi in un periodo ipotetico.

1. Ieri sera non avevo il cellulare e non ti ho chiamato.
   Se ....
2. Non ho ancora un profilo su Facebook e quindi non ho ritrovato i miei vecchi compagni di scuola.
   Se ....
3. A lezione spengo il cellulare, altrimenti disturbo gli altri.
   Se non ....
4. Ieri, senza una connessione veloce a Internet, non avrei potuto mandarti i file.
   Se ieri non ....
5. Non posso inviarti un sms, non ho più credito.
   Se ....

_____ /5

◎ Testualità

5. Abbina la funzione adeguata alle parti del testo.

◯ A. Anche se dobbiamo ammettere che la nostra produttività nel settore pubblico e nel privato potrebbe migliorare, dobbiamo dire che troppo spesso l'idea degli stranieri è poco obiettiva. Molte volte, infatti, gli stranieri ci giudicano secondo le informazioni che leggono sui loro giornali o comunque considerano come termine di paragone i loro paesi che magari hanno strutture non paragonabili alle nostre, come nel caso degli Stati Uniti.

◯ B. Vorrei discutere con voi su alcune idee preconcette che ancora molti stranieri hanno sugli italiani.

◯ C. Una delle critiche che più spesso ci fanno gli stranieri riguarda la nostra presunta scarsa attività sul lavoro. Ci dicono che i nostri uffici aprono tardi e chiudono presto, che la pausa pranzo dura troppo, che ci sono troppe vacanze ecc.

◯ D. Insomma, personalmente ritengo che definire i lavoratori italiani come fannulloni o assenteisti sia una generalizzazione sbagliata. È vero che una parte di loro non produce come dovrebbe, ma è anche vero che la maggior parte è rappresentata da lavoratori onesti e di buona produttività.

◯ E. Al contrario, dati alla mano, sembra che gli italiani lavorino molto, facciamo meno vacanze dei loro colleghi europei e abbiano meno tempo libero durante la giornata. Tutto questo con uno stipendio che è tra i più bassi dei paesi dell'Unione.

1. Introdurre il tema	2. Introdurre la tesi che si vuole confutare, contestare	3. Introdurre argomenti contro la tesi da confutare	4. Introdurre dati a favore della propria tesi	5. Concludere

/5

6. Scegli l'opzione corretta.

● Allora, cosa ne pensa del fenomeno Facebook? Ritiene che sia pericoloso?

● No, pericoloso non direi, se non in alcuni casi limite. Mi ha colpito il recente fatto di cronaca di un omicidio per un'amicizia su Facebook non accettata...

● Certo. Ma (1) passiamo/torniamo all'uso che ne facciamo normalmente. Qual è la sua opinione?

● Guardi, secondo me bisogna sapere usare i social network. Se li consideriamo come un'aggiunta alle nostre relazioni personali "dal vivo", sono divertenti e utili, per esempio per tenere i contatti con amici lontani. Se invece sono la nostra unica fonte di relazioni di amicizia, possono diventare alienanti. (2) Voglio dire/Comunque, non c'è una comunicazione che dà emozioni come quella personale.

● (3) In altre parole/Ora, Facebook ci renderebbe meno emotivi?

● In un certo senso sì. (4) Comunque/In altre parole, Facebook può avere anche risvolti positivi.

● Per esempio?

● Beh, (5) come dicevo/come pensavo, Facebook aiuta a mantenere i rapporti a distanza...

/5

◎ Vocabolario

7. Trovo la parola.

1. La parte del computer che serve per scrivere. ....
2. Collegarsi a Internet. ....
3. Un documento che invio insieme a un'e-mail. ....
4. Trasferire un file dalla casella di posta al proprio pc. ....
5. Le usi per ascoltare la musica o parlare su Skype. ....

/5

8. Trova il contrario di questi aggettivi.

1. truffatore ≠ onesto/valido/efficiente
2. aperto ≠ solare/misurato/intollerante
3. sciocco ≠ semplice/furbo/tirchio

4. modesto ≠ arrogante/donnaiolo/serio
5. accogliente ≠ poliglotta/testardo/inospitale

/5

Punteggio Totale   /40

Fai la raccolta differenziata?

Entriamo in tema

- ⊃ Secondo te, quali sono i più gravi rischi ambientali?
- ⊃ Se potessi decidere tu, quali provvedimenti prenderesti?
- ⊃ Quali comportamenti quotidiani potremmo adottare per migliorare la situazione ambientale?
- ⊃ Rinunceresti a qualche comodità per amore dell'ambiente? Se sì, a quale/i?

Comunichiamo

1. **Prima di leggere il testo osserva il significato di queste parole ed espressioni.**

emissioni	= perdite, uscite
studi epidemiologici	= studi che riguardano le malattie infettive
patologie respiratorie	= malattie che riguardano le vie respiratorie
attività zootecniche	= attività che riguardano l'allevamento degli animali
depurazione	= pulizia, purificazione
eutrofizzazione	= crescita eccessiva di piante e organismi vegetali nei fiumi e nei laghi
fauna acquatica	= insieme di animali che vivono nelle acque
fabbisogno energetico	= energia necessaria
esaurimento	= fine
incremento	= aumento

2. **Leggi il testo e inserisci il titolo dei paragrafi.**

> **a.** Cibo e acque avvelenate **b.** I polmoni verdi a rischio **c.** Città malate per trasporti e industrie
> **d.** Avanzamento dei deserti e disponibilità d'acqua **e.** Consumo energetico e cambiamenti climatici

Inquinamento ambientale: alcuni dati

1 ....

Nel mondo sono in circolazione più di cinquecento milioni di automobili e un numero poco inferiore di camion e autobus. Dal settore dei trasporti è prodotta gran parte delle emissioni di monossido di carbonio e di idrocarburi (i gas che provocano lo smog), il 60% delle emissioni di ossidi di azoto (responsabili del-

Puliam
il Mond
LEGAMBIEN

5 le piogge acide), circa un terzo delle emissioni di anidride carbonica (il principale «gas di serra»). L'inquinamento atmosferico provocato dai trasporti, dalle industrie, dalle centrali termoelettriche è una grave minaccia per la salute dell'uomo. In quasi tutte le città del mondo i livelli di concentrazione nell'aria dei principali gas inquinanti superano i limiti fissati dall'Organizzazione Mondiale della Sanità (OMS), mentre il traffico automobili-
10 stico è anche la prima causa del fortissimo inquinamento acustico che colpisce moltissimi centri urbani. Numerosi studi epidemiologici che sono stati fatti in ogni parte del mondo, hanno dimostrato che chi abita in città ha una probabilità di ammalarsi di patologie respiratorie molto più alta rispetto a chi vive in zone extraurbane. Questo può dipendere anche dalla quantità di polveri sottili che sono prodotte dai mezzi di trasporto e dai fumi
15 di molte industrie.

2 ⬜ ....

Nei mari, nei laghi, nei fiumi vengono riversate continuamente enormi quantità di acque di fogna, di fertilizzanti e pesticidi provenienti dalle attività agricole e zootecniche, di metalli pesanti e altre sostanze pericolose scaricate dagli impianti industriali, di petrolio e idrocarburi. L'80% delle acque di fogna delle 120 principali città costiere del Mediterraneo è scaricato in mare senza subire alcun trattamento di depu-
20 razione. Sempre nel Mediterraneo, vengono riversate ogni anno – a causa d'incidenti o di perdite di routine delle petroliere – oltre 600 mila tonnellate di greggio. L'uso massiccio di fertilizzanti chimici e pesticidi in agricoltura provoca seri danni all'ambiente e rappresenta un pericolo per la salute dell'uomo. Le grandi quantità di nitrati e fosfati rilasciate nell'ambiente inquinano le falde acquifere, i fiumi, i laghi e i mari, alimentando i processi di «eutrofizzazione» che minacciano la fauna acquatica, mentre nei prodotti
25 agricoli rimangono spesso residui dei pesticidi impiegati nelle coltivazioni.

3 ⬜ ....

Circa il 90% del fabbisogno energetico mondiale è coperto dai combustibili fossili (carbone, petrolio, gas naturale) e dall'energia nucleare, fonti energetiche che provocano una grande quantità di emissioni inquinanti e comportano gravi rischi per la salute dei cittadini. Per limitare l'impatto ambientale
30 della produzione di energia ed evitare un rapido esaurimento delle riserve di materie prime energetiche, occorre ridurre i ritmi d'incremento dei consumi energetici e promuovere un maggiore utilizzo delle fonti energetiche rinnovabili e non inquinanti (energia solare, energia eolica, energia geotermica, energia ricavata dalle bio-
35 masse).
Se le emissioni in atmosfera di anidride carbonica e degli altri «gas di serra» continueranno a crescere ai ritmi attuali, nel giro di pochi decenni la temperatura media sulla Terra potrebbe aumentare da 2 a 4 gradi centigradi: questo provocherebbe lo scioglimento di parte dei ghiacciai, l'innalzamento del
40 livello dei mari, la «tropicalizzazione» del clima in molte regioni oggi temperate. Sull'entità delle conseguenze di un aumento progressivo dell'effetto serra non esistono certezze, ma secondo molti climatologi il moltiplicarsi negli ultimi anni di eventi meteorologici estremi come siccità e inondazioni va collegato proprio a tale fenomeno.

ⓘ **UFFICIO INFORMAZIONI**

La più tragica inondazione, o alluvione, che ci sia mai stata in Italia è stata quella di Firenze nel 1966 quando il fiume Arno ha inondato tutta la città provocando vittime ed enormi danni alle opere d'arte.

4 ⬜ ....

I ritmi di estinzione delle specie animali e vegetali sono oggi mille volte
45 più alti di quelli naturali. La perdita di biodiversità dipende dall'inquinamento, dai fenomeni di desertificazione e, soprattutto, dalla progressiva distruzione delle foreste pluviali da cui è coperto il 7% della superficie terrestre, ma dove è ospitata più della metà di tutte le specie viventi. La distruzione delle foreste tropicali procede al ritmo di oltre 100 mila chi-
50 lometri quadrati all'anno. Un fenomeno dalle conseguenze drammatiche,

che alimenta il rischio di modificazioni climatiche, accelera i fenomeni di desertificazione, causa la perdita di biodiversità. Nei decenni passati anche i paesi occidentali hanno conosciuto fenomeni consistenti di deforestazione, che hanno ridotto significativamente le superfici boschive. Oggi, è in atto un processo sia pure lento di riforestazione, che in un decennio ha fatto crescere di circa il 2% l'estensione
55 di boschi e foreste.

5

Ogni anno nel mondo 6 milioni di ettari di terreno diventano deserto. Effetto combinato delle modificazioni del clima e dell'eccessivo sfruttamento dei terreni agricoli, la desertificazione colpisce soprattutto i paesi poveri, dove è causa di terribili carestie, ma non risparmia nemmeno il Nord del mondo. Ogni anno vengono consumati nel mondo 4 mila miliardi di metri cubi di acqua, pari ad un decimo della portata
60 complessiva di tutti i fiumi della Terra. La scarsità d'acqua dolce è uno dei problemi più drammatici dei paesi poveri e in molti prevedono che la corsa per il controllo delle risorse idriche avrà nel prossimo secolo la stessa importanza strategica che oggi ha il petrolio.

adattato da www.legambientepadova.it

3. Rileggi il testo e scegli l'alternativa corretta.

1. I veicoli che circolano nel mondo contribuiscono a produrre inquinamento...
   a. atmosferico e degli alimenti
   b. atmosferico e acustico
   c. degli alimenti e delle acque

2. Le città sono rischiose per la salute...
   a. meno delle campagne
   b. più delle campagne
   c. come le campagne

3. Le acque di fogna...
   a. provengono dalle industrie
   b. sono depurate e riutilizzate
   c. inquinano mari, laghi e fiumi

4. Pesticidi e fertilizzanti inquinano...
   a. l'acqua e gli alimenti
   b. l'aria e l'acqua
   c. l'aria e la terra

5. La principale fonte energetica è rappresentata...
   a. dall'energia solare ed eolica
   b. dai combustibili fossili e dall'energia nucleare
   c. dalle biomasse e dall'energia geotermica

6. Il numero di specie viventi sulla Terra...
   a. sta aumentando
   b. non sta subendo cambiamenti
   c. sta diminuendo

7. Nei paesi occidentali la superficie di boschi e foreste...
   a. sta aumentando
   b. non sta subendo cambiamenti
   c. sta diminuendo

8. L'avanzamento dei deserti è causato...
   a. dall'inquinamento atmosferico
   b. dall'inquinamento delle acque
   c. dal grande utilizzo dei terreni agricoli

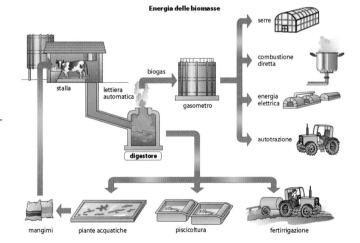

4. Cosa pensi dell'articolo che hai appena letto? Discutine con un compagno, ecco alcuni spunti.

1. La posizione degli ecologisti è troppo pessimista?
2. Come si fa a combinare sviluppo economico e rispetto per l'ambiente?
3. Secondo te, quali sono i vantaggi delle energie rinnovabili?
4. Fai attenzione a comprare alimenti non trattati da pesticidi o per te non è importante?

Impariamo le parole - Ambiente ed energia

 5. Trova la parola o l'espressione presente nel testo e scrivila accanto alla definizione.

   1. piogge inquinate dai gas tossici   ....

   2. eccessivo rumore dovuto soprattutto ai mezzi di trasporto ....

   3. energia generata dal sole   ....

   4. energia generata dal vento   ....

   5. energia generata dalla Terra   ....

   6. fenomeno che fa aumentare la temperatura della Terra ....

   7. episodi, fatti che riguardano i fenomeni atmosferici ....

   8. mancanza di acqua e di piogge   ....

   9. allagamenti, uscita di corsi d'acqua dai loro limiti ....

 10. varietà delle specie animali e vegetali della terra ....

 11. fenomeno di avanzamento ed espansione dei deserti ....

 12. taglio di boschi e foreste in quantità elevata ....

 13. l'atto di piantare alberi per far crescere boschi e foreste ....

 14. insieme delle acque che si possono utilizzare ....

6. Descrivi a un compagno quali sono i principali problemi ambientali nel tuo paese. Puoi usare le parole dell'attività 5.

Facciamo grammatica

Osserva!

   1. Dal settore dei trasporti è prodotta gran parte delle emissioni di monossido di carbonio.

   2. Numerosi studi epidemiologici che sono stati fatti in ogni parte del mondo...

   3. Nei mari, nei laghi, nei fiumi vengono riversate continuamente enormi quantità di acque di fogna.

   4. Il moltiplicarsi negli ultimi anni di eventi meteorologici estremi [...] va collegato proprio a tale fenomeno.

Le parole evidenziate sono la forma passiva dei verbi *produrre*, *fare*, *riversare* e *collegare*.

 7. Rileggi il testo dell'attività 2 e completa la tabella, come negli esempi.

infinito	forma passiva	soggetto della frase	tempo verbale
Produrre	è prodotta	gran parte delle emissioni...	Indicativo presente
Fare	sono stati fatti	numerosi studi...	Indicativo passato prossimo

Edizioni Edilingua

8. Scrivi la regola.

1. Quali tipi di verbi hanno la forma passiva?

....

2. Con quali ausiliari si forma?

....

3. Qual è la differenza di significato che gli ausiliari danno alla frase?

....

4. Gli ausiliari si possono usare in tutti i casi?

....

5. Osserva nuovamente la frase 1 degli esempi. Chi compie realmente l'azione di "produrre"? Come si rende nella frase passiva?

....

6. Perché, secondo te, si usa la forma passiva?

....

Attenzione!

Nota che in tutti i casi il participio passato concorda con il soggetto della frase passiva: *è prodotta gran parte delle emissioni...*; *vengono riversate 600 mila tonnellate di greggio.*

La forma passiva con l'ausiliare *essere* si può usare in tutti i modi (indicativo, congiuntivo, condizionale, imperativo, infinito, gerundio, participio) e in tutti i tempi del verbo.

9. Inserisci i verbi alla forma passiva. Attenzione al tempo e all'ausiliare da usare!

Cambiamento climatico e inquinamento atmosferico

Grazie al contributo di alcune ricerche (ricostruire) (1)... la storia del clima e dell'ambiente delle ultime migliaia di anni; dalle ricerche (evidenziare) (2)..................... .... che cambiamenti climatici anche più intensi dell'attuale si sono verificati con ciclicità millenaria, naturalmente e senza l'inquinamento atmosferico che (produrre) (3).................. .... attualmente dall'uomo. I periodi caldi degli ultimi millenni sono durati circa 150-200 anni e (mettere) (4)... in relazione con un sensibile aumento dell'attività del sole. Con ogni probabilità, quindi, in futuro l'ambiente (modificare) (5)......... .... da cambiamenti rapidi e diversificati. Il cambiamento climatico per l'uomo moderno è una novità ma (ricordare) (6)... .... che negli ultimi millenni la Terra (trasformare) (7)............................. .... da cambiamenti simili a quello attuale. Probabilmente quindi il cambiamento ambientale non potrà essere del tutto fermato ma, d'altra parte, (realizzare) (8)... efficaci azioni per limitare i danni che il cambiamento provocherà.

adattato da *www.dimensionidiverse.it*

Strategie che usi all'università

10. Esporre il contenuto di dati e tabelle.

La forma passiva si usa spesso in testi scientifici. Puoi usarla anche quando descrivi grafici o tabelle per dare un tono meno personale al tuo discorso. Questo è un modo molto comune di esporre dati oggettivi, per esempio durante un esame.

Osserva la cartina sulle emissioni di biossido di carbonio del secolo scorso nei diversi continenti. Commentala provando a usare la forma passiva. Se vuoi, puoi usare le espressioni della lista.

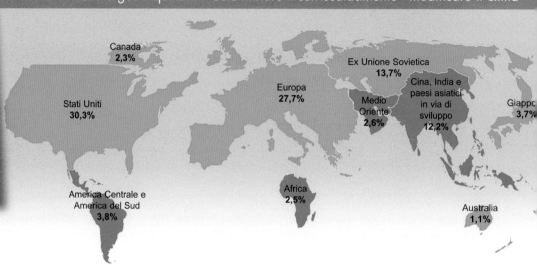

causare inquinamento - emettere gas inquinanti - determinare il surriscaldamento - modificare il clima

Contributi al riscaldamento globale

Le dimensioni delle aree sono proporzionali alle emissioni di biossido di carbonio derivate dalla combustione.

Canada 2,3%

Ex Unione Sovietica 13,7%

Europa 27,7%

Cina, India e paesi asiatici in via di sviluppo 12,2%

Medio Oriente 2,6%

Stati Uniti 30,3%

Giappo 3,7%

America Centrale e America del Sud 3,8%

Africa 2,5%

Australia 1,1%

Entriamo in tema

11. *Sei un ecoturista?* Fai il test e confronta le tue risposte con quelle dei tuoi compagni.

Quando viaggio per distanze brevi (entro i 600 Km) prendo...
a. la macchina
b. l'aereo
c. il pullman
d. il treno

Viaggio...
a. il più spesso possibile
b. una o due volte all'anno
c. più di due volte all'anno
d. solo se necessario

Di solito preferisco visitare...
a. zone del mio paese che non conosco
b. un paese straniero
c. zone poco turistiche
d. una riserva naturale

Di solito in vacanza dormo...
a. in albergo
b. in ostello
c. in agriturismo
d. in campeggio

In vacanza mangio...
a. solo prodotti locali
b. cibo del mio paese
c. quello che mi capita
d. quello che costa di meno

Prima di partire per un paese straniero...
a. mi informo dettagliatamente prima della partenza
b. chiedo ad amici che sono già stati lì
c. chiedo informazioni direttamente sul luogo
d. non mi informo

Se vado in un paese straniero...
a. cerco di visitare il maggior numero di posti
b. visito solo i posti consigliati dalla guida
c. visito bene un solo posto e provo a conoscerne la popolazione
d. visito un solo posto ma cerco di stare con altri turisti del mio paese

ecoturismo

Edizioni Edilingua

◎ Comunichiamo

12. Ascolta il testo. Segna quali consigli dà l'esperto di *Greenpeace* per una vacanza eco-sostenibile.

1. Non finanziare alberghi ad elevato impatto ambientale.
2. Non lasciare accesa l'aria condizionata in albergo tutto il giorno.
3. Non fare più di una doccia al giorno.
4. Non acquistare mai specie a rischio di estinzione.
5. Fare soltanto gite in barche a vela.
6. Non consumare pesce sotto misura.
7. Evitare il pesce spada, il tonno e i gamberoni.
8. Informarsi sempre su dove e in quali condizioni il pesce è stato pescato.
9. Non comprare mai animali esotici.
10. Evitare gli articoli da mare in PVC.
11. Non dimenticare mai di differenziare i rifiuti.

13. Ascolta di nuovo il testo. Quali sono gli altri 3 consigli che dà l'esperto di *Greenpeace*? Scrivili qui sotto e poi confronta le tue risposte con quelle dei tuoi compagni.

1. ....
2. ....
3. ....

14. Ascolta di nuovo il testo e leggilo. Controlla le risposte delle attività 12 e 13.

GREENPEACE

● Allora, parliamo di vacanze verdi di nuovo. Con chi, oggi?

● Oggi interpelliamo un'associazione ambientalista, tra le più conosciute. Parliamo con *Greenpeace* perché già dall'anno scorso ha pubblicato un utilissimo decalogo.

● Che ci dice di non andare in vacanza...

● No, no. Ci dice di andare in vacanza tranquillamente, ma di adottare dei piccoli accorgimenti per rendere la nostra vacanza a basso impatto ambientale. Sentiamo subito quali sono i punti principali di questo decalogo pubblicato dall'associazione ambientalista. Ascoltiamo Chiara Campione, responsabile Campagna Foreste *Greenpeace*/Italia.

● Grazie! Tra le regole più importanti *Greenpeace* consiglia ad esempio di non finanziare alberghi a elevato impatto ambientale o di utilizzare le vacanze per andare a scoprire le ultime grandi foreste primarie del pianeta ma, attenzione, senza mai acquistare specie a rischio di estinzione. Ah, suggeriamo inoltre di evitare l'aereo per percorrere brevi distanze, poiché appunto, l'impatto ambientale sul clima dell'aereo è 10 volte quello di un viaggio in treno o di un viaggio in auto. E... ed altri consigli per chi vuole andare in vacanza senza contribuire all'inquinamento del pianeta sono per esempio quello di non consumare pesce sotto misura, evitare il pesce spada, il tonno e i gamberoni e informarsi sempre su dove e in quali condizioni è stato pescato. E... ah! Scegliere sempre negozi e ristoranti che utilizzano prevalentemente prodotti biologici, eh? Ed evitare gli articoli da mare in PVC. Infine, l'ultimo consiglio: anche in vacanza non dimenticare mai di differenziare sempre i rifiuti.

> ℹ **UFFICIO INFORMAZIONI**
>
> Il turismo ecologico (chiamato anche ecoturismo) in Italia è in crescita. Tra le mete più richieste ci sono i parchi naturali nazionali.
> Aumentano anche gli agriturismi, strutture che propongono vacanze a contatto con la natura e offrono prodotti alimentari locali.

● Ecco! Raccolta differenziata che, come ho già detto in altre occasioni, mi è parso di capire che non viene rispettata molto spesso...

tratto da *www.ecoradio.it*

15. Quali dei consigli di *Greenpeace* ti sembrano utili? Riesci in genere a rispettarli quando vai in vacanza? In base al test che hai fatto, ti ritieni un ecoturista? Discutine con un compagno.

Impariamo le parole - Animali

 16. Scrivi le parole della lista sotto le immagini.

> volpe - pesce spada - gamberi - tonno - leone - coniglio
> balena - tacchino - mulo - gallina - orso - tartaruga

1. ....   2. ....   3. ....   4. ....

5. ....   6. ....   7. ....   8. ....

9. ....   10. ....   11. ....   12. ....

17. In italiano si fanno molti paragoni con gli animali per descrivere qualcuno. Prova ad accoppiare l'aggettivo con il nome.

1. forte		a. un orso
2. furbo		b. una gallina
3. pauroso		c. una balena
4. lento	**come**	d. un mulo
5. grasso		e. una tartaruga/lumaca
6. scontroso		f. un leone
7. stupido		g. un coniglio
8. testardo		h. una volpe

Parole che usi all'università

18. Hai già incontrato molte parole utilizzate alla facoltà di Scienze ambientali. Adesso scegli l'opzione corretta in questo testo che descrive un corso della Laurea di Scienze faunistiche.

Corso integrato o monodisciplinare:
(1) Fauna/Bestie dei torrenti, fiumi, laghi e paludi

Obiettivi formativi: Mantenere in buono stato o ripristinare le specie di fauna (2) selvatica/naturale, i relativi ecosistemi e gli habitat.

Docente: Prof./Dr. Paola Lupi

Quadrimestre: II

Programma delle lezioni (3 CFU):
Le zone umide (2 ore)
Acqua: mare, fiumi, laghi, altre acque (5 ore)
Gestione delle (3) risorse/quantità idriche (3 ore)
Gestione delle risorse (4) naturali/spontanee
Studio dell'ecosistema: zoologia, biodiversità (5 ore)
Fauna delle zone umide (9 ore)

Programma delle esercitazioni (1 CFU):
Esercitazioni (16 ore)
Riconoscimento di animali di diverse (5) specie/categorie (7 ore)
Sopralluoghi sul campo (7 ore)

Materiale didattico:
I testi verranno consigliati dal docente all'inizio delle lezioni.

Analizziamo il testo

Osserva!

1. La temperatura media sulla Terra potrebbe aumentare da 2 a 4 gradi centigradi: questo provocherebbe lo scioglimento di parte dei ghiacciai. (*Attività 2*)

2. Ci dice di andare in vacanza tranquillamente, ma di adottare dei piccoli accorgimenti per rendere la nostra vacanza a basso impatto ambientale. (*Attività 14*)

3. Parliamo con *Greenpeace* perché già dall'anno scorso ha pubblicato un utilissimo decalogo. [...] Sentiamo subito quali sono i punti principali di questo decalogo pubblicato dall'associazione ambientalista. (*Attività 14*)

4. L'impatto ambientale sul clima dell'aereo è 10 volte quello di un viaggio in treno o di un viaggio in auto. (*Attività 14*)

19. Indica quali parti della frase riprendono o ripetono le parole evidenziate.

1. questo ....   2. la nostra vacanza ....

3. associazione ambientalista ....   4. quello ....

Il meccanismo di ripresa di elementi che sono già stati introdotti nel testo si chiama anafora. Ciò che viene prima si chiama "antecedente".

20. Sottolinea gli antecedenti a cui si riferiscono le parole evidenziate, come nell'esempio.

Favorire la pratica di turismo sociale tra giovani, anziani, disabili e scuole contribuendo alla crescita socio-economica delle popolazioni locali e alla fruizione turistica sostenibile dei parchi. (1)

Nasce con *questi obiettivi* (1) Parchicard, la prima carta dei servizi per promuovere la fruizione di alcuni parchi italiani con sconti e agevolazioni che il possessore avrà su un ampio numero di servizi presenti all'interno di queste aree protette (2). La carta (3), inoltre, è accompagnata da una guida ai servizi nella quale vengono indicate le agevolazioni di cui si può usufruire. Queste (4) in particolare riguarderanno musei, centri visita e aree faunistiche, ostelli, servizi turistici, servizi di trasporto, negozi di artigianato, di prodotti tipici ed esercizi commerciali in genere. «Entrambe (5), – spiega il CTS – saranno distribuite gratuitamente presso le sedi del CTS, le sedi di alcune Associazioni di turismo sociale, gli Informagiovani e i Centri Visita dei parchi. È noto che le visite a parchi nazionali sono ancora molto limitate tra i giovani, lo (6) dimostrano le ultime indagini del CTS. Lo scopo è proprio quello di favorirle (7) e incentivarle (8) anche tra questa fascia di turisti (9)».

adattato da *www.geoviaggi.net*

SEZIONI
Appuntamenti
Eventi
Fiere
Formazione

(i) UFFICIO INFORMAZIONI

Il CTS - Centro Turistico Studentesco e Giovanile - è stato fondato negli anni '70 da un gruppo di studenti universitari. È un ente importante che promuove tra i giovani studenti un turismo sostenibile. Gli studenti soci del CTS hanno diritto a sconti per i trasporti e i luoghi di interesse culturale.

◎ Scriviamo insieme

21. *Vacanze ecologiche.*

Una coppia di amici vuole fare una vacanza ecologica di 5 giorni in una regione italiana. Dovete scrivere una guida pratica per la loro vacanza. Scegliete insieme una regione e poi dividetevi in tre gruppi: il primo gruppo deve descrivere almeno tre luoghi di interesse naturalistico; il secondo gruppo deve individuare e descrivere le strutture per l'alloggio (alberghi ecologici, alberghi diffusi, agriturismi, campeggi); il terzo gruppo deve descrivere i posti dove è possibile mangiare prodotti tipici della zona e suggerire quali cibi/piatti provare.

◎ Entriamo in tema

- ↄ Fai la raccolta differenziata?
- ↄ Nel tuo paese è obbligatoria? Si fa la raccolta differenziata *porta a porta*?
- ↄ Pensi che sia uno strumento efficace per ridurre i problemi di inquinamento?
- ↄ Nel tuo paese ci sono problemi per lo smaltimento dei rifiuti?
- ↄ Pensa a due o tre comportamenti utili a ridurre il numero dei rifiuti prodotti.

COMUNE DI **ISERA** Assessorato all'Ambiente
Promemoria della raccolta differenziata dei rifiuti porta a porta

UMIDO ORGANICO — Porta a porta LUNEDÌ, GIOVEDÌ
CARTA, CARTONE e TETRAPACK — Porta a porta VENERDÌ
VETRO e LATTINE — Porta a porta LUNEDÌ
IMBALLAGGI IN PLASTICA — Porta a porta LUNEDÌ
RIFIUTO SECCO RESIDUO — Porta a porta GIOVEDÌ

Edizioni Edilingua

Comunichiamo

22. Ascolta il dialogo. Vero o falso?

	Vero	Falso
1. Secondo Sara, fare la raccolta differenziata è costoso.	☐	☐
2. Sara pensa che si producano troppi rifiuti.	☐	☐
3. Nella zona dove vive Marco ci sono pochi cassonetti.	☐	☐
4. Per fare la raccolta differenziata sono necessari molti contenitori in casa.	☐	☐
5. Per Marco la raccolta differenziata non risolve i problemi di inquinamento.	☐	☐

23. Ascolta di nuovo il dialogo e controlla le risposte dell'attività 22.

Sara: Marco, ma che fai? Metti tutti i rifiuti nello stesso sacchetto?

Marco: Beh… sì… perché?

Sara: Ma come? Non fai la raccolta differenziata?

Marco: Veramente no… Perché, tu credi che serva a qualcosa?

Sara: Certo che ci credo! Io differenzio la carta e la plastica, il vetro, le lattine di alluminio e anche i rifiuti organici. Raccolgo anche i farmaci scaduti e le pile scariche.

Marco: Davvero? Riesci a separare tutti questi rifiuti?

Sara: Certo. Fare la differenziata non costa niente! Ed è uno dei pochi rimedi per limitare l'inquinamento e non essere sommersi dalle immondizie che produciamo!

Marco: Dài, esagerata! Non è che ne siamo sommersi…

Sara: Uhm… forse… ma gli inceneritori sono pochi e le discariche sono quasi piene. E se non ci pensiamo in tempo e non cominciamo tutti a riciclare e a differenziare, tra qualche anno sarà così.

Marco: Senti, Sara, io la differenziata la farei pure… Ma in questa zona, cassonetti adatti non ce ne sono… Se davvero è così importante il Comune, dovrebbe metterne molti di più, no?

Sara: Hai ragione, forse i cassonetti non sono sufficienti. Comunque non è una buona scusa per non collaborare.

Marco: Ma poi, hai visto com'è piccola questa cucina? Non posso mettere quattro contenitori diversi.

Sara: Ma non ne servono quattro, ne basta uno specifico diviso per settori.

Marco: Vabbè, ho capito… ma perché proprio io devo fare la differenziata, se non la fa quasi nessuno? E se le industrie e i trasporti continuano a inquinare come e più di prima?

Sara: Marco, ma che dici? Guarda, non parliamone più… Se tutti ragionassero come te, sarebbe un disastro! È vero, molte cose non vanno bene, ma occorre la collaborazione di tutti affinché le cose cambino!

UFFICIO INFORMAZIONI

Purtroppo la percentuale di chi fa la raccolta differenziata è ancora molto bassa rispetto agli altri paesi europei, anche se ci sono molte differenze tra il Nord e il Sud Italia.

24. Inventa un dialogo con un compagno seguendo queste indicazioni.

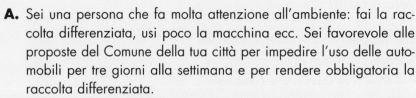

A. Sei una persona che fa molta attenzione all'ambiente: fai la raccolta differenziata, usi poco la macchina ecc. Sei favorevole alle proposte del Comune della tua città per impedire l'uso delle automobili per tre giorni alla settimana e per rendere obbligatoria la raccolta differenziata.

B. Non sei un fanatico ambientalista. Credi che scelte come quelle di imporre la raccolta differenziata o limitare il traffico in città non risolvano i problemi e siano solo svantaggiose per chi, come te, ha una casa piccola e abita in una zona poco servita della periferia.

Prendi l'autobus, vai in bici o a piedi, usa l'auto con altre persone. Il tuo impegno renderà Vicenza più vivibile. E respirerai meglio anche tu!

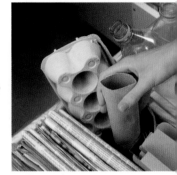

Martedì, giovedì e domenic blocco delle au

Impariamo le parole - Raccolta differenziata

25. Abbina la parola alla definizione.

1. cassonetto	a. trasformare i materiali e i rifiuti in altri oggetti	
2. inceneritore	b. separare i rifiuti	
3. discarica	c. L'insieme dei rifiuti	
4. differenziare	d. contenitori per liquidi generalmente in alluminio	
5. riciclare	e. recipiente per i rifiuti che si trova per strada	
6. pile	f. luogo dove vengono scaricati i rifiuti raccolti	
7. lattine	g. impianto dove si bruciano i rifiuti	
8. immondizia	h. batterie	

 26. Hai 3 minuti di tempo per trovare il maggior numero di materiali che si possono riciclare e "buttarli" nel cassonetto giusto. Poi confronta i tuoi risultati con i compagni.

alluminio	vetro	carta	plastica	organico
lattine	bottiglie			fondi di caffè

Facciamo grammatica

 27. Rileggi il dialogo e trova le frasi con le particelle ci e ne. Scrivi nella tabella con cosa si potrebbero sostituire.

frase	si potrebbe sostituire con...
Certo che ci credo!	a questo / a questa cosa

Attenzione!

Ci sono espressioni idiomatiche in cui *ci* e *ne* non hanno nessuna funzione grammaticale: *ci vuole/ci vogliono* (= *è necessario/a, sono necessari/necessarie*); *starci* (= *essere d'accordo*); *esserci* (= *trovarsi, esistere; capire*); *non poterne più* (= *non sopportare più qualcosa/qualcuno*).

Ne può avere anche significato di *allontanamento da un luogo*, fisico o metaforico: *Il rappresentante di Legambiente ha partecipato all'incontro con il sindaco e ne è uscito molto soddisfatto.* (ne = *da lì, dall'incontro*).

Quando *ci* e *ne* formano un pronome combinato la forma è *ce ne*: *Ma in questa zona, cassonetti adatti non ce ne sono...*

Ricorda che *ci* può significare anche *lì, in quel luogo* (vedi unità 4 del volume 1).

28. Completa le frasi con *ci* o *ne*.

1. ● Com'è andata la riunione del WWF? ● Non .... ho saputo più niente.
2. Ho visitato un meraviglioso parco naturale. .... tornerò sicuramente.
3. Il problema dei rifiuti è grave e il Comune dovrebbe occuparse.............. in fretta.
4. L'inquinamento incrementa le malattie respiratorie: .... soffre principalmente chi abita in città.
5. Ogni anno rinnovo la mia iscrizione a *Greenpeace*, ... tengo molto.
6. Produciamo troppi rifiuti! Ogni persona .... produce oltre 500 chili all'anno.
7. Perché non fai la raccolta differenziata? All'ambiente non .... pensi?
8. Viaggio sempre il treno: .... vuole un po' più di tempo, ma sicuramente inquina di meno.

WWF

29. Con un compagno fatevi le domande e rispondete brevemente utilizzando *ci* o *ne*.

1. Dai importanza ai problemi ambientali?
2. Hai mai fatto vacanze ecologiche?
3. Secondo te, quanti rifiuti produce un cittadino del tuo paese?
4. Credi alle previsioni climatiche per i prossimi decenni?
5. Vieni a piedi o in macchina all'università?
6. Rinunceresti a qualche comodità in vacanza per inquinare di meno?
7. Hai mai fatto parte di un'associazione ambientalista?

Analizziamo il testo

30. Ascolta di nuovo il dialogo. Che funzione assumono i segnali discorsivi della lista?

beh... - veramente - davvero? - dài - pure - no? - vabbè			
Enfatizzare quello che si dice	Esprimere sorpresa	Diminuire la forza di quello che si dice o si è detto	Chiedere conferma

31. Indica la funzione delle parole o espressioni evidenziate in questi mini dialoghi.

1. ● Hai letto questo articolo? Dice che la superficie dei boschi sta lentamente aumentando.
   ● **Dici sul serio?** Bene. Ogni tanto una buona notizia. ....
2. ● Produrre pochi rifiuti è uno dei modi più semplici per inquinare di meno, **giusto?** ....
   ● Sì, lo credo anch'io.

3. ● Non viaggiare è l'unica soluzione per ridurre il nostro impatto ambientale.

   ● Insomma, non è proprio così... dovremmo viaggiare in maniera più intelligente. ....

4. ● Molti dicono che non risolve i problemi e così non fanno la raccolta differenziata.

   ● Sì, purtroppo la prendono proprio come una scusa. ....

5. ● Allora, come è andata la manifestazione del WWF? C'erano molte persone?

   ● Beh, non tantissime. Ma diciamo che non eravamo pochi. ....

6. ● Certo che qualche volta differenziare tutti i rifiuti è proprio noioso!

   ● Sì, ma è anche una cosa importante che dovremmo fare tutti, non pensi? ....

◉ Conosciamo gli italiani

32. Leggi il testo. Vero o falso?

La qualità ambientale nelle città italiane

Legambiente, in collaborazione con altre associazioni e istituti di ricerca, svolge periodicamente la ricerca sullo stato di salute delle città italiane e ne compila la classifica. Per la ricerca sono stati presi in considerazione 27 indicatori di qualità ambientale, suddivisi in tre grandi categorie:

– **indicatori di pressione** che misurano il carico generato sull'ambiente dalle attività umane (perdite di rete idrica, consumi di acqua potabile, di carburante, di elettricità, produzione di rifiuti, numero di auto pro capite ecc.);

– **indicatori di stato** che misurano la qualità dell'ambiente in termini di smog, inquinamento idrico, verde urbano;

– indicatori di risposta che misurano la qualità delle politiche delle amministrazioni locali in termini di depurazione, raccolta differenziata, trasporto pubblico, aree pedonali, piste ciclabili, sviluppo di politiche energetiche, diffusione delle fonti rinnovabili, monitoraggi e rilevamenti della qualità ambientale ecc.

Emerge un'Italia come al solito piena di contraddizioni, con realtà eccellenti (quasi tutte nel Nord e nel Centro) a cui si affiancano situazioni disastrose (soprattutto nel Sud), e con una tendenza generalizzata al miglioramento "gridato" piuttosto che "effettivo".

La prima classificata è appunto Belluno, risultati buoni ma soprattutto miglioramenti costanti: discreta qualità dell'aria, ottima raccolta differenziata (quasi il 60%), bassissima produzione di rifiuti, bassi consumi di acqua (136 litri pro capite) ma perdite eccessive dalla rete idrica (il 36%), un trasporto pubblico sufficiente (76 viaggi a testa ogni anno), una buona dotazione di spazio per le bici (4,6 metri per abitante) e una crescita costante delle aree vietate alle auto.

Tra la prima e l'ultima classificata, le distanze crescono. Gli ultimi non sono necessariamente i più poveri. Frosinone, ultima in classifica, ha lo stesso prodotto interno lordo pro capite di Verbania che è invece 3ª, Catanzaro

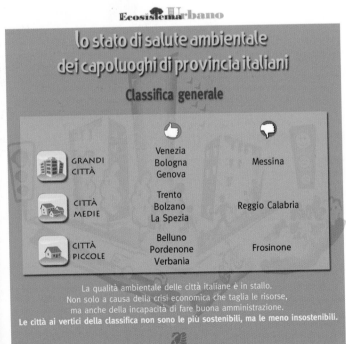

Ecosistema Urbano

lo stato di salute ambientale dei capoluoghi di provincia italiani

Classifica generale

	👍	👎
GRANDI CITTÀ	Venezia Bologna Genova	Messina
CITTÀ MEDIE	Trento Bolzano La Spezia	Reggio Calabria
CITTÀ PICCOLE	Belluno Pordenone Verbania	Frosinone

La qualità ambientale delle città italiane è in stallo. Non solo a causa della crisi economica che taglia le risorse, ma anche della incapacità di fare buona amministrazione. **Le città ai vertici della classifica non sono le più sostenibili, ma le meno insostenibili.**

LEGAMBIENTE

Edizioni Edilingua

ha un reddito pro capite superiore a Cagliari ma più di 15 punti in meno nella classifica di qualità ambientale.

Quando gli indicatori di qualità ambientale coinvolgono le politiche locali, la situazione si fa disastrosa al Sud: sono depurate il 70% delle acque contro una media dell'85%, la capacità di trasporto pubblico è meno della metà della media nazionale, la disponibilità di verde urbano è addirittura inferiore del 60%, la raccolta differenziata è a un terzo della media nazionale, zone a traffico limitato e piste ciclabili sono quasi inesistenti (il 15% della media italiana).

I relatori della ricerca sostengono che una grande differenza la fanno le azioni del governo locale e il senso civico degli abitanti.

adattato da *www.informagiovani-italia.com*

	Vero	Falso
1. La ricerca si basa su parametri di diversa categoria.	☐	☐
2. La condizione di tutte le città italiane è migliorata.	☐	☐
3. A Belluno aumentano le zone dove non possono circolare le auto.	☐	☐
4. Le città con la peggiore qualità ambientale sono le più povere.	☐	☐
5. Al Sud i governi locali stanno contribuendo a migliorare la qualità ambientale.	☐	☐
6. Il comportamento dei cittadini non può cambiare la qualità delle città.	☐	☐

Parliamo un po'...

⊃ Quali sono, secondo te, i parametri più importanti per stabilire la qualità ambientale di una città?

⊃ Come definiresti la qualità ambientale della tua città?

⊃ Quali cambiamenti promuoveresti per migliorare la sua qualità ambientale?

⊃ Secondo te, nel tuo paese quali sono le città con la migliore qualità ambientale? Quali sono invece le città dove si vive peggio?

◎ Si dice così!

Ecco alcune espressioni utili per...

Mettere in evidenza chi o cosa subisce l'azione	Dal settore dei trasporti è prodotta gran parte delle emissioni di monossido di carbonio.
Enfatizzare quello che si dice o si è detto	Io la differenziata la farei pure. Alcuni la prendono proprio come una scusa.
Esprimere sorpresa	Davvero? Dici sul serio?
Diminuire la forza di quello che si dice o si è detto	Beh.../Veramente.../Diciamo.../Insomma...
Chiedere conferma	...no?/...giusto?/...non pensi?

l'italiano all'università

213

Sintesi grammaticale

- ## La forma passiva dei verbi

La forma passiva dei verbi si usa generalmente quando si vuole dare rilevanza a chi o cosa "subisce" l'azione che diventa il soggetto della frase.

Esempio:
Dal settore dei trasporti è prodotta *gran parte delle emissioni di monossido di carbonio*.

invece di...

Il settore dei trasporti produce gran parte delle emissioni di monossido di carbonio.

Hanno la forma passiva **esclusivamente** i verbi **transitivi**. Nella frase passiva il complemento oggetto della frase attiva diventa soggetto; mentre il soggetto della frase attiva, quando è espresso, si trasforma in un complemento d'agente, preceduto dalla preposizione *da*.

Esempio:
I combustibili fossili (soggetto) coprono *il 90% del fabbisogno energetico mondiale* (oggetto).
Il 90% del fabbisogno energetico mondiale (soggetto) è coperto dai *combustibili fossili* (complemento d'agente).

La forma passiva si può formare con:

a. Il verbo **essere** + il **participio passato** (con **tutti** i tempi e i modi verbali);

b. Il verbo **andare** + il **participio passato** (esclusivamente con i tempi verbali **semplici**, quelli cioè che alla forma attiva NON hanno un ausiliare: indicativo e congiuntivo presente, indicativo e congiuntivo imperfetto, indicativo futuro semplice, condizionale semplice ecc.);

c. Il verbo **venire** + il **participio passato** (esclusivamente con i tempi verbali **semplici**).

Attenzione!

Una forma particolare di passivo è quella con il *si* passivante.
Il *si* passivante si usa solo con la terza persona singolare o plurale di un verbo transitivo. In questi casi la forma passiva è: **si + 3ª persona singolare o plurale del verbo + soggetto della frase**.

Esempi:
In Italia non si fa la raccolta differenziata. (= la raccolta differenziata non viene fatta)
Non si devono incenerire i rifiuti, si devono riciclare! (= i rifiuti non devono essere inceneriti, devono essere riciclati)

Quando la forma passiva ha l'ausiliare venire, si **enfatizza** l'azione.

Esempio:
Nei mari, nei laghi, nei fiumi vengono riversate continuamente enormi quantità di acque di fogna.

Quando la forma passiva ha l'ausiliare andare, si dà all'azione un significato di **obbligo**.

Esempio:
Il moltiplicarsi negli ultimi anni di eventi meteorologici estremi come siccità e inondazioni va collegato proprio a tale fenomeno.

- ## Particelle *ci* e *ne*

La particella ci:
a. può avere significato locativo (sostituisce un luogo)

Esempio:
- Sei andato alla manifestazione del WWF?
- Sì, ci (= alla manifestazione del WWF) sono andato.

Edizioni Edilingua

b. può sostituire **a** *lui/lei/loro*, **a** *questo/a/i/e*
   Esempio:
   - Credi che serva la raccolta differenziata?   - Certo che ci (= a questo, alla sua utilità) credo!

c. con alcuni verbi, può avere anche altre funzioni
   Esempi:
   Allora ti aspetto alle 8, ci (= su questa cosa) conto!
   Dopo che avremo totalmente inquinato il mondo, che ci (= da questa cosa) ricaviamo?

d. si usa in espressioni idiomatiche
   Esempi:
   Quanto ci vuole da qui a Milano?
   Ragazzi, ci siete? Posso continuare la spiegazione?
   Se decidete di andare al Parco degli Abruzzi, io ci sto.

La particella ne:

a. può avere valore partitivo (indicare una parte di un totale). Si usa per indicare una quantità specifica o imprecisata
   Esempi:
   - Non posso mettere quattro contenitori diversi.   - Ma non ne servono quattro, ne basta uno specifico.
   - Quanti rifiuti produce l'Europa?   - Ne produce troppi.

b. può indicare il luogo di provenienza e sostituire *da là*, *da lì*, *da qua*, *da qui*
   Esempio:
   - Sei andata all'incontro sulle fonti rinnovabili?   - Sì, ne (= da lì) torno ora.

c. può sostituire **di** *lui/lei/loro*, **di** *questo/a/i/e* e **da** *lui/lei/loro*, **da** *questo/a/i/e*
   Esempi:
   Guarda, non parliamone (= di questo) più.
   - È uno dei pochi rimedi per non essere sommersi dalle immondizie.
   - Dài, esagerata! Non è che ne (= da queste) siamo sommersi.

d. si usa in espressioni idiomatiche
   Esempi:
   Non ne posso più di questo lavoro!
   Non ti arrabbiare, non ne vale la pena.

- **L'anafora**

L'anafora è un meccanismo linguistico per riprendere un elemento linguistico, chiamato "antecedente", introdotto precedentemente nel testo.

L'anafora si può realizzare attraverso l'uso di **pronomi**, **sinonimi** e la **ripetizione del nome**.
Esempi:
L'impatto ambientale sul clima dell'aereo è 10 volte quello di un viaggio in treno o di un viaggio in auto.
Parliamo con *Greenpeace* perché già dall'anno scorso ha pubblicato un utilissimo decalogo. [...] Sentiamo subito quali sono i punti principali di questo decalogo pubblicato dall'associazione ambientalista.

- **Alcuni segnali discorsivi**

Per **diminuire la forza di quello che si dice o si è detto** si possono usare beh..., veramente, dài, vabbè, diciamo, insomma.
Per **esprimere sorpresa** si possono usare davvero?, dici sul serio?.
Per **chiedere conferma** si possono usare no?, giusto?, non pensi?.
Per **enfatizzare** si possono usare pure, proprio.

1. Sono in grado di...

	molto ++	abbastanza +	poco -	per niente - -
comunicare per e-mail o per chat				
scrivere un sms				
enfatizzare un'affermazione				
riformulare un discorso				
riprendere e/o cambiare argomento				
capire un testo scritto di argomento scientifico				
esporre e commentare i dati di un grafico				
esporre la mia opinione su un argomento scientifico di interesse generale				
capire un'intervista radiofonica in cui intervengono diverse persone				
capire un testo che dà istruzioni e consigli trasmesso alla radio				
prendere appunti				
scrivere una guida per dare informazioni ad amici				

2. Quali sono le parole che vuoi ricordare delle unità 10 e 11? Prova a scrivere anche aggettivi, nomi, verbi, avverbi collegati alle parole che vuoi ricordare.

1. ....

2. ....

3. ....

4. ....

5. ....

6. ....

7. ....

8. ....

Edizioni Edilingua

3. Conosci altre parole sul tema delle unità? Se sì, quali? E dove hai sentito o hai letto queste parole?

PAROLE NUOVE	tv	radio	internet	per strada	giornali	altri compagni	altro, specificare

4. Il processo di scoprire la regola-memorizzarla-reimpiegarla in modo sempre più libero per te è...

faticoso, ma mi aiuta a capire e usare meglio le strutture della lingua. ▢
faticoso e inutile: capisco meglio uno schema dato. ▢
piacevole e motivante: posso costruire la "mia" grammatica. ▢
un'inutile perdita di tempo: vado subito alla *Sintesi grammaticale*. ▢
altro: .... ▢

5. Secondo te, quanto sono importanti queste competenze per comunicare bene in italiano?

	molto ++	abbastanza +	poco −	per niente − −
Sapere quando usare la lingua formale e quando quella informale				
Conoscere bene la grammatica				
Conoscere la cultura e le usanze italiane				
Capire e saper usare i gesti italiani				
Avere chiaro quello che si vuole dire e perché				
Conoscere molte parole in italiano				
Accettare l'idea che la lingua non si può "incasellare" sempre con regole rigide o vicine a quelle della mia lingua madre				
Altro:				

6. Dall'inizio del corso mi sento più sicuro quando comunico in italiano perché...

non ho paura di sbagliare. ▢
quando non conosco una parola, provo a spiegare quello che voglio dire con altre parole. ▢
penso in italiano. ▢
capisco almeno il significato generale di quello che leggo/ascolto. ▢
se incontro espressioni che non capisco, provo a interpretarle in base al contesto. ▢
so usare i connettivi per collegare i miei pensieri all'interno di un testo scritto/orale. ▢

Andiamo al cinema stasera?

Entriamo in tema

- Quali attori e registi del cinema italiano conosci?
- Quali generi di film preferisci?
- Sei un cinefilo? Pensa a tre film prodotti nel tuo paese e prova a indicare il regista, gli attori principali e il periodo di produzione.

1. **Ecco i dati su tre famosi film italiani. Lavora con un compagno e prova a completare la tabella.**

Federico Fellini - Mediterraneo - La ciociara - Sofia Loren - 8½
Gabriele Salvatores - Marcello Mastroianni

Titolo	Regista	Attore/Attrice principale
	Vittorio De Sica	
		Diego Abatantuono

Edizioni Edilingua

Comunichiamo

2. Prima di leggere il testo osserva il significato di queste parole.

pioneristici	= moderni e innovativi rispetto ai tempi; sperimentali
a pieno regime	= in maniera continua e rilevante
fondazione	= creazione, costituzione
propaganda	= attività di promozione o di persuasione
retorico	= che dà eccessiva enfasi
controversi	= discussi, ambigui, problematici
eccelle	= è di ottima qualità
rivisitato	= modificato e interpretato nuovamente
rivalutato	= a cui si dà un valore positivo dopo un po' di tempo
fattura	= qualità
proliferazione	= rapida crescita
circuito	= rete di distribuzione

3. Leggi il testo e indica quali informazioni sono presenti.

BREVE STORIA DEL CINEMA ITALIANO

La storia del cinema italiano ha origini antiche essendo iniziata praticamente subito dopo la prima proiezione dei fratelli Lumière del 1895.

Dopo i primi film pioneristici, la produzione cinematografica italiana inizia a pieno regime nel primo decennio del '900 portando nel cinema un importante movimento d'avanguardia come il Futurismo.

Dopo aver conosciuto un decennio di forte crisi nell'immediato primo dopoguerra, il cinema italiano si riprende principalmente grazie alla fondazione nel 1937 di Cinecittà, la più importante struttura per la produzione di film ancora oggi esistente in Italia. Tutti ammettono che la produzione cinematografica di quegli anni è di qualità artistica scadente essendosi limitata quasi esclusivamente a film di propaganda a favore del regime fascista.

Dopo la fine della dittatura, negli anni '40 e '50 si afferma in Italia il movimento cinematografico conosciuto in tutto il mondo come "Neorealismo" che risolleverà il cinema italiano portandolo a un livello di splendore che, secondo molti, non conoscerà più. Registi come De Sica, Visconti e Rossellini dirigono capolavori di genere drammatico come *Ladri di biciclette*, *Ossessione* e *Roma città aperta* rappresentando con attori non professionisti la realtà italiana del secondo dopoguerra in maniera cruda e asciutta, evitando qualsiasi commento retorico. In questo periodo il cinema italiano diventa uno dei più premiati e influenti a livello mondiale.

Negli anni '50 e '60 comincia a esaurirsi la corrente neorealista ma continua il periodo d'oro del cinema italiano grazie a registi famosi in tutto il mondo, primo fra tutti Federico Fellini che firma numerosi capolavori (ricordiamo soltanto *La dolce vita* e *La strada*), ma anche Antonioni, e ancora Visconti che, pur avendo terminato la fase neorealista continua comunque a produrre film che fanno parte della storia del cinema italiano (*Il Gattopardo*, *Morte a Venezia*). Accanto a questi registi dobbiamo ricordare anche Pier Paolo Pasolini, poeta, scrittore e regista, che dirige negli anni '60 film come *Mamma Roma*, *Il vangelo secondo Matteo* e, nel 1975, uno dei film più controversi nella storia del cinema italiano: *Salò o le 120 giornate di Sodoma*.

➡

i **UFFICIO INFORMAZIONI**

Tra il 1936 e il 1943 si afferma in Italia il cinema dei *telefoni bianchi* che descrive un'Italia disimpegnata e divertita, un'immagine che faceva comodo al regime fascista. Il nome deriva dalla presenza in molte scene di telefoni di colore bianco, che allora erano uno *status symbol*, rispetto ai più comuni telefoni neri dell'epoca.

Dalla fine degli anni '50 emerge anche la cosiddetta "commedia all'italiana", un altro genere che riscuoterà grande successo in Italia e sarà conosciuto all'estero principalmente grazie ad attori come Marcello Mastroianni, Vittorio Gassman e Sofia Loren. Un altro genere in cui eccelle il cinema italiano è il western rivisitato, chiamato "spaghetti western". Il regista più famoso del genere è Sergio Leone che, dopo essere stato poco considerato dai critici cinematografici negli anni '60 e '70, è stato successivamente rivalutato e apprezzato molto in Italia e all'estero, avendo lanciato, tra l'altro, attori del calibro di Clint Eastwood. Di minore spessore artistico, ma comunque di buona fattura, sono infine gli altri generi del cinema italiano che si impongono in quegli anni: l'horror e il poliziesco. I film polizieschi daranno vita a un vero e proprio genere: il "poliziottesco" o "poliziesco all'italiana".

Dopo aver avuto un lungo periodo d'oro dagli anni '40 alla fine degli anni '70, il cinema italiano conosce un periodo di crisi creativa che dura circa un decennio. Accanto alle numerose produzioni di cinema di serie B, è doveroso comunque ricordare la produzione di registi come Fellini, Scola, Olmi e Moretti. Si tratta però di importanti film isolati nel panorama del cinema italiano di quegli anni che presenta principalmente film thriller/horror o commedie erotiche di bassa fattura e con trame inconsistenti e ripetitive.

Gli anni '90 risentono in parte ancora della crisi del decennio precedente e non emerge una vera e propria scuola. Vengono prodotti comunque film di valore da parte di nuovi registi come Salvatores (*Mediterraneo*: Premio Oscar come miglior film straniero) e per la commedia, il già noto Verdone (romano) e i giovani Pieraccioni e Virzì (toscani).

Cosa dire infine del cinema italiano contemporaneo? Leggendo i pareri della critica, si notano atteggiamenti opposti verso la cosiddetta giovane generazione di registi: si va dalla critica feroce alla più generosa esaltazione. In Italia alcuni parlano, probabilmente troppo spesso e in maniera superficiale, di morte del cinema italiano per la proliferazione di film commerciali di basso livello ma che garantiscono facili incassi ai botteghini. Molti altri però, non soltanto cinefili non professionisti, ma anche importanti registi e giornalisti stranieri, vedono da qualche anno nel nostro cinema una rinascita di grande qualità, pur essendo l'industria cinematografica italiana in continua crisi economica. Inoltre, sembra affermarsi una validissima generazione di giovani indipendenti che, con pochi mezzi, scrive e dirige film che nella maggior parte dei casi non entrano nel circuito della grande industria e hanno una circolazione molto modesta, limitata alle rassegne di film indipendenti. Tuttavia, si tratta in molti casi di prodotti di alta qualità. Insomma, non ci resta che aspettare qualche anno per vedere quanto questa rinascita sia fondata su solide basi.

i UFFICIO INFORMAZIONI

Tra i registi contemporanei conosciuti anche all'estero ricordiamo almeno: Giuseppe Tornatore (Oscar per *Nuovo Cinema Paradiso*); Roberto Benigni (Oscar per *La vita è bella*); Gabriele Muccino (*La ricerca della felicità* e *Sette anime* girati a Hollywood); Emanuele Crialese (suoi gli splendidi *Nuovomondo* e *Terraferma*).

1. Il Futurismo influenza il cinema italiano degli anni '20.
2. Verso la fine degli anni '30 nasce Cinecittà.
3. Il regime fascista ha censurato molti film.
4. Il Neorealismo rappresentava la realtà italiana del dopoguerra.
5. Fellini e De Sica hanno vinto il Premio Oscar.
6. Il Neorealismo è stato conosciuto anche all'estero.
7. Alberto Sordi è un famoso attore della commedia italiana.
8. Sofia Loren ha lavorato all'estero.
9. In Italia è esistito un particolare genere western.
10. Fellini dirige film anche negli anni '80.
11. In Italia si sta affermando una generazione di giovani registi.
12. I registi "indipendenti" sono conosciuti all'estero.

Edizioni Edilingua

Impariamo le parole - Cinema e generi cinematografici

4. Trova la parola o l'espressione presente nel testo e scrivila accanto alla definizione.

1. trasmissione di un film ....
2. opere di altissima qualità artistica ....
3. persona che dirige un film ....
4. giornalisti che commentano i film ....
5. storie del film ....
6. guadagni, profitti ....
7. biglietterie del cinema e del teatro ....
8. persone appassionate di cinema ....
9. manifestazioni in cui si proiettano i film ....

5. Abbina i generi di film alla loro definizione.

1. film a lieto fine con situazioni divertenti
2. film che descrive la vita di un personaggio realmente esistito
3. film che ha come principale obiettivo fare ridere il pubblico
4. film che dà importanza ai personaggi che vivono vicende tragiche
5. film con molte scene di sesso
6. film d'azione basato sulle indagini della polizia
7. film con scene che fanno paura
8. film fantastico ambientato nel futuro o su un altro pianeta

a. comico
b. di fantascienza
c. erotico
d. commedia
e. poliziesco
f. horror
g. biografico
h. drammatico

Facciamo grammatica

Osserva!

- Dopo i primi film pioneristici, la produzione cinematografica italiana inizia a pieno regime nel primo decennio del '900 portando nel cinema un importante movimento d'avanguardia come il Futurismo.

- La storia del cinema italiano ha origini antiche essendo iniziata praticamente subito dopo la prima proiezione dei fratelli Lumière del 1895.

Le parole evidenziate sono il gerundio presente e passato dei verbi *portare* e *iniziare*.

6. Rileggi il testo e completa la tabella.

● ● ● gerundio presente	● ● ● gerundio passato
portando	essendo iniziata

7. **Rileggi le frasi contenenti i gerundi inseriti nella tabella dell'attività 6 e scrivi la regola.**

1. Il gerundio ha molte funzioni. In quali frasi ha valore...?

   a. causale (indica la causa di quello che si dice nella frase principale) ....

   b. modale (indica il modo in cui avviene quello che si dice nella frase principale) ....
      ....

   c. temporale (indica la relazione di tempo con quello che si dice nella frase principale) ....
      ....

   d. coordinativo (indica una semplice coordinazione con quello che si dice nella frase principale)
      ....

   e. condizionale/ipotetico (indica l'ipotesi da cui dipende quello che si dice nella frase principale)
      ....

   f. concessivo, preceduto da *pur* (indica una situazione a cui però segue un effetto imprevisto nella
      frase principale) ....

2. Rispetto alla frase principale in che rapporto temporale si trova l'azione espressa dal gerundio presente? ....

3. Rispetto alla frase principale in che rapporto temporale si trova l'azione espressa dal gerundio passato? ....

4. Come si forma il gerundio passato? ....

5. Qual è la posizione dei pronomi con il gerundio? ....

8. **Nelle seguenti frasi inserisci i verbi al gerundio presente o passato.**

1. Sergio Leone è apprezzato anche in America (dirigere) .... attori come Clint Eastwood.

2. Pur non (finire) .... ancora la crisi, il cinema sta conoscendo una fase di ripresa.

3. (Volere) .... fare una classifica, *La dolce vita* è uno dei film italiani più noti.

4. Il cinema italiano torna al successo (affermarsi) .... con due film a Cannes.

5. (Dirigere) .... più di 50 film; Monicelli è uno dei registi italiani più produttivi.

6. Alcuni registi italiani hanno scritto un libro (raccontare) .... i loro esordi al cinema.

7. (Esserci) .... un padrino come Martin Scorsese, quest'anno il Festival del Cinema di Roma ha suscitato grande interesse.

8. (Avere) .... una grande stagione negli anni '60, il cinema italiano è conosciuto in tutto il mondo.

Osserva!

- Dopo aver conosciuto un decennio di forte crisi nell'immediato primo dopoguerra, il cinema italiano si riprende.

- Dopo aver avuto un lungo periodo d'oro dagli anni '40 alla fine degli anni '70, il cinema italiano conosce un periodo di crisi creativa.

Le parole evidenziate sono l'infinito passato dei verbi *conoscere* e *avere*.

Edizioni Edilingua

9. Scrivi la regola.

1. L'infinito passato si forma con l'................................. (che spesso perde la -*e* finale) + il participio passato del verbo.

2. L'azione espressa dall'infinito passato è .... rispetto all'azione espressa dal verbo della frase principale.

I pronomi si mettono dopo l'infinito presente che perde la -*e* finale.

● Mi piacciono i film di Fellini. Credo di *averli visti* quasi tutti.

10. Ricostruisci oralmente la biografia del regista Federico Fellini utilizzando l'infinito passato.

Finire il liceo classico/lavorare come caricaturista. Trasferirsi a Roma/scrivere gag e i suoi primi copioni. Collaborare alla sceneggiatura di alcuni film/dirigere il primo film nel 1952. Dirigere *I vitelloni*/diventare famoso all'estero. Vincere la Palma d'Oro con *La dolce vita*/girare *8½*, forse il suo miglior film. Dirigere *Amarcord*/ricevere il quarto Premio Oscar. Ricevere il quinto Oscar, quello alla carriera/morire nel 1993.

Esempio: Dopo aver finito il liceo classico, Fellini lavora come caricaturista...

11. Trasforma le seguenti frasi. Usa l'infinito passato.

NICCOLÒ AMMANITI

IO NON HO PAURA

EINAUDI STILE LIBERO

1. *Io non ho paura* mi è piaciuto molto. Ho visto il film e poi ho letto il libro.

....

2. La critica ha snobbato Sergio Leone, ma in seguito lo ha rivalutato.

....

3. Finisco di vedere il film e dopo ti richiamo.

....

4. Ho visto *La dolce vita* e dopo ho cominciato a vedere tutti i film di Fellini.

....

5. Quasi ogni sabato Marco gioca a calcetto con gli amici e poi va nel cinema.

....

6. Il cinema italiano produce ottimi film fino agli anni '70 e successivamente ha un periodo di crisi.

....

⮕ Entriamo in tema

⮌ Cosa ne pensi del fenomeno di scaricare film da Internet? Lo hai mai fatto? Per quale tipo di film?

⮌ Hai mai guardato film "in streaming"?

⮌ Quanto costa in media un biglietto del cinema nel tuo paese? Il costo ti sembra eccessivo?

⮌ Cosa faresti per aumentare il numero di spettatori al cinema?

UN TEMPO I PIRATI ERANO COSÌ...

ARGH!!

...SONO COSÌ'!!

ORA INVECE...

LOL!

BY AKIRA

Comunichiamo

 ### 12. Ascolta i due testi. Vero o falso?

Testo 1   Vero   Falso

1. Uno dei ragazzi ha comprato il DVD con l'ultimo film di Salvatores.
2. Su Internet è possibile trovare film in prima visione.
3. Uno dei ragazzi vende DVD con film non originali.
4. Scaricare i film da Internet è un fenomeno diffuso in Italia.

Testo 2

5. Il film che guardano i ragazzi è di cattiva qualità.
6. I ragazzi hanno opinioni diverse sulla pirateria cinematografica.
7. La pirateria ha fatto fallire l'industria cinematografica.
8. Alla fine entrambi preferiscono andare al cinema.

 ### 13. Ascolta di nuovo e leggi i testi. Controlla le risposte dell'attività 12.

Testo 1

In una trasmissione radiofonica si discute di pirateria.

- Allora, su questo aspetto vorrei sentire cosa ne pensano i nostri ascoltatori. Per esempio, ecco... tu, Andrea, hai mai scaricato un film da Internet?
- Mah... se devo dire la verità, sì. Rientro tra i cosiddetti "pirati".
- E qual è l'ultimo film che hai scaricato?
- Allora... proprio ieri ho scaricato l'ultimo film di Salvatores.
- Come? Ma se è appena uscito!
- Sì, ma in Rete trovi tutti i film che vuoi! Soprattutto le prime visioni nelle sale. E te li puoi vedere comodamente a casa.
- Ma scusa, tu scarichi i film così, senza farti problemi? Ma lo sai che è illegale?
- Ma dài... A chi vuoi che importi se scarico qualche film...
- Beh, attenzione però, non è poi un reato da poco... è previsto anche il carcere.
- Sì, va bene ma... non esageriamo! Mica sono un criminale! E poi lo fanno un po' tutti, eh? Anzi, molti scaricano film 24 ore al giorno e nessuno se ne accorge. Proprio me dovrebbero scoprire?!?
- D'accordo... sentiamo l'opinione di qualcun altro. Tu, Valerio, per esempio, hai sentito? Andrea dice che in Rete trovi tutti i film che vuoi, anche le prime visioni e che te li puoi vedere comodamente a casa. Tu come ti comporti?
- Allora, a parte il rischio, io sono contrario alla pratica di scaricare i film. A dire il vero alcuni film li ho scaricati anch'io ma pochi, soltanto quelli vecchi che non avevo trovato neanche in DVD. Mentre ritengo che sia sbagliato scaricare film nuovi. La pirateria danneggia moltissimo l'industria cinematografica.

Testo 2

Due amici discutono se andare al cinema o vedere un film pirata a casa.

Franco: Allora, Marco, andiamo al cinema stasera?

Marco: Uhm... non lo so... avevi in mente qualche film in particolare?

Franco: È uscito l'ultimo film di Muccino. Dicono che sia interessante.

Marco: Senti, invece di andare al cinema ho un'idea migliore: io il film di Muccino l'ho appena scaricato, ce lo possiamo vedere anche subito.

Franco: Ma che, sei anche tu un pirata? E frequenti pure il DAMS! Proprio oggi alla radio parlavano di questo.

Marco: Ah, sì? E che dicevano?

> **ℹ UFFICIO INFORMAZIONI**
>
> Il DAMS, Dipartimento delle Arti, della Musica e dello Spettacolo, è presente in molte università italiane.
> Il DAMS con indirizzo cinematografico prepara figure professionali che potranno lavorare nel mondo del cinema e, in particolare, in settori come la critica cinematografica; l'organizzazione di eventi cinematografici; la ricerca e la consulenza nella documentazione cinematografica.

Edizioni Edilingua

Franco: Il giornalista ha chiesto a un ragazzo se avesse mai scaricato film da Internet e lui ha ammesso tranquillamente di scaricare anche film in prima visione. Infatti, ha detto che aveva scaricato l'ultimo film di Salvatores, quello che è ancora nelle sale.

Marco: E di cosa ti scandalizzi? Ormai lo fanno tutti!

Franco: A parte il fatto che è illegale... Anzi il conduttore ha ricordato che la pirateria non è un reato da poco e che è previsto anche il carcere. Poi non è vero che lo fanno tutti. Un altro ragazzo ha detto infatti che era contrario. Ha ammesso di aver scaricato alcuni film, ma soltanto quelli praticamente introvabili anche in DVD. Ha aggiunto che riteneva che fosse sbagliato scaricare i film nuovi perché la pirateria danneggia l'industria cinematografica.

Marco: Già... poverini quelli dell'industria cinematografica! Ma lo sai bene che guadagni stellari hanno?! Dài, vieni che ce lo vediamo in camera mia.

...

Franco: Marco, ma scusa, si sente malissimo...

Marco: Beh, lo so, l'audio non è il massimo... ma sai è stato registrato al cinema con una piccola telecamera...

Franco: E poi si vede anche male... e lo schermo è piccolissimo! No, guarda, io mi rifiuto di vedere un film così... Se ne va tutto il piacere... Dài, andiamo al cinema!

Marco: No, Franco, ma lo sai quanto costa il biglietto? Alla multisala in centro il biglietto è arrivato a 8 euro!

Franco: Sì, è vero, il biglietto è caro... Però senti, io non vado spesso al cinema, ma quando ci vado il film me lo voglio godere!

14. Discuti con un compagno.

1. Vai spesso al cinema? Se non ci vai spesso, qual è il motivo?
2. Secondo te, è lo stesso vedere un film al cinema e alla TV? Motiva la tua risposta. 3. Qual è il tuo film preferito e perché? Racconta brevemente la trama.

Facciamo grammatica

Osserva!

1a. Ho scaricato l'ultimo film di Salvatores.
1b. *Ha detto che* aveva scaricato l'ultimo film di Salvatores.
2a. Non è poi un reato da poco... è previsto anche il carcere.
2b. *Ha ricordato che* non è un reato da poco e che è previsto anche il carcere.

Le frasi a sono dette direttamente da chi parla (discorso diretto). Nelle frasi b, invece, una persona riporta quello che ha detto un'altra persona (discorso indiretto).

Attenzione!

Se il discorso indiretto è introdotto da un verbo al presente i tempi verbali non cambiano.
I tempi verbali possono rimanere uguali anche quando il discorso indiretto è introdotto da un tempo passato, ma la situazione è ancora valida nel presente (frase 2b).

15. Scrivi la regola. Rileggi i testi, prova a completare la tabella e completa le affermazioni.

Discorso diretto	Discorso indiretto (introdotto da un tempo passato)
Hai mai scaricato film da Internet?	Il giornalista ha chiesto ....
Ho scaricato l'ultimo film di Salvatores.	Ha detto che aveva scaricato l'ultimo film di Salvatores.

Nel discorso indiretto introdotto da un tempo passato (*ha chiesto*, *ha detto*, *riteneva* ecc.)…

a. il *presente indicativo* diventa ....

b. il *passato prossimo* diventa ....

c. il *congiuntivo presente* diventa ....

d. il pronome *io* diventa ....

e. una *frase interrogativa* si trasforma in una interrogativa indiretta. In questo caso il *presente indicativo* si trasforma in imperfetto congiuntivo ("*Scarichi* film?" = Mi ha chiesto se scaricassi film). È possibile anche usare l'imperfetto indicativo, soprattutto nella lingua parlata ("*Scarichi* film?" = Mi ha chiesto se scaricavo film). Invece il *passato prossimo* diventa ....

Se il soggetto della frase principale e della frase secondaria è lo stesso si può usare anche di + infinito (presente o passato).

● Ha detto che aveva scaricato l'ultimo film di Salvatores. = Ha detto di aver scaricato l'ultimo film di Salvatores.

16. Leggi il testo e riferisci a un compagno l'opinione dell'attore. Usa il discorso indiretto.

«Se continua così, la pirateria tra dieci anni metterà al tappeto le sale cinematografiche. Alcune stanno già chiudendo», diceva Carlo Verdone, noto attore italiano, già alcuni anni fa. «La crisi si sente, basta entrare nei negozi di DVD, nei blockbuster. Si lamentano tutti». Raccontava d'essere appena tornato da San Pietroburgo, dove aveva girato *Italians*. Una ragazza russa della produzione gli aveva detto d'aver imparato l'italiano grazie ai suoi film. «Me li mandi?», gli aveva chiesto. Ma un'altra ragazza della troupe lo aveva anticipato: «C'è il sito dove puoi scaricare tutto gratis!». «Sono andato a vedere – ha aggiunto Verdone – e c'era tutta la mia vita professionale. Gratis. E illegalmente. Oltre al diritto d'autore, si colpisce un'industria che rischia di lasciare per strada migliaia di lavoratori. E noi lavoreremo solo per la TV».

adattato da *www.corriere.it*

17. Lavora con un compagno e prova a rispondere alle domande.

Come diventa nel discorso indiretto…?

a. il periodo ipotetico di I tipo ....

b. la frase interrogativa ....

c. l'imperfetto ....

d. il pronome *noi* ....

e. il futuro semplice ....

f. *tra dieci anni* ....

Edizioni Edilingua

Attenzione!

Oltre ai tempi verbali e ai pronomi, nel discorso indiretto cambiano molti altri elementi linguistici. Per esempio *questo* diventa quello. Ecco alcuni esempi di come cambiano gli indicatori di spazio e di tempo.

Discorso diretto	Discorso indiretto
qui	lì, là, in quel posto
ora	allora
oggi	quel giorno
domani	il giorno dopo, l'indomani
il mese/l'anno prossimo; la settimana prossima	il mese/l'anno successivo; la settimana successiva
un giorno/mese/anno fa	un giorno/mese/anno prima
fra un anno	dopo un anno; un anno dopo

18. Trasforma le frasi al discorso indiretto.

1. "Penso che Fellini sia stato il migliore regista italiano."
   Il giornalista pensava che ....

2. "Ti piace il cinema italiano?"
   Lucia mi ha chiesto ....

3. "La pirateria porterà al fallimento l'industria cinematografica."
   Verdone ha dichiarato che ....

4. "Se tutti scaricano i film, il costo del biglietto deve diminuire."
   Marco dice che ....

5. "Quando io ero ragazzo, si poteva fumare dentro i cinema."
   Mio padre ha detto che ....

Entriamo in tema

- Quali sono, secondo te, i fattori che determinano il successo di un film presso il grande pubblico?
- Cosa sai del cosiddetto "cinema indipendente"?
- Ti è capitato di vedere film belli, ma per niente pubblicizzati?

Comunichiamo

19. Ascolta il testo e rispondi alle domande.

1. Chi finanzia il cinema indipendente?
   ....

2. Quali film vengono principalmente finanziati dal cinema commerciale?
   ....

3. Quali sono le principali caratteristiche di un film indipendente?
   ....

4. Perché è possibile diventare famosi lavorando in film indipendenti?
   ....

20. Ascolta di nuovo e leggi il testo. Controlla le risposte dell'attività 19.

Un giovane regista parla delle principali caratteristiche del cinema indipendente.

Oggi parliamo di cinema indipendente. Ecco, ma che cos'è il cinema indipendente? Lo dice la parola: "non dipende da", eh? Effettivamente tutto dipende da un qualcosa ma, nel caso del cinema indipendente, non dipende dall'industria. Quindi non dipende dalla produzione industriale. Quindi vale a dire: non è stato scelto per fare quattrini, eh? Ma è stato scelto per il valore dell'opera che appunto contiene. Per il valore della storia, per il, per la scelta proprio dell'autore e del regista.

E chi è allora che tira fuori i soldi per realizzare il film indipendente, se il film non dipende dall'industria? Bene, allora, i procedimenti sono differenti. Anche un cinema... anche un film indipendente ha bisogno di una produzione, anche se limitata rispetto a quella che offre l'industria, ma ha bisogno di una produzione quindi chi finanzia il film è di solito chi lo scrive e chi lo produce. Quindi o il regista, o un gruppo di artisti, attori compresi, a volte, che coproducano insieme que- il, il film. Nell'industria, invece, eh, c'è una società che si occupa  di finanziare le idee e quindi le sceneggiature e i soggetti che vengono ritenuti idonei per... per il loro aspetto più che altro commerciale. Vengono finanziati quei film che potrebbero fare soldi.

Il film non dovrà essere particolarmente articolato, secondo me, o particolarmente ricco di attori, controf-, sì, comparse o varie controfigure, chi lo sa, insomma... dovrebbe essere limitato a pochi, buoni, fedeli amici, insomma. Le immagini saranno molto scarne però essenziali, cioè, importanti. Quindi il film sarà centrato spesso sul personaggio e non su una grande storia articolata perché il personaggio è uno di solito, è l'attore che fa il film, no? Che conduce.

Che dire? Eh, si può diventare famosi? Si può diventare registi importanti attraverso il cinema indipendente? Beh, direi proprio di sì. Il cinema indipendente spesso concorre a grandi rassegne tipo Venezia, tipo Cannes, tipo... insomma, Roma, e quindi non, non abbiate paura che sicuramente, se siete validi, le giurie capiscono, perché sono professionisti, quindi capiscono le vostre possibilità e in relazione a queste danno delle ottime valutazioni. Ci sono stati dei film indipendenti che si sono poi trasformati durante la loro distribuzione in veri colossal.

 UFFICIO INFORMAZIONI

Sono numerosissimi i festival del cinema che si tengono ogni anno in Italia. Il più famoso è sicuramente il Festival di Venezia che è anche il più antico del mondo (1932). Più recenti, ma già molto noti, sono il Festival del Cinema di Roma e quello di Torino.

tratto da *www.steter.it*

Impariamo le parole - Ancora sul cinema

21. Nei testi precedenti hai incontrato altre parole relative al cinema. Abbina le parole alla definizione corrispondente.

1. pirateria	a. luogo in cui si proietta il film
2. sala cinematografica	b. guidare, portare avanti qualcuno o qualcosa
3. schermo	c. apparecchio che si usa per riprendere le scene
4. controfigure	d. attori presenti in un film per pochi momenti
5. comparse	e. film trasmessi per la prima volta al cinema o in TV
6. sceneggiatura	f. attori secondari che sostituiscono gli attori principali
7. giurie	g. l'insieme delle scene di un film
8. concorrere	h. partecipare a un concorso, a un festival
9. telecamera	i. oggetto su cui si proiettano le scene
10. recensione	l. visione o vendita illegale di film
11. prime visioni	m. articolo che commenta un film
12. condurre	n. commissioni, giudici

Edizioni Edilingua

22. Completa le frasi con alcune parole dell'esercizio 21.

1. Cercano alcune .... per un film che stanno girando a Cinecittà.

2. Anche se è alla prima esperienza non ha nessun imbarazzo a stare davanti alla ....

3. Il film è stato molto apprezzato e la .... gli ha conferito un premio speciale.

4. I film d'azione richiedono la presenza di molte ....

5. Andiamo a vedere il film di Moretti! Ho letto un'ottima ....

6. L'industria cinematografica andrebbe protetta di più dalla ....

7. Al cinema ero seduto dietro una persona molto alta e non vedevo bene lo ....

8. A causa della crisi del cinema hanno dovuto chiudere la .... del mio quartiere.

◎ Analizziamo il testo

Il testo che hai ascoltato è un tipo di testo parlato monologico di media formalità e si rivolge ad ascoltatori che non sono presenti e non possono intervenire. Il registro è meno formale o controllato di altri testi simili, come il testo di un telegiornale, che è invece un esempio di "parlato/scritto".

23. Ascolta di nuovo e leggi le seguenti frasi tratte dal testo.

a. Anche un cinema… anche un film indipendente ha bisogno di una produzione.

b. Il regista, o un gruppo di artisti, attori compresi, a volte, che coproducano insieme que- il, il film.

c. Il film non dovrà essere particolarmente articolato, secondo me, o particolarmente ricco di attori, controf-, sì, comparse o varie controfigure, chi lo sa, insomma…

Ora abbina i fenomeni tipici del parlato alle frasi.

1. Esitazione e autocorrezione   Frase ....

2. Falsa partenza e cambio di soggetto   Frase ....

3. Interruzione, autoconferma e ripresa di quello che si stava dicendo   Frase ....

24. Ascolta il testo e sottolinea quelli che, secondo te, sono gli aspetti tipici della lingua parlata.

Un giovane regista che è riuscito a… a girare, a costruire, quindi ad organizzare e a produrre un film a costo zero, grazie alla partecipazione a costo zero di tutti gli attori, alla, alla diciamo partecipazione di tutte eh, di tutti i reparti tecnici che hanno lavorato gratuitamente e, pensate un po', anche attraverso l'utilizzo di materiale ehm, e quindi di supporti ecologici ah, che, riciclabili, che non hanno, hanno avuto diciamo un impatto molto molto minimo, anzi zero con l'ambiente. Quindi un film a costo zero di tutto. Simone Damiani, il regista di *Torno subito*, lo abbiamo qui su Sky. Ciao Simone. Senti, quando è nata quest'idea del fare, di fare il film in barba alla produzione industriale?

tratto da *www.steter.it*

25. Riformulazioni in contesti formali.

Nel parlato di registro formale, come quello di un esame universitario, oltre a pause piene e autocorrezioni, sono normalmente presenti altri fenomeni: per esempio, cercare di coinvolgere l'interlocutore, usando la prima persona plurale, o i segnali discorsivi.

Quali sono le frasi appropriate da usare a un esame?

1. Presenta... Presento il programma di Storia del cinema dello scorso anno.

2. Presenta, no, mi scusi ho sbagliato. Presento il programma di Storia del cinema dello scorso anno.

3. So bene, e anche Lei professore lo sa, che il Neorealismo ha avuto influenze anche fuori dall'Italia.

4. Sappiamo bene che il Neorealismo ha avuto influenze anche fuori dall'Italia.

5. La "commedia all'italiana" è un buon genere... vabbè, non sono tutti capolavori, ma ci sono film di buon livello.

6. La "commedia all'italiana" è un buon genere... certamente non sono tutti capolavori, ma ci sono film di buon livello.

7. Credo che il regista di 8½ sia Fellini, sì.

8. Credo che il regista di 8½ sia Fellini, ecco, lo credo sicuramente.

26. Leggi il testo e scegli l'alternativa corretta.

DI FILM E DI ALTRO: BREVISSIMA SINTESI DEL MEGLIO (E DEL PEGGIO...) DEL CINEMA ITALIANO

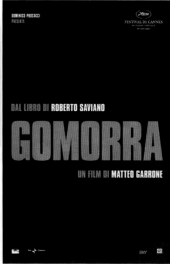

Quando siamo all'estero o parliamo con persone non italiane e vogliamo lodare il nostro paese, uno degli argomenti migliori è quello del cinema. E del resto, come non potrebbe essere così? Il cinema rientra a buon diritto tra le eccellenze italiane. Non si può certamente negare che il cinema italiano abbia espresso punte di altissima arte, soprattutto in alcuni periodi. Il Neorealismo, per esempio, è da tutti riconosciuto come un movimento cinematografico di grande spessore e di indiscussa influenza anche sulla successiva produzione cinematografica in Italia e all'estero. Rossellini, Visconti e De Sica hanno diretto capolavori neorealisti conosciuti da tutti i cinefili. E ancora, registi come Pasolini e Fellini, pur non appartenendo a una scuola ben precisa, hanno diretto capolavori celebrati in tutto il mondo.

E che dire dei nostri attori più famosi? A parte le loro eccellenti recitazioni, attori come Marcello Mastroianni e Vittorio Gassman, Sofia Loren e Gina Lollobrigida continuano ancora oggi a rappresentare il modello di bellezza italiana. Il cinema italiano ha dunque raggiunto in passato periodi felici. Ma senza abbandonarci troppo alla nostalgia, noi crediamo che anche oggi il cinema italiano mostri segnali di vitalità e ripresa molto incoraggianti. Lo dimostrano i recenti successi di film come Gomorra, il film sulla camorra a Napoli tratto dal best-seller di Roberto Saviano, e Il Divo, alias Giulio Andreotti, uno dei politici più influenti nella storia d'Italia del dopoguerra.

Se parliamo di cinema in Italia, non possiamo infine non citare i numerosissimi festival del cinema che ogni anno contribuiscono a diffondere film italiani e stranieri. Il Festival del Cinema di Venezia, innanzitutto, il più antico del mondo e probabilmente il più famoso d'Europa, ma anche i più recenti Festival di Roma e Torino. Proprio il Festival di Torino si svolge all'interno del grande Museo Nazionale del Cinema che conserva un'enorme raccolta di manifesti, macchine cinematografiche antiche e moderne, oltre a 80.000 documenti fotografici, 12.000 film e 26.000 volumi dedicati al cinema.

Accanto però all'eccellenza del cinema italiano, dobbiamo anche segnalare un periodo di grossa crisi artistica che ha dato vita, soprattutto ma non solo negli anni '70, al cosiddetto cinema *trash*. In questa categoria rientrano film comici, thriller, e molte commedie "soft-erotiche" degli anni '70. Tuttavia, questi film stanno avendo oggi una rivalutazione da parte di alcuni appassionati del genere in Italia e anche all'estero (vedi l'apprezzamento di alcuni film da parte di Quentin Tarantino).

Un discorso a parte sono invece gli attuali *cinepanettoni*, commedie che escono puntualmente ogni anno nel periodo natalizio (da qui il nome, incrocio tra "cinema" e "panettone", il famoso dolce di Natale). Le attrici di questi film sono principalmente donne che lavorano in televisione e che, per fortuna di tutti i cinefili, non continuano la loro carriera cinematografica. La trama dei film è debolissima e ripetitiva e la comicità è basata sulla volgarità. Tuttavia, questi film fanno registrare ogni anno enormi incassi al botteghino.

1. Fellini e Pasolini...
   a. hanno girato film pioneristici
   b. sono famosi anche all'estero
   c. sono attori neorealisti

2. Il cinema italiano contemporaneo...
   a. è in profonda crisi
   b. riprende i temi dei film neorealisti
   c. ha prodotto ottimi film

3. Il festival del cinema più antico d'Europa è quello di...
   a. Torino
   b. Roma
   c. Venezia

4. Il Museo del Cinema è a...
   a. Venezia
   b. Torino
   c. Roma

5. I film *trash* degli anni Settanta...
   a. hanno avuto successo all'estero
   b. sono considerati scadenti
   c. sono in parte rivalutati

6. Le commedie "soft-erotiche"...
   a. sono un esempio di cinema *trash*
   b. riprendono temi del cinema straniero
   c. hanno avuto grande successo

7. I cinepanettoni sono film...
   a. scadenti
   b. impegnati
   c. indipendenti

8. I cinepanettoni...
   a. hanno brave attrici
   b. hanno successo di pubblico
   c. escono durante tutto l'anno

Parliamo un po'...

⊃ Quali sono le manifestazioni cinematografiche più importanti del tuo paese?

⊃ Quali sono i tuoi attori e attrici preferiti?

⊃ Ci sono attori che hanno successo solo perché sono belli?

⊃ Esiste un filone di cinema *trash* nel tuo paese? Cosa ne pensi? Ha successo? Se sì, secondo te, perché?

Scriviamo insieme

27. *La nostra storia del cinema.*

Dovete scrivere una breve storia del cinema senza riferirvi a un solo periodo o a un paese in particolare. Dividetevi in tre gruppi: il primo gruppo deve descrivere almeno due attori molto famosi e conosciuti (periodo; il genere di film in cui hanno recitato; curiosità che li riguardano); il secondo gruppo deve individuare alcuni film *cult* della vostra generazione e descriverne almeno uno cercando di spiegare perché sono diventati film "di culto"; il terzo gruppo deve individuare i film più "inguardabili" della storia del cinema e descriverne almeno uno.

Si dice così!

Ecco alcune espressioni utili per...

Esprimere un'azione anteriore a un'altra nel passato	La storia del cinema italiano ha origine antiche essendo iniziata [...] dopo la prima proiezione dei fratelli Lumière. Dopo aver avuto un lungo periodo d'oro [...], il cinema italiano conosce un periodo di crisi creativa.
Esprimere la causa di un'azione che avviene prima	Molti registi stranieri sono stati influenzati avendo visto i film neorealisti italiani.
Precisare il rapporto temporale tra due azioni	Guardando di nuovo il film, ho notato molti altri particolari. Avendo visto il primo tempo del film, puoi capire già come andrà a finire.
Indicare una situazione a cui segue un effetto non previsto	Pur avendo terminato la fase neorealista, Visconti continua comunque a produrre film che fanno parte della storia del cinema italiano.
Riportare il discorso di altre persone	Dice/Dicono di/che... Ha detto / Hanno detto di/che... Ha affermato / Hanno affermato di/che... Ha chiesto / Hanno chiesto di/se...
Cercare di coinvolgere l'interlocutore	Sappiamo bene che il Neorealismo ha avuto influenze anche fuori dall'Italia. Oggi parliamo con un grande attore, diciamo uno dei più famosi del momento.

Sintesi grammaticale

- ### Il gerundio presente

   Il gerundio può avere diverse funzioni che non sempre si distinguono nettamente. Ecco le principali:

   – funzione **causale**
   Esempio:
   La produzione cinematografica italiana inizia a pieno regime nel primo decennio del '900 portando (= perché porta) nel cinema un importante movimento d'avanguardia come il Futurismo.

   – funzione **coordinativa**
   Esempio:
   Il [...] Neorealismo [...] risolleverà il cinema italiano portandolo (= e lo porterà) a un livello di splendore che [...] non conoscerà più.

   – funzione **temporale**
   Esempio:
   Vivendo (= Mentre viveva) a Roma, Fellini cominciò a scrivere i primi copioni.

Edizioni Edilingua

– funzione **concessiva**

Esempio:

Molti altri però [...] vedono nel nostro cinema una rinascita di grande qualità, pur essendo l'industria cinematografica italiana (= anche se l'industria cinematografica è) in continua crisi economica.

– funzione **condizionale/ipotetica**

Esempio:

Leggendo (= Se si leggono) i pareri della critica, si notano atteggiamenti opposti verso la cosiddetta giovane generazione di registi.

Il gerundio presente indica di solito un'azione **contemporanea** rispetto a quella della frase principale.

Come sai, il gerundio si usa anche nella locuzione stare + gerundio (vedi volume 1, unità 7). Stare + gerundio indica un'azione considerata nel suo svolgimento.

Esempio:

● Che fai?   ● Sto guardando un vecchio film italiano.

Quasi sempre il soggetto del gerundio è **uguale** a quello del verbo della frase principale e per questo non viene espresso. Negli esempi precedenti il soggetto è diverso solo nella penultima frase (gerundio con funzione concessiva).

La posizione dei **pronomi** atoni è sempre **dopo il gerundio**.

Esempi:

Il Neorealismo [...] risolleverà il cinema italiano portandolo a un altissimo livello.

Conosceva il film quasi a memoria, avendolo visto almeno dieci volte.

● **Il gerundio passato**

Il gerundio passato ha gli stessi usi e le stesse funzioni del gerundio presente, soprattutto quella causale e modale. L'azione espressa dal **gerundio passato** è però **anteriore** rispetto a quella della frase principale.

Esempio:

La storia del cinema italiano *ha* origini antiche essendo iniziata (= perché è *iniziata*) praticamente subito dopo la prima proiezione dei fratelli Lumière del 1895.

Il gerundio passato si forma con il gerundio presente di *essere* (*essendo*) o *avere* (*avendo*) + il participio passato del verbo.

gerundio presente	gerundio passato
Guardare	
guardando	avendo guardato
Prendere	
prendendo	avendo preso
Uscire	
uscendo	essendo uscito/a/i/e
Produrre*	
producendo	avendo prodotto
Riprendersi	
riprendendosi	essendosi ripreso/a/i/e

*Oltre ai verbi in *-urre*, sono irregolari al gerundio presente: i verbi in *-orre* come *proporre* ➔ proponendo; *bere* ➔ bevendo; *dire* ➔ dicendo; *fare* ➔ facendo.

- ## L'infinito passato

  L'infinito passato si forma con l'infinito presente di *essere* o *avere* + il participio passato del verbo. L'azione espressa dall'infinito passato è **anteriore** rispetto all'azione espressa dal verbo della frase principale.
  Esempio:
  Il regista pensa di aver prodotto un buon film. (L'azione "produrre il film" avviene prima dell'azione "pensare").

  L'infinito passato può essere preceduto dalla congiunzione temporale dopo.
  Esempio:
  Dopo essere andata in America, l'attrice ha avuto un enorme successo.

  La posizione dei **pronomi** atoni è sempre **dopo l'infinito presente** che perde la -e finale.
  Esempi:
  Che film è questo? Credo di non averlo mai visto.
  Dopo essersi trasferito a Roma, cominciò la sua carriera di regista.

- ## Il discorso indiretto

  Il discorso indiretto si usa per riportare quello che è stato detto da altri.

  Quando il verbo della frase principale è al **presente** i tempi dei verbi **non cambiano**.
  Esempio:
  "*La dolce vita* è un grande film."   Lucia dice che *La dolce vita* è un grande film.

  I tempi possono non cambiare anche quando il verbo della principale è al passato, ma la situazione è ancora valida nel presente.
  Esempio:
  "*La dolce vita* è un grande film."   Lucia dice ha detto che *La dolce vita* è un grande film.

  Quando il verbo della frase principale è al **passato** i tempi dei verbi **cambiano** in questo modo:

Discorso diretto	Discorso indiretto
Indicativo/Congiuntivo presente "È un bel film." "Penso che sia un bel film."	**Indicativo/Congiuntivo imperfetto** Ha detto che era un bel film. Pensava che fosse un bel film.
Indicativo passato prossimo / Congiuntivo passato "È stato un bel film." "Penso che sia stato un bel film."	**Indicativo trapassato prossimo / Congiuntivo trapassato** Diceva che era stato un bel film. Pensava che fosse stato un bel film.
Indicativo futuro semplice / Condizionale presente "Andrò al cinema." / "Andrei al cinema."	**Condizionale passato** Ha detto che sarebbe andato al cinema.
Imperativo "Va' al cinema!"	*Di* **+ infinito** (*anche con tempo al presente nella principale*) Ha detto (Dice) di andare al cinema.
Indicativo presente nelle interrogative "Scarichi film?"	**Congiuntivo o indicativo imperfetto** Mi ha chiesto se scaricassi/scaricavo film.
Indicativo passato prossimo/imperfetto nelle interrogative "Hai scaricato film?" / "Scaricavi film?"	*Se* **+ congiuntivo trapassato o indicativo trapassato prossimo** Mi ha chiesto se avessi scaricato / avevo scaricato film.

Edizioni Edilingua

Discorso diretto	Discorso indiretto
Periodo ipotetico di I, II tipo	**Periodo ipotetico di III tipo**
"Se guardi questo film in streaming, non ci proverai nessun piacere."	Ha detto che se avessi guardato quel film in streaming, non ci avrei provato nessun piacere.
"Se avessi talento, dirigerei un film."	Diceva che se avesse avuto talento, avrebbe diretto un film.

Attenzione!

Se il soggetto della frase principale e della frase secondaria è lo stesso, si può usare anche di + **infinito** (presente o passato).
Esempi:

"Sono contento."	Tiziano ha detto di essere contento.
"Sono andato al cinema."	Tiziano ha detto di essere andato al cinema.

Oltre ai tempi verbali e ai pronomi, nel discorso indiretto cambiano molti altri elementi linguistici. Per esempio *questo* diventa quello. Ecco alcuni esempi di come cambiano gli **indicatori di spazio e di tempo**:

Discorso diretto	Discorso indiretto
qui	lì, là, in quel posto
ora	allora
oggi	quel giorno
domani	il giorno dopo, l'indomani
il mese/l'anno prossimo; la settimana prossima	il mese/l'anno successivo; la settimana successiva
un giorno/mese/anno fa	un giorno/mese/anno prima
fra un anno	dopo un anno; un anno dopo

- **Alcuni fenomeni tipici del parlato**

  Nella conversazione spontanea, non controllata, ti può capitare di sentire alcuni fenomeni che sono tipici del parlato. Te ne presentiamo alcuni.

  – **False partenze** e **cambio di soggetto**
    Esempio:
    Io vado... noi andiamo al cinema.

  – **Esitazioni** e **autocorrezioni**
    Esempio:
    Oggi parliamo di cinema itali... cioè di film italiani.

  – **Autoconferma**
    Esempio:
    Per me il periodo più felice del cinema italiano è il Neorealismo, ecco, sì.

  – **Cercare di coinvolgere l'interlocutore** su ciò che si dice
    Esempio:
    Fellini è un grande regista italiano, diciamo pure che è il più grande.

◎ Grammatica

1. Scegli l'opzione corretta.

1. Volevo andare/essere andato/essendo andato al cinema, ma poi sono rimasto a casa.
2. Dopo avendo finito/avere finito/finendo di vedere il film, ne abbiamo discusso insieme.
3. Non avere rispettato/rispettare/avendo rispettato l'ambiente, oggi ne paghiamo i danni.
4. Il WWF ha proposto di abolendo/abolire/avere abolito la caccia in Italia.
5. Parlando/Avendo parlato/Avere parlato di cinema italiano, dobbiamo accennare al Neorealismo.

/5

2. Forma le frasi con il gerundio passato. Usa *pur* quando è necessario.

1. vincere l'Oscar / diventare famoso negli Stati Uniti

....

2. girare molti film / non essere apprezzato dalla critica

....

3. finire di vedere il film / (io) tornare a casa

....

4. non avere buoni incassi / essere apprezzato dalla critica

....

5. (lui) addormentarsi / perdersi la fine del film

....

/5

3. Trasforma le frasi al discorso diretto.

1. Ieri hai detto che oggi saresti venuto al cinema con me.

....

2. Marco ha detto che il film era bello.

....

3. Gli esperti hanno detto che se avessimo rispettato di più l'ambiente, avremmo vissuto meglio.

....

4. Laura mi ha chiesto se volessi uscire con lei.

....

5. Mario mi ha chiesto se mi fossi mai iscritto a un'associazione ambientalista.

....

/5

4. Scegli l'opzione corretta.

1. E tu davvero pensi che riciclare sia inutile? Non ci/ne posso credere!
2. Noi del WWF non ci/ne stiamo ad accettare passivamente le scelte dei governi che inquinano.

Edizioni Edilingua

3. Sono andato in vacanza al lago, ci/ne avevo davvero bisogno.

4. Installare i pannelli solari è stata una buona idea. Peccato che non ci/ne abbiamo pensato prima.

5. Basta con gli allarmismi sul clima! La gente non ci/ne può più.

/5

5. Riconosci e correggi l'errore nelle seguenti frasi con la forma passiva.

1. I cambiamenti ambientali hanno determinati in buona parte dall'uomo. ....

2. I limiti sulle emissioni sono stati accettati tutti i paesi. ....

3. L'inquinamento va ridurre il prima possibile. ....

4. Gli spazi verdi in città avranno ampliati nei prossimi anni. ....

5. I benefici delle energie verdi vanno stati già dimostrati. ....

/5

◎ Testualità

6. Indica il referente delle parole o dei pronomi evidenziati.

1. Da anni pratico l'ecoturismo. Mi piace molto questo tipo di vacanza.

....

2. Virzì ha ultimato il suo nuovo film. Il regista si è detto entusiasta della sua ultima fatica.

....

3. Il prezzo dei biglietti è molto alto e ciò spiega in parte la diminuzione del pubblico in sala.

....

4. Non dico che devi costruire una casa a impatto zero... Ma almeno la raccolta differenziata, la fai?

....

5. I danni ambientali si ripercuotono sui nostri figli. I quali rischiano di non poterli più risolvere.

....

/5

◎ Vocabolario

7. Scrivi il termine esatto.

1. Uno sviluppo economico che rispetta l'ambiente. ....

2. L'oggetto che usa l'energia del sole per produrre energia. ....

3. Contenitori in cui si buttano i rifiuti. ....

4. L'inquinamento dovuto a eccessivo rumore. ....

5. Quantità di energia necessaria a un paese per le sue attività. ....

/5

8. Scegli l'opzione adeguata.

1. Un appassionato di cinema è un cinefilo/cineasta.

2. Un sinonimo di film è pellicola/sceneggiatura.

3. L'oggetto che serve per girare il film è lo schermo/la telecamera.

4. Gli attori con un ruolo molto secondario sono comparse/controfigure.

5. Il posto dove il film viene proiettato è la prima visione/sala cinematografica.

/5

Punteggio Totale **/40**

Hai visto come sono vestiti?

Esercizi

◎ Funzioni

1. Abbina le parole evidenziate alla definizione giusta.

1. Possiamo anche solo fare un giro in centro.
2. Vorrei fare un po' di shopping.
3. Sono tutti così alla moda.
4. Mi sono sentita un pesce fuor d'acqua.
5. Non farci caso.
6. Vuoi andare a dare un'occhiata?
7. roba ganza

a. guardare un po'
b. non considerarla una cosa eccezionale
c. sono vestiti secondo la moda attuale
d. fare una passeggiata senza una meta precisa
e. sentirsi in una situazione imbarazzante
f. fare acquisti: vestiti, scarpe, accessori ecc.
g. carina, bella, piacevole

2. *Vieni all'opera stasera?* Inserisci le battute all'interno del dialogo tra John e Francesca.

a. me l'hai detto tu che devo vestirmi elegante
b. farai davvero una bella figura
c. tu cosa ti metti, per esempio
d. se hai anche una sciarpa chiara da mettere sopra
e. mi vestirò di nero
f. non farmi fare brutta figura
g. io mi metterò il completo blu

John: Ciao Francesca, stasera vieni all'opera?

Francesca: Sì, John... anche tu?

John: Sì, sì, certo. Solo che... Non so... Come devo vestirmi?

Francesca: Beh, elegante... è un'occasione abbastanza formale.

John: Tipo? (1)..?

Francesca: Naturalmente (2)..: un abito attillato a manica lunga con sopra una giacca di velluto, scarpe con il tacco alto e borsa da sera di Gucci. Per finire, una sciarpa di seta rossa.

John: Molto elegante! Allora (3).. con la camicia bianca e la cravatta a farfalla. Che ne dici?

Francesca: Uhm... Di che colore è la cravatta a farfalla?

John: Grigia, perché?

Francesca: Francamente, John, mi sembra un po' troppo formale... Non hai qualcosa di più simpatico per sdrammatizzare un po'?

John: Come, Francesca, un po' troppo formale? (4)..!

Francesca: Sì, certo, ma come dici tu è un po' troppo! Nessun ragazzo italiano indosserebbe mai abiti così tristi per andare al Teatro dell'Opera, dài!!! Il completo scuro va bene, ma... Non hai una cravatta più allegra, per esempio?

John: A farfalla, no... Su, dammi un consiglio, (5)..!

Francesca: E una normale? Di che colore ce l'hai?

John: Giallo chiaro. Può andare?

Francesca: Sì, meglio! (6).., sarai perfetto!

John: Sì, ne ho una di lana leggera...

Francesca: Perfetta! Con il completo blu, la cravatta gialla e la sciarpa al collo, (7)..!

John: Ok, grazie!

3. Abbina ogni frase (1-5) alla funzione corrispondente (a-e).

1. ☐ Mentre Giovanni si stava preparando per la festa, ascoltava la musica alla radio.
2. ☐ Come molti ragazzi italiani della sua età, Antonella spesso è vestita di nero oppure porta i jeans.
3. ☐ Da giovane mi piaceva cambiare spesso vestito e per questo ero felice quando potevo comprare abiti di ogni genere.
4. ☐ Siamo andate in centro a fare shopping e abbiamo comprato una borsa e un paio di scarpe.
5. ☐ Mentre camminavamo per il centro, è cominciato a piovere.

a. Descrivere un'abitudine o uno stato d'animo tipico del passato.
b. Descrivere come è vestita una persona.
c. Narrare due azioni contemporanee nel passato.
d. Narrare un evento passato dinamico, ripetuto e interrotto da un'azione più breve.
e. Narrare una sequenza di azioni passate.

◉ Vocabolario

4. Abbina le parole alle immagini. Alcune delle parole di questa e dell'attività 5 le hai già incontrate nell'unità 12 del primo volume: le ricordi?

sandali - sciarpa - vestito - camicia - calzini
giubbotto - impermeabile - maglione - scarpe
giacca - gonna - borsa - cappotto - cravatta

1. ....

2. ....

3. ....

4. ....

5. ....

6. ....

7. ....

8. ....

9. ....

10. ....

11. ....

12. ....

13. ....

14. ....

5. Completa il testo con le parole della lista.

calzature - cappotto - maglietta - abbigliamento - maglione - calzini - pantaloni
gonna - felpa - giacca - maglie

Ieri pomeriggio ho fatto un giro in centro e ho comprato degli abiti nuovi. Sono andata in molti negozi di (1).............................. e sono tornata a casa con tanti vestiti nuovi! Per prima cosa, dato che è arrivato il freddo, ho comprato una bella (2)............................ di pelle e un paio di (3)............................. di lana per tenermi i piedi ben caldi. Poi sono andata in un negozio di (4).......................... e ho comprato un paio di stivali.

Mi servivano anche delle (5).......................... di lana e quindi ho comprato un (6).......................... molto pesante, una (7).......................... leggera per andare in discoteca e una (8).......................... per le occasioni più sportive. Per finire ho comprato anche un (9).......................... molto bello ed elegante, una (10).......................... a pieghe e un paio di (11).......................... di velluto.

6. Completa le frasi.

1. In estate in genere non porto la maglietta a maniche lunghe. Preferisco una maglietta a ....
....

2. Per andare in palestra non è comodo indossare una felpa con il cappuccio. È meglio se ti metti una felpa ....

3. Quando va in discoteca Marta si mette sempre le scarpe con il tacco alto, ma per andare a correre si mette scarpe sportive e ....

4. A Roberto non piacciono i giubbotti con i bottoni. Infatti porta sempre giubbotti ....
....

5. In inverno di solito non portiamo maglie di cotone: fa freddo e portiamo maglioni ....
....

6. Molti italiani si mettono abiti larghi solo per fare sport. L'abbigliamento italiano è spesso più ....
.... di quello tipico di altri paesi.

7. Leggi il testo e scegli l'opzione corretta.

Ottavio Missoni e Rosita Jelmini, marito e moglie dal 1953, sono famosi oggi in tutto il mondo soprattutto per i colori e lo stile dei loro (1) stivali/capi in maglia. Dopo il matrimonio i coniugi Missoni aprono una piccola officina di (2) maglieria/accessori a Gallarate e nel 1958 presentano la loro prima (3) collezione/fabbrica a Milano. Durante un viaggio a New York nel 1965, Rosita conosce la (4) giornalista/stilista francese Emmanuelle Khanh, che possiede l'omonima casa di moda, e inizia una collaborazione fra i due (5) marchi/uffici. Da allora il loro successo si è mantenuto costante, soprattutto grazie alla semplice eleganza del loro abbigliamento (6) pronto moda/di tendenza, caratterizzato da (7) cuciture/gonne quasi o del tutto inesistenti. Il loro (8) successo/fatturato è fra i più alti dell'industria della moda.

8. Da ogni gruppo, cancella la parola estranea.

1. giacca - gonna - impermeabile - cappotto
2. maglione - maglietta - cintura - maglia
3. pantaloni - vestito - gonna - camicia

4. guanti - cintura - borsa - impermeabile
5. colletto - manica - cappotto - polsini
6. sandali - scarpe - stivali - calzini

◉ Grammatica

9. Cosa indicano i tempi verbali in queste frasi al passato?

	Azioni contem- poranee	Sequenza di azioni	Un'azione interrotta da un'altra
1. Mentre guardavo le vetrine è arrivata Anna.	▢	▢	▢
2. Giorgio Armani ha creato la sua prima collezione nel 1964 e ha aperto la *G. Armani S.p.A.* nel 1975.	▢	▢	▢
3. Tutti i ragazzi erano vestiti alla moda e portavano abiti attillati.	▢	▢	▢
4. Pietro ha visto un bel paio di scarpe in un negozio e le ha comprate.	▢	▢	▢
5. Avete visto Marta mentre stavate entrando nel grande magazzino?	▢	▢	▢
6. Quando ero a Roma mi mettevo sempre abiti leggeri perché faceva caldo.	▢	▢	▢

10. Alcuni verbi hanno il participio passato irregolare**. Completa lo schema.**

infinito	participio passato	infinito	participio passato
Accendere			letto
	aperto		offerto
Chiedere			perso
	chiuso	Prendere	
Decidere		Scendere	
Essere		Scrivere	
	fatto	Spegnere	

11. Completa con il passato prossimo.

Quando avevo 6 anni (passare) (1)........................... l'estate a casa dei nonni in campagna. I miei genitori dovevano lavorare e alla fine della scuola io e mia sorella Chiara (andare) (2)................. .... in campagna. Quando l'estate (finire) (3)..........................., noi (tornare) (4)............. .... in città; dopo pochi giorni (ricominciare) (5)........................... la scuola e (rivedere) (6)........................... tutti i nostri amici. Chiara (incontrare) (7)........................... la sua migliore amica e l'(salutare) (8)........................... con gioia.

12. Coniuga i verbi all'imperfetto o al passato prossimo.

Giovedì scorso Luisa (tornare) (1)......................... tardi dal lavoro, (essere) (2)......................... molto stanca e non (avere) (3)......................... voglia di andare alla festa a casa di Francesco. (Telefonare) (4)......................... per dire che non (stare) (5)......................... bene e che quindi non (potere) (6)......................... partecipare alla cena. Però, quando (sapere) (7)......................... che andava anche Luigi, (cambiare) (8).........................subito idea.

Edizioni Edilingua

Mentre (fare) (9)........................ la doccia, (ascoltare) (10)........................ la radio e (sorridere) (11)........................ felice all'idea di rivedere Luigi, quando, all'improvviso, qualcuno (suonare) (12).... .... alla porta e Luisa (andare) (13)........................ ad aprire: (essere) (14)........................ proprio Luigi che era andato a prenderla. Luisa non (vedere) (15)........................ Luigi da molto tempo, da quando era partito per l'Australia, tre mesi prima. Lui (stare) (16)........................ molto bene! Dopo pochi minuti, Luisa (essere) (17)........................ pronta e (loro - uscire) (18)........................ insieme.

Testualità

13. Ricostruisci le frasi coordinate come nell'esempio.

GLI ANNI SETTANTA: LE FIERE PITTI AL SERVIZIO
DELL'INDUSTRIA ITALIANA ED EUROPEA

1. Nel 1968 si criticavano le convenzioni che regolavano la società, quindi

2. C'era una forte concorrenza tra le città e

3. I nomi dell'alta moda sfilavano a Roma oppure

4. Firenze sembrava aver perso il titolo di "capitale della moda", ma

5. Nei primi anni del 1970 sono nate le fiere, prima, *Pitti Uomo* e, dopo, *Pitti Bimbo*, quindi

6. A Firenze hanno esordito nomi dell'alta moda come Armani o Missoni e

a. dopo qualche anno iniziavano le manifestazioni Pitti.

b. presentavano le loro collezioni a Parigi.

c. per il pronto moda si stava affermando Milano.

d. è cambiato anche il modo di concepire la moda.

e. Firenze ha subìto un forte declino.

f. si assisteva all'esordio delle mini sfilate durante il salone della moda.

adattato da www.pittimmagine.com

Per concludere

14. Forma le frasi.

1. Ho / le mie amiche / cena / invitate / a / e / ho / le / incontrato

....

2. A / moda / sempre / Paolo / la / piaciuta / è

....

3. In montagna / di lana / mettevo / i calzini / mi / di solito

....

4. Queste / ieri / scarpe / ? / hai /a teatro / messe / per andare / le

....

5. *Benetton* / un / negli ultimi / diventato / marchio / è / importante / 25 anni / molto

....

15. Trova l'errore / gli errori e correggi le frasi.

1. Da bambino porto sempre vestiti comodi.   ....

2. Ieri mattina Marta prima si vestiva e poi si ha truccata.   ....

3. Mentre siamo stati in un negozio di calzature, è entrato Paolo.   ....

4. La prima sfilata di moda era a Firenze nel 1951.   ....

5. Che belli questi stivali, dove li hai comprato?   ....

Preposizioni

16. Completa le frasi con le preposizioni.

1. Questo completo grigio .... uomo è molto elegante.
2. Se cerca un abito .... donna elegante, deve andare al piano di sopra.
3. Mi piace essere .... moda, anche se per praticità sono spesso .... jeans.
4. Molti ragazzi si danno appuntamento il sabato pomeriggio .... piazza .... decidere cosa fare.
5. .... 1965 i fratelli Benetton hanno aperto una ditta di maglieria vicino .... Treviso, ... Veneto, una regione .... Nord Italia.
6. Compravo pochi vestiti .... studente, perché non lavoravo molto e guadagnavo poco.
7. La moda unisex è .... tutti.

Parola chiave

17. Completa lo schema con le parole della lista. Puoi aggiungere anche altre parole che conosci.

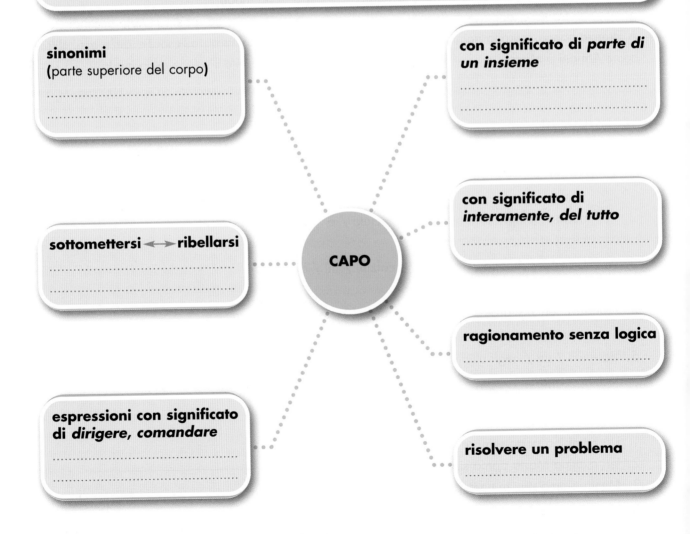

testa - capo di abbigliamento - capo di bestiame - da capo a piedi - alzare il capo
non avere né capo né coda - venire a capo di una situazione - essere il capo
cranio - essere a capo di - abbassare il capo

sinonimi
(parte superiore del corpo)

con significato di *parte di un insieme*

sottomettersi ⟷ ribellarsi

CAPO

con significato di interamente, *del tutto*

espressioni con significato di *dirigere, comandare*

ragionamento senza logica

risolvere un problema

Edizioni Edilingua

Allora, ti sei iscritto in palestra?

Esercizi

◎ Funzioni

1. Metti in ordine il dialogo.

A. ● E qual è la differenza?

B. ● Buongiorno. Senta, vorrei frequentare un corso due o tre volte alla settimana. Qualcosa per fare un po' di movimento e per dimagrire un po'...

C. ● Però io ho problemi alla schiena... non mi farà male fare i vostri corsi?

D. ● Ho capito. Ci sono anche altri corsi?

E. ● Uhm... il corso di yoga mi interesserebbe, anche se forse per dimagrire non è molto indicato.

F. ● Uhm, va bene. Facciamo così: ci penso ancora qualche giorno... Mi può dare intanto i giorni e gli orari dei corsi?

G. ● Allora, guardi... abbiamo i corsi di spinning e di preparazione atletica che sono due corsi molto aerobici. Noi li consigliamo proprio a chi vuole dimagrire.

H. ● Spinning è un corso piuttosto veloce, con la musica. Preparazione atletica è un corso un po' più lento di spinning. In ogni seduta si lavora per tonificare un gruppo muscolare: gambe, braccia, spalle... Tutti e due comunque sono ottimi per fare movimento e dimagrire.

I. ● Certo. Abbiamo corsi di arti marziali, karate e Tae Kwon Do, mentre due volta alla settimana c'è il corso di yoga.

L. ● Ecco, qui sono segnati tutti i nostri corsi, giorni e orari. Se si iscrive a un corso, ovviamente, potrà anche frequentare la sala pesi ogni volta che vuole.

M. ● Beh, certo, se vuole dimagrire, dovrebbe cominciare con un corso che prevede maggiore movimento.

N. ● No, stia tranquillo. Sono corsi che possono frequentare tutti. Poi questi corsi cominceranno proprio la prossima settimana e tutti gli iscritti saranno sicuramente principianti.

1	2	3	4	5	6	7	8	9	10	11	12
				D	I						

2. Abbina ogni frase (1-5) alla funzione corrispondente (a-e).

1. Preparazione atletica è un corso un po' più lento di spinning.
2. Tutti e due comunque sono ottimi.
3. Però io ho problemi alla schiena.
4. Se vuole dimagrire, dovrebbe cominciare con un corso che prevede più movimento.
5. Tutti gli iscritti saranno sicuramente principianti.

a. Esprimere la qualità al massimo grado.

b. Indicare un problema fisico.

c. Fare un paragone.

d. Fare un'ipotesi.

e. Dare un consiglio.

1	2	3	4	5

◎ Vocabolario

3. Leggi il testo e scegli l'opzione corretta.

Fare sport fa bene, è una cosa nota ormai a tutti. Scegliere una (1) materia/disciplina sportiva è dunque alla base di una sana (2) attività/azione fisica, ed è importante fare ciò che ci piace di più, che va bene con le nostre esigenze. Vediamo come scegliere lo sport adatto e portarlo avanti.

Volerlo davvero. Lo sport è qualcosa che devi prendere sul serio, con impegno e costanza, quindi il primo vero passo è quello di essere decisi e sicuri di volerlo fare. Per prima cosa fai una lista di 3-4 motivi che potrebbero spingerti a fare attività fisica: la (4) salute/sanità, dimagrire, correggere qualche difetto osseo, tonificare la muscolatura, divertirsi... le ragioni possono essere veramente tante.

Le proprie esigenze e le proprie capacità. Prima di scegliere devi considerare che probabilmente hai dei (5) confini/limiti, degli impegni, delle determinate esigenze; in base a questi puoi già orientarti verso una disciplina sportiva. Cerca di capire quali sono

i tuoi orari e giorni da (6) dedicare/passare allo sport, poi cerca le palestre nella tua zona o le associazioni sportive e informati su che corsi (7) prendono/tengono e in quali giorni. Già così, se hai poca disponibilità, inizierai a fare una scelta. Altra cosa importante sono le tue capacità, i tuoi limiti fisici. Se sei di statura bassa e piuttosto magro, non puoi pretendere di fare (8) alzamento/sollevamento pesi, perché un allenamento simile metterebbe troppo sotto (9) sforzo/sacrificio il tuo corpo.

Realizzare ciò che piace. Naturalmente a questo punto non devi mettere da parte le tue preferenze: pensa a ciò che ti piacerebbe fare. Scegli prima di tutto se vuoi fare uno sport (10) di tanti/di squadra (pallavolo, basket, calcio...) o uno sport da fare da solo (nuoto, corsa...), o se vuoi (11) seguire/prendere un corso (danza, aerobica, fitboxe, arti marziali). Tieni presente solo e soltanto le tue preferenze; inoltre ricorda che non esistono sport maschili o femminili: se sei donna, puoi fare tranquillamente sia calcio sia arti marziali e se sei uomo, puoi scegliere la danza senza problemi.

adattato da www.saperlo.it

4. *Che sport fanno?* Scrivi il nome dello sport.

Matteo
Pratico questo sport in palestra. L'allenamento è molto duro: ho bisogno di fiato e resistenza e devo aumentare la massa muscolare. Molti pensano che sia uno sport violento, ma non è così. Anche se è uno sport molto fisico non bastano soltanto la forza e la potenza, ma ci vuole molta tecnica, velocità, colpo d'occhio. ....

Antonio
Il mio è uno sport di squadra. Ho cominciato a praticarlo a scuola quando tutti i miei compagni giocavano sempre a calcio. Io non sono mai stato bravo con i piedi, ma ho scoperto di sapere usare bene la palla con le mani! In più sono molto alto e questo mi aiuta molto nel mio sport, soprattutto quando devo fare "muro" alle schiacciate degli avversari. ....

Marcella

Il mio è uno sport invernale e lo pratico da quando ero ragazzina. Ogni inverno vado a fare la settimana bianca in montagna. Da un po' di tempo pratico questo sport a livello agonistico: faccio lo slalom speciale e il gigante, ma non me la sento di provare la discesa libera. ....

Francesca

Volevo uno sport completo e ho scelto proprio quello che secondo tutti è il più completo. Lo pratico tre volte alla settimana e devo dire che i risultati si vedono! Riesco a fare circa 90 vasche di 25 metri: comincio con lo stile libero, continuo con il dorso e la rana. Sto imparando anche a fare il delfino ma ancora non sono molto brava. ....

Marco

Anche se le gare possono essere anche di squadra, in questo sport sulla pedana sei sempre da solo con il tuo fioretto. È uno sport molto tattico e per farlo bene servono elasticità, velocità, coordinazione e riflessi, oltre che, ovviamente, resistenza e capacità di concentrazione. ....

5. Unisci le frasi.

1. Ho giocato a tennis con Elena
2. Mio figlio è molto timido
3. L'altezza è un sicuro vantaggio
4. Ho comprato il costume e gli occhialini
5. Faccio culturismo da 3 mesi
6. In montagna molti usano lo snowboard,
7. Il Giro d'Italia e il Tour de France

a. ma io preferisco ancora gli sci.
b. e riesco a sollevare 60 chili in panca piana.
c. e domani comincio ad andare in piscina.
d. e per lui mi hanno consigliato uno sport di squadra.
e. per giocare a pallavolo e a pallacanestro.
f. sono le competizioni ciclistiche più importanti.
g. e l'ho battuta sei set a zero!

6. Quale parte del corpo usi principalmente per...?

1. fare una corsa   a. piedi e gambe   b. braccia e mani   c. testa e collo
2. masticare   a. dita   b. denti   c. naso
3. suonare il piano   a. dita   b. piedi   c. spalla
4. ascoltare qualcuno   a. occhi   b. bocca   c. orecchie

7. Cancella una parola da ogni gruppo.

1. canoa - bicicletta - guantoni - sportivo
2. faticoso - pugilato - tecnico - maschile
3. gamba - mano - dito - palmo
4. rugby - pallavolo - giocatore - calcio
5. mani - piedi - altezza - braccia
6. forza - agonismo - resistenza - velocità

8. Scrivi il plurale delle parti del corpo con l'articolo.

1. Il sopracciglio   ....
2. il dito   ....
3. la mano   ....
4. l'orecchio   .... / ....
5. il ginocchio   .... / ....

l'italiano all'università

Grammatica

9. Cosa indica il condizionale in queste frasi?

	Richiesta	Consiglio	Desiderio	Ipotesi
1. Il mese prossimo vorrei iscrivermi in piscina.	▪	▪	▪	▪
2. Dovresti fare qualcosa per la tua schiena!	▪	▪	▪	▪
3. Probabilmente lo sport ti aiuterebbe a dimagrire.	▪	▪	▪	▪
4. Potrebbe farmi vedere il programma dei corsi?	▪	▪	▪	▪

10. Completa il testo con il condizionale presente o con il futuro semplice.

Salve, (volere) (1)......................... un consiglio. Sono alta 1 metro e 72 e peso 58,7 kg ma mi (piacere) (2)......................... arrivare a 57 kg. Il mio problema sono le gambe, sempre un po' muscolose e con un po' di cellulite. Da domani (cominciare) (3)......................... una dieta. A colazione (mangiare) (4)......................... 4 fette biscottate, a pranzo 60 grammi di pasta, verdura e frutta, a cena riso integrale, verdura, frutta e 60 grammi di proteine. Fare questa dieta (essere) (5)......................... sufficiente o (dovere) (6)......................... fare anche dello sport?

Saluti da Marta

Ciao Marta. A parte il peso, tutti (dovere) (7)......................... fare un po' di sport! Quindi il mio consiglio è di andare in palestra due o tre volte alla settimana. Per non aumentare la massa muscolare, soprattutto nelle gambe, (evitare) (8)......................... di fare pesi e (frequentare) (9)......................... un corso (aerobica va benissimo). Per quanto riguarda l'alimentazione, la tua dieta mi sembra un po' troppo rigida, no? Sono sicuro che se (fare) (10)......................... sport, otterrai i risultati che desideri e (potere) (11)......................... permetterti un po' più di libertà nell'alimentazione.

Lo staff di sport&salute.com

11. Il futuro ha valore temporale o modale?

1. ● Dov'è Paolo?
   ● Non lo so, sarà in palestra. temporale ▪ modale ▪

2. ● Sei andato dal dottore per il tuo mal di schiena?
   ● No, ma ci andrò domani. temporale ▪ modale ▪

3. ● Come puoi dimagrire se continui a mangiare così?
   ● Non preoccuparti, farò più sport. temporale ▪ modale ▪

4. ● Hai visto che fisico ha Marco?
   ● Sì, farà sicuramente pesi per essere così muscoloso. temporale ▪ modale ▪

5. ● Domani non posso venire allo stadio.
   ● Peccato. Sarà una bella partita. temporale ▪ modale ▪

12. Scegli l'opzione corretta.

1. Con una passeggiata di un'ora consumi più calorie che/di con un'ora di sollevamento pesi.
2. Probabilmente Valentino Rossi è il migliore/migliore motociclista di tutti i tempi.
3. I giovani sono meno a rischio che gli/degli anziani per le malattie cardiocircolatorie.
4. L'Italia ha una squadra di calcio più fortissima/fortissima.
5. La Juventus è la squadra fortissima/più forte di tutte nel campionato di calcio italiano.
6. A calcio la tua tecnica è superiore della/alla mia.

Edizioni Edilingua

⊙ Testualità

13. Completa i testi con i correlativi dati. Attenzione: devi lasciare vuoti 2 spazi in ogni testo!

ma anche - sia - non solo - sia

Curare il mal di schiena

Occorre chiarire che il mal di schiena può (1) sia manifestarsi come un fatto acuto (per esempio il famoso *colpo della strega*) (2)................ .... essere leggero ma presente in modo quasi cronico (ovvero il dolore, non eccessivamente forte, può durare per giorni e ripresentarsi (3)........................ in condizioni di maggiore stress fisico, come, per esempio, (4)......................... il sollevamento di un vaso). Nei casi acuti o comunque nei casi in cui il dolore è forte al punto da impedire o rendere difficili i movimenti quotidiani più semplici, conviene aspettare che il dolore sia ridimensionato, (5)........................ con l'ausilio di antinfiammatori, antidolorifici, (6)........................ con il più banale riposo. Una volta terminata la fase acuta, si può iniziare la seduta di esercizi a scopo preventivo.

né - sia - tanto - che - e neppure - né - quanto

Aspetti negativi dell'allenamento "di forza"

L'allenamento di forza non è (7)......................... correlato con una vita media più lunga, (8)................. .... abbassa i vari rischi per la salute, al massimo gratifica il soggetto che si vede prestante, più muscoloso. Non c'è aumento del colesterolo buono, come si ha con le attività di resistenza, (9)............. .... diminuzione della pressione arteriosa, che anzi tende a salire moltissimo, durante gli sforzi. L'allenamento di forza non combatte efficacemente il sovrappeso e in età più avanzata i problemi diventano (10) tanto estetici (11)......................... di salute, cosa molto più importante! Un giovane sopporta senza troppi danni (12)......................... la fatica del cuore, che deve sostenere un tale peso, (13)......................... quella delle ginocchia e della schiena che devono portarlo a spasso. Ma a 50 anni ossa, cartilagini e articolazioni non sono (14)......................... allenabili come i muscoli, (15)......................... con l'età tendono inevitabilmente a usurarsi.

⊙ Per concludere

14. Forma le frasi.

1. è / sportiva / molto / Marta / più / me / di

   ....

2. fare / mi / piacerebbe / il tempo / ma / non trovo / yoga

   ....

3. popolarissimo / uno sport / il calcio è / il mondo / in tutto

   ....

4. ha vinto / Phelps / di medaglie / il / olimpiche / numero / maggior

   ....

5. il pugilato / sport completi / il nuoto / che / sia / sono

   ....

15. Trova l'errore e correggi le frasi.

1. Il calcio è lo sport il più pagato. ....

2. Potremmo andare in palestra insieme. ....

3. Preferisco guardare la partita in TV di andare allo stadio. ....

4. Mi piace né guardare né praticare lo sport. ....

5. Quando finirei di lavorare andrò in palestra. ....

16. **Stare in forma è anche un risparmio per la società, per lo Stato che deve sostenere alti costi per la ricerca e la cura. Immagina di essere il ministro della salute del tuo paese: scrivi cosa faresti per migliorare la salute delle persone (180/200 parole).**

....

....

....

....

....

....

Preposizioni

17. **Completa le frasi con le preposizioni.**

1. Molti accusano i culturisti .... usare anabolizzanti.

2. I pugili combattono .... ring, gli schermidori .... pedana.

3. Non mi sento bene. Ho un forte dolore .... testa e .... collo.

4. Ho parlato .... dottore che mi ha consigliato .... fare sport.

5. Faccio danza .... quando ero piccola.

6. Secondo me, quel ragazzo avrà un futuro .... grande campione.

Parola chiave

18. **Completa lo schema con le parole della lista. Puoi aggiungere altre parole che conosci.**

> buona - essere il ritratto della salute - mantenersi in salute - l'importante è la salute
> salutare - insalubre - scoppiare di salute - cattiva - ottima - cagionevole
> salubre - stare attenti alla salute - pensa alla salute!

espressioni con significato di stare bene
....
....

altre espressioni con salute
....
....
....

SALUTE

parole derivate da salute
....
....
....

aggettivi usati con salute
....
....
....
....

Salute!
(usato dopo uno starnuto o per un brindisi)

Edizioni Edilingua

La mia ex moglie…

◎ Funzioni

1. Metti in ordine le battute del dialogo.

A. ● Guarda, avevo perso la testa. C'era poco da essere prudenti…

B. ● Ho preso in affitto un piccolo appartamento in periferia. Ma credimi: è dura. Mi manca molto mia figlia… e anche questa nuova donna, Sonia, non mi interessa più come prima.

C. ● E invece è vero, purtroppo. E la colpa è mia: mi sono innamorato di un'altra…

D. ● Eh, come va… Mi sono appena separato…

E. ● Come vuoi che l'abbia presa? Male, naturalmente! Anche perché sua madre, arrabbiata com'è, non mi ha certo difeso. Puoi immaginare…

F. ● Difficile. Ci ho già parlato diverse volte e non vuole saperne. Dice che ha sofferto troppo.

G. ● E Sara, tua figlia, come l'ha presa?

H. ● Da quanto tempo non ti vedevo, Lorenzo! Come va?

I. ● Ma dove vivi adesso?

L. ● No, non ci credo! Tu e Laura separati?

M. ● Beh, se Laura è arrabbiata non posso certo darle torto… Ma non voglio giudicarti: se ti sei innamorato, c'è poco da fare. Certo potevi essere più prudente…

N. ● Allora posso solo dirti in bocca al lupo. Mi dispiace, davvero!

O. ● Ti sei messo proprio nei guai! Ma… perché non provi a riparlarne con Laura? Forse ti perdona…

1	2	3	4	5	6	7	8	9	10	11	12	13
			C	O								

2. In quale frase la persona…?

1. esprime la sua incapacità a fare qualcosa ....
2. esprime insofferenza verso qualcosa ....
3. esprima soddisfazione dopo aver provato a fare qualcosa ....
4. esprime nervosismo, disappunto ....

a. Ho deciso di separarmi: io e mio marito litighiamo continuamente ed io non ne posso più!

b. Finalmente, con tanta pazienza sono riuscito a conquistare la fiducia del figlio della mia compagna.

c. No, non voglio trovare un altro compagno. Non ce la faccio a dimenticare mio marito!

d. Sono arrabbiatissimo: vado a trovare mio figlio e scopro che la mia ex moglie lo ha mandato al mare senza dirmi niente…

3. Leggi le definizioni e fai il cruciverba.

Orizzontali

4. Lo sono due persone che non vivono più insieme.
5. Quello condiviso di solito è la soluzione migliore.
7. Li prende la donna che non vuole rimanere incinta.
8. Informare la polizia di un reato.
9. In Italia è legale dal 1978.
10. La famiglia ... è un fenomeno sempre più diffuso nella società italiana.
12. Bisogna assicurare pari ... in tutti i settori della vita sociale.
14. Uomo che crede di essere superiore alle donne.
15. Violenza.
17. Unione fra un uomo e una donna riconosciuta dalla legge.

18. Con quello del 1946 gli italiani hanno scelto la Repubblica.
19. Atto legale che determina la fine di un matrimonio.

Verticali

1. Liberazione da una condizione di inferiorità.
2. Il movimento ... è nato negli anni Sessanta.
3. Sinonimo di cieco: non ...
6. Familiari.
11. Struttura pubblica che risponde ai bisogni della famiglia, delle donne e degli adolescenti.
13. C'è quella dei ruoli.
14. Lo è chi non parla.
16. Non udente.

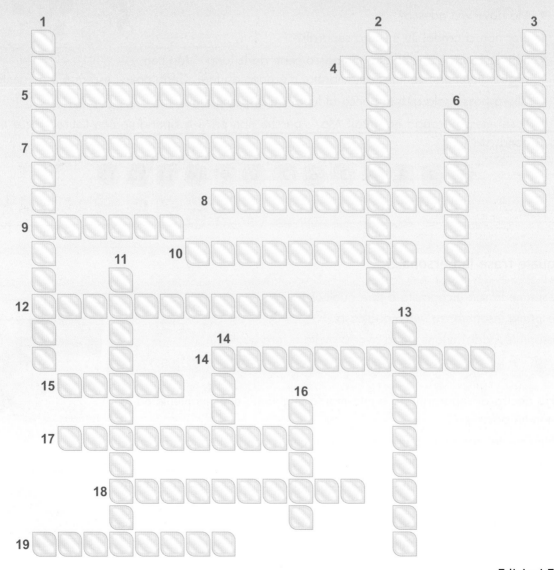

4. Leggi e completa il testo con le espressioni della lista.

rimettere in discussione - vivere associato - movimento studentesco - divisione dei ruoli
rapporti di potere - diritto di voto - diritti civili - approvare - liberalizzazione dei contraccettivi

Le tappe del movimento femminista in Italia

Le donne italiane hanno potuto usufruire per la prima volta del (1)... solo nel 1946, quando il popolo italiano è stato chiamato a scegliere fra Monarchia e Repubblica. Questo è considerato l'inizio del cammino di emancipazione delle donne italiane per la conquista di pari (2)... Fino agli anni '60 però la (3)... nelle famiglie e nella società in genere era determinata da una visione maschilista in base alla quale i (4)............. .... mettevano la donna sempre in una posizione di svantaggio. Nel 1968 il (5)........ .... ha rappresentato l'occasione per (6)... l'organizzazione sociale italiana, in tutti gli aspetti del (7)...

Gli anni '70 sono stati fondamentali per il movimento femminista italiano perché, oltre alla (8)............. ...., il Parlamento italiano ha dovuto (9)... importanti leggi per le donne, come quelle sul divorzio e sull'aborto.

5. Osserva da chi è composta questa famiglia allargata. Completa l'albero genealogico con il rapporto di parentela di ognuno e il testo alla pagina seguente con i termini della lista.

figliastre - matrigna - sorellastre - vedova - fratellastro - patrigno - figliastro

divorziata
ex moglie di Mario
madre di Paolo

vedova

1956 - 2011

Mario e Lucia sono sposati da qualche anno. All'epoca del loro matrimonio, Lucia era (1)...................
.............: Fabio, il suo primo marito, era morto due anni prima, mentre Mario aveva appena divorziato da Marta. In questa famiglia allargata ci sono quattro figli.

Mario va molto d'accordo con le sue due (2)................................: per loro è più un padre vero e proprio che un (3)................................. Invece il rapporto fra Lucia e Paolo, il suo (4)...................
..........., non sempre è sereno perché lui la vede proprio come una (5)................................. Paolo però si trova bene con le sue (6)................................. Sara e Ilaria e con il suo (7).......................
.... Filippo, anche se sono tutti più piccoli di lui.

◎ Grammatica

6. Completa con il trapassato prossimo. Attenzione all'accordo del participio passato!

1. Finalmente ho sposato la donna dei miei sogni! L'.............................. (conoscere) durante un viaggio qualche tempo fa.

2. Elena ha telefonato alla sua migliore amica e, mentre piangeva, le ha raccontato che la sera prima .... (uscire) con un suo ex compagno di scuola e che dopo essere stati a cena insieme .... (lui - cercare) di violentarla.

3. Molti uomini hanno deciso di rinunciare alla vita di successo, che per tanti anni
.... (essere) tanto importante per loro, per prendersi cura delle loro famiglie. Hanno scelto di dedicarsi a tutte quelle attività "femminili" di cui prima di quel momento non .... (occuparsi; mai).

4. Per strada l'altro giorno ho incontrato Paolo, un uomo con cui mi ero fidanzata ai tempi dell'università. Non lo .... (riconoscere), è così cambiato!

5. Dovevi rispondere subito alla lettera che .... (ricevere) la scorsa settimana! Riguarda l'assegno di mantenimento alla tua ex moglie.

7. Scegli l'opzione corretta.

Nel 1974, un referendum popolare ha determinato la definitiva approvazione della legge sul divorzio in Italia. Il Parlamento italiano (1) aveva fatto/avrebbe fatto la legge sul divorzio nel 1970, ma, a causa della forte opposizione di una parte del Parlamento, la legge non (2) sarebbe diventata/era diventata effettiva fino al maggio del 1974, quando c'è stato il primo referendum popolare della storia della Repubblica italiana. La legge sul divorzio, dal 1974 in poi, (3) aveva cambiato/avrebbe cambiato radicalmente l'idea di famiglia italiana: un matrimonio non (4) era stato/sarebbe stato più per sempre, come in passato. L'*iter* della legge sul divorzio (5) sarebbe cominciato/era cominciato nel 1965; quando il deputato socialista Loris Fortuna presentò la prima proposta di legge certo non immaginava (6) ci sarebbero voluti/c'erano voluti quasi dieci anni per vedere la legge approvata.

8. Cosa esprime il presente in queste frasi?

Presente abituale	Presente atemporale	Presente storico	Futuro immediato

1. Domani mi sposo.

2. Il movimento femminista nasce in Italia dopo la Seconda Guerra Mondiale.

3. L'Italia è uno stato democratico.

4. Di solito esco con la mia fidanzata il sabato sera.

9. Completa con i pronomi relativi e le preposizioni, se necessario.

1. È Giulio l'uomo .... hai ricevuto quel bel mazzo di fiori? Forse hai trovato un nuovo compagno!

2. La seconda moglie del padre, ... a volte i figli non accettano bene, non sempre è una donna cattiva come si crede comunemente.

3. Prima di separarsi ci sono molte possibilità .... si può scegliere.

4. Questa è la casa .... i signori Rossi hanno comprato quando si sono sposati e .... è rimasta alla moglie dopo il divorzio.

5. Gianna era vedova già da tre anni quando ha incontrato l'uomo .... vuole risposarsi.

6. In genere chiede la separazione .... non ne può più dell'altro.

7. Mi sono sposato l'anno scorso con Marta, la donna .... avevo lasciato Beatrice, la mia prima moglie.

8. La casa .... abito con i miei figli è del mio ex marito.

◎ Testualità

10. Completa il testo con le parole e le espressioni della lista. Attenzione: devi lasciare vuoti alcuni spazi e in alcuni casi puoi scegliere fra più opzioni!

> **in seguito - inoltre - oltre a - poi - ma - però - tuttavia - mentre - a differenza di**

Fiorenzo Bresciani ha fondato qualche anno fa l'*Associazione Uomini Casalinghi Italiani* (AUCI); all'inizio era un piccolo gruppo, (1)......................... adesso raccoglie un grosso numero di iscritti. Bresciani racconta che l'idea dell'associazione gli è venuta un giorno d'estate mentre stava preparando un sugo di pomodoro per la pasta. (2)......................... molti uomini della sua generazione, Bresciani ha sempre amato dedicarsi alla casa e fare tutti quei lavori tipicamente femminili. (3)............ ...., non ha mai pensato che fare questi lavori domestici fosse poco virile, (4)......................... ancora oggi ci sono uomini che sentono di perdere la loro identità maschile se si occupano dei figli e della casa. (5)......................... quel giorno d'estate Fiorenzo ha pensato di riunire tutti gli uomini che la pensano come lui in un gruppo di riflessione per andare contro lo stereotipo del maschio *macho* in carriera a tutti i costi e (6)......................... ha parlato della sua idea con un amico, (7)................... .... con un altro ancora e così la voce si è diffusa e in molti lo hanno seguito. Le loro mogli e compagne sono state naturalmente felici di questa iniziativa, (8)......................... sentirsi alleggerite dalle responsabilità familiari. (9)............ ...., nonostante il successo dell'associazione, ancora oggi ci sono persone che considerano l'iniziativa di Bresciani assurda o (10)......................... nella migliore delle ipotesi un po' bizzarra. (11)......................... sono pochi...

Per concludere

11. Forma le frasi.

1. esattamente /due / separato / da / anni / sono

....

2. di mantenimento / mio marito / vuole / non / l'assegno / darmi

....

3. sull'aborto /approvato / il Parlamento / la legge / ha / nel 1978

....

4. sordi / e / ciechi / espressioni / non vedenti / più corrette / sono / non udenti / e / per

....

5. 15 anni / di matrimonio / Stefano e Chiara / divorziato / dopo / hanno

....

12. Trova l'errore e correggi le frasi.

1. Le femministe mettevano in discussione i valori fra cui credevano i loro genitori.

....

2. È Giuseppe l'uomo cui ho incontrato lo scorso anno.

....

3. Ha detto che si sposerebbe dopo qualche mese.

....

4. Per riferirci alle persone cieche si usa il termine non udenti.

....

5. Ha denunciato la violenza che ha subìto da ragazza.

....

13. Che ruolo hanno le donne nei mass media italiani? Secondo te, la loro rappresentazione è corretta? Esponi la tua opinione in un testo (180/200 parole).

Preposizioni

14. Completa le frasi con le preposizioni.

1. .... 1975 la *Casa Internazionale delle Donne* di Roma è un importante punto di incontro per le donne.

2. .... 1970 .... 1978 in Italia sono state approvate leggi molto importanti per le donne.

3. Io e Marta ci sposeremo .... qualche anno, quando sarà pronta la nostra casa.

4. In Italia si può avere il divorzio .... tre o quattro anni.

5. Viviamo insieme .... molto tempo e non abbiamo nessuna intenzione di sposarci.

6. Sono stata sposata .... 18 anni, adesso sono sola già .... 6 mesi e sto proprio bene così!

Parola chiave

15. Completa lo schema con le parole della lista. Puoi aggiungere anche altre parole che conosci.

> femminista - fare movimento - spostamento - gesto - letterario - (essere) in movimento
> avere libertà di movimento - artistico - organizzazione politica - vivacità - movimento di denaro

tipi di movimento

sinonimi

MOVIMENTO

espressione con significato di *fare attività fisica*

altre espressioni usate con *movimento*

Quando sono emigrato...

Funzioni

1. Completa l'intervista con le risposte dell'esperto.

1. ● Dalla fine degli anni '80 l'Italia è meta di flussi migratori da paesi poveri o in cui i diritti civili non sono rispettati. I migranti scappano quindi dal loro paese in cerca di una vita migliore e sono costretti a entrare illegalmente in Italia. Cerchiamo di capire meglio questo fenomeno con il professor Rinaldi, esperto di fenomeni migratori. Professore, come arrivano gli immigrati clandestini nel nostro paese?

   ● ....

2. ● Può farci qualche esempio?

   ● ....

3. ● Ma come è possibile che tutto questo si verifichi?

   ● ....

4. ● Come avvengono questi viaggi?

   ● ....

5. ● Quale futuro aspetta gli immigrati, una volta in Italia?

   ● ....

6. ● Cosa ha fatto il governo italiano in questi anni per risolvere i problemi connessi con l'immigrazione?

   ● ....

7. ● Queste politiche hanno dato risultati positivi?

   ● ....

A. ● Un esempio sono gli scafisti del Mar Mediterraneo, che ammassano enormi quantità di persone su navi di scarsissima qualità e sicurezza. L'Italia è una delle mete preferite perché il tratto dall'Africa alla Sicilia e in particolare a Lampedusa, è molto breve rispetto agli altri possibili. Per molti migranti il viaggio continua poi verso altri paesi europei.

B. ● In genere di notte. Molto spesso muoiono molte persone, per i frequenti affondamenti delle navi sovraccariche di persone, o per la mancanza d'acqua, cibo e qualunque altro servizio elementare. Spesso sono presenti anche bambini e donne in stato di gravidanza.

C. ● Gli immigrati clandestini seguono vie illegali per raggiungere il paese di destinazione e si affidano molto spesso a criminali, veri e propri neo-schiavisti che gestiscono un moderno commercio di esseri umani. Si fanno pagare molto bene: offrono la speranza di una vita migliore e i migranti pagano per questo.

D. ● Entrati illegalmente in Italia, i clandestini non possono entrare nel mercato del lavoro "ufficiale". Quindi sono spesso sfruttati da datori di lavoro senza scrupoli che li usano come manodopera a basso costo: i clandestini sono ricattabili a causa della loro posizione irregolare. La popolazione autoctona li accusa di levare lavoro agli italiani e questo certo non favorisce l'integrazione, ma l'emarginazione e la xenofobia.

E. ● C'è una grossa rete di criminalità intorno all'immigrazione clandestina. Gli scafisti sono alleati con varie organizzazioni criminali; a volte possono contare sulla complicità di parte della polizia del paese d'origine.

F. ● Non sempre. Il controllo degli ingressi ha finito per aumentare l'immigrazione clandestina e non sempre è chiaro dove finiscono i soldi dati ai paesi di origine per lo sviluppo delle economie

locali. L'immigrazione è sicuramente una delle maggiori sfide del nuovo millennio, per l'Italia.

G. ● Sono stati aumentati i controlli ai confini, soprattutto sul mare, e sono state introdotte le quote per l'immigrazione. Lo scopo era quello di controllare l'ingresso di immigrati legali nel nostro paese, che possono essere assorbiti dal mercato del lavoro. Poi si è tentato di eliminare l'immigrazione alla fonte, con degli accordi con i paesi di origine per potenziare i controlli e incentivare lo sviluppo delle economie locali.

2. *Funzioni per narrare*. In quale frase...?

1. si narra un evento storico   ....
2. si segnala l'inizio di una spiegazione   ....
3. si vuole attirare l'attenzione perché si inizia a parlare ....
4. si segnala che ci vogliamo riferire a quanto appena detto ....

a. Allora: il processo di unificazione italiana, detto *Risorgimento*, fu lungo e segnato da guerre.
b. Vedi, Carlo, sono arrivato in Italia come clandestino e mi sono dovuto adattare.
c. Roma diventò la capitale d'Italia nel 1871.
d. Ecco, proprio così: l'immigrazione clandestina è uno dei più grossi problemi di oggi.

◎ Vocabolario

3. Completa il testo con gli aggettivi della lista. Attenzione alla concordanza.

> occidentale - meridionale - settentrionale - orientale - centrale

La sfida centrale per il futuro dell'Italia riguarda l'integrazione degli stranieri che vengono in Italia per restarci, soprattutto dei loro figli e nipoti. I sei principali gruppi di immigrati provengono da Albania, Romania, Marocco, Cina, Ucraina e Filippine. Tendono a concentrarsi prevalentemente nelle regioni ....(1) (Lombardia, Piemonte, Veneto, Emilia-Romagna) e ....(2) (soprattutto Toscana). Tutti gli indicatori, dal bassissimo tasso di fecondità delle donne italiane alle necessità di industria, agricoltura e servizi, indicano che il nostro futuro dipende dall'integrazione degli immigrati, soprattutto di seconda generazione. Subire, invece di organizzare, l'immigrazione nel nostro paese di popoli provenienti dalle aree del Mediterraneo ....(3) (come il Nord Africa) e dall'Europa ....(4) (come i paesi ex-comunisti), accentuerebbe la nostra frammentazione. Alle mafie locali soprattutto dell'Italia del Sud, si sommerebbero i ghetti delle grandi città Nord-.................................(5), come Milano, facile preda delle mafie straniere.

4. Completa il testo con l'opzione corretta.

Said viene dal Marocco e oggi vive a Milano con la sua famiglia. È arrivato in Italia dopo un viaggio disperato, quasi 10 anni fa. Il Marocco non fa parte dell'Unione Europea, quindi Said è un cittadino (1) extra-comunitario/europeo e come tale è entrato in Italia senza documenti. È stato (2) regolarizzato/clandestino per quasi due anni, ma adesso ha un regolare (3) permesso di soggiorno/passaporto e lavora in una cooperativa di servizi. Con lui lavora Timor, che è arrivato dalla Romania nel 2007 quando la sua nazione è entrata nella UE. Timor è un cittadino (4) comunitario/extracomunitario quindi è potuto entrare in Italia regolarmente.

L'italiano all'università

5. **Leggi le definizioni e completa con i** prefissi e(x)- = *fuori* e im- (in-) = *dentro* **e i** suffissi **-torio, -are, -ante, -azione.**

1 Un emigrante è una persona che migra fuori dal paese di origine.

2 Un .....migr.......... è una persona che migra in un paese straniero.

3 .....migr.......... significa migrare in un paese straniero.

4 .....migr..... significa migrare fuori dal paese di origine.

5 .....migr.......... descrive la migrazione fuori dal paese di origine.

6 .....migr.......... descrive la migrazione in un paese straniero.

7 .....migr.......... si riferisce al fenomeno migratorio fuori dal paese di origine.

8 .....migr.......... si riferisce al fenomeno migratorio nel paese di arrivo.

6. **Osserva le foto e completa le frasi con le parole e le espressioni della lista. Coniuga i verbi quando necessario.**

una pentola in ebollizione - sospirare - darsi dei pugni in testa
borbottare - tacere - tossire - esclamare - balbettare - sorridere

No, veramente... io... (Che stupido che sono stato!)

1. La bambina aprì il regalo ed ....: "Oh, che bello!".
2. Silenzio! Dobbiamo ....
3. La bambina è malata: .... molto.
4. È felice: ....
5. È così arrabbiato che sembra ....!
6. .... perché non aveva capito niente!
7. "Che pazienza devo avere!" – .... la mamma quando la faccio arrabbiare.
8. Non sa cosa rispondere: .... e .... fra sé e sé.

Edizioni Edilingua

Grammatica

7. Completa la griglia.

infinito	passato remoto					
	io	tu	lui/lei/Lei	noi	voi	loro
Conoscere	conobbi					
Sapere	seppi					
Venire	venni					
Volere	volli					
Mettere	misi					
Vedere	vidi					
Bere	bevvi					
Dire	dissi					
Fare	feci					

8. Completa il testo con il passato remoto.

Dopo la Seconda Guerra Mondiale molti italiani (emigrare) (1)................................. dal Sud in cerca di un lavoro e di migliori condizioni di vita. Una parte di questi emigranti (stabilirsi) (2).................. .... nelle regioni industrializzate del Nord Italia, un altro gruppo (trasferirsi) (3)....................... .... in paesi europei come la Svizzera e la Germania.

Negli anni '70, anch'io, come molti altri, (partire) (4)................................. dal mio paese in Sicilia e (andare) (5)................................. a lavorare in una fabbrica del Nord Italia. (io - Avere) (6)............ .... molta fortuna, perché quasi subito (incontrare) (7)................................. altri siciliani.

Insieme (noi - prendere) (8)................................. un appartamento in affitto e così tutti noi (potere) (9)................................. risparmiare dei soldi da mandare alle nostre famiglie.

9. Scegli l'opzione adeguata.

Nuova York, 30 settembre 1933

Cara mamma,

scusa se non ti (1) ho scritto/scrissi prima, ma (2) ho avuto/ebbi tanto da fare: non (3) fu/è stato semplice trovare una sistemazione qui. Ora però va tutto bene: una settimana fa (4) trovai/ho trovato lavoro in una fabbrica e finalmente nelle ultime settimane (5) ho cominciato/cominciai anche a parlare l'inglese.

Adesso ti racconto un po' del viaggio, un'esperienza davvero forte e difficile, per me e tutti i miei compagni di viaggio. Quando partii da Genova, ormai circa un anno fa, non immaginavo che sarebbe stato così duro. La nave era piena di gente che come me andava in America a cercare fortuna e subito (6) ho conosciuto/conobbi alcune persone con cui (7) rimasi/sono rimasto per tutto il viaggio. (8) Abbiamo viaggiato/ viaggiammo per un mese, senza mai scendere e senza quasi avere lo spazio per muoverci. In terza classe, dove ero io con molti altri emigranti che come me non avevano tanti soldi da spendere per il viaggio, avevamo appena il necessario per vivere. Arrivati a Nuova York, ci (9) hanno portato/portarono all'ufficio immigrazione per i documenti, ma prima (10) abbiamo dovuto/dovemmo aspettare per molte ore il nostro turno.

Per fortuna adesso è tutto a posto e posso dimenticare questa esperienza!

A casa come state? Spero che tu e tutta la famiglia siate in buona salute. Vi manderò dei soldi molto presto.

Ti saluto con affetto. Saluta tutti da parte mia.

Tuo figlio,
Giuseppe

10. Completa il testo. Coniuga i verbi fra parentesi al tempo verbale necessario (passato, prossimo, passato remoto, imperfetto).

Nel 1861 l'Italia (unificarsi) (1)............................... finalmente in una nazione, ma il 70% dei suoi cittadini (essere) (2)............................... analfabeti. Nei primi cinquant'anni del Regno d'Italia l'analfabetismo (diminuire) (3)............................... molto e (arrivare) (4)............................... al 46%. Oggi l'analfabetismo (scendere) (5)............................... a meno del 2%.

Nel 1951, all'inizio dell'epoca della Repubblica, l'Italia (avere) (6)............................... ancora una percentuale di analfabeti del 13%, contro il 4% della Francia, il 2% della Gran Bretagna e l'1% della Germania. Nel 1955 il governo (fare) (7)............................... i nuovi programmi per la scuola elementare. Per la maggior parte degli alunni l'orario scolastico di solito (iniziare) (8)............................... e (finire) (9)............................... con una preghiera.

Dal 1962, quando lo Stato (istituire) (10)............................... la Scuola Media, la situazione (cambiare) (11)............................... molto.

Negli ultimi venti anni la scuola (diventare) (12)............................... multietnica e una legge (stabilire) (13)............................... che l'insegnamento della religione cattolica non è più obbligatorio.

adattato da www.lastoriasiamonoi.rai.it

◎ Testualità

11. Metti in ordine i paragrafi del testo. Attenzione: il paragrafo A è il primo!

A. Una volta, in epoca fascista, nella grande casa all'angolo di Via dell'Agnolo, abitava insieme alla sua famiglia una bambina che si chiamava Sofia. Questa bambina aveva molti giocattoli, ma doveva stare sempre in casa perché in inverno si ammalava spesso: le veniva la febbre alta, la gola le faceva tanto male da non poter mandare giù neanche un po' d'acqua.

B. Sofia approfittò di un momento in cui la madre era distratta e, senza fare il minimo rumore, andò ai giardini pubblici vicino a casa sua. Lì incontrò tutti gli amici che non vedeva da tanto tempo. Insieme giocarono moltissimo e si divertirono tanto. Corsero per tutto il giardino e risero tutto il pomeriggio.

C. Insomma, per Sofia niente poteva essere più importante che aver ritrovato tutti i suoi amici e aver giocato con loro, completamente liberi, per un pomeriggio.

D. Allora non c'erano tante cure come oggi ed era ancora vivo il ricordo della "Spagnola", un'influenza terribile che negli anni '20 aveva ucciso molte persone.

E. Un giorno di gennaio questa bambina, stanca di non vedere mai nessun amico decise di uscire, senza dire niente alla sua mamma.

F. Negli ultimi tempi Sofia era uscita molto raramente perché i suoi genitori temevano per la sua salute, visto che era inverno e faceva molto freddo.

G. Qualche ora prima aveva chiesto alla madre: "Mamma, possiamo uscire un po', oggi? C'è un bel sole e mi piacerebbe andare un po' ai giardini...". "No Sofia, fa troppo freddo. Comunque, puoi giocare con questa bella bambola che il babbo ti ha portato ieri!" – aveva detto la mamma, come sempre.

H. Quando la bambina finalmente ritornò a casa, erano le 7 di sera. La mamma si accorse subito che la figlia non stava

Edizioni Edilingua

bene perché Sofia aveva gli occhi lucidi per la febbre e la voce rauca. Nelle ore successive le salì la febbre molto alta e cominciò a tossire in continuazione. La bambina rimase a letto febbricitante e debole per un'intera settimana, ma era lo stesso felice.

l. A casa, intanto, la mamma cercava la bambina ed era molto preoccupata perché per Sofia il freddo poteva essere molto pericoloso: qualche mese prima aveva rischiato di morire proprio a causa di una brutta influenza.

1	2	3	4	5	6	7	8	9
A								

◎ Per concludere

12. Forma le frasi.

1. nel 1948 / la Costituzione / in vigore /entrò / italiana

....

2. si riunì / il primo gruppo / europei / nel 1960 / a Roma / di capi di stato

....

3. diede / l'immigrato / di soggiorno / al poliziotto / il permesso

....

4. Giuseppe / sua moglie / nel 1952 / in Germania / conobbe

....

5. venne / venti anni fa / in Italia / Saimir / quasi / dall'Albania

....

13. Trova l'errore e correggi le frasi.

1. Nel 1958 ho andato prima in Belgio e poi in Germania. ....

2. L'insegnante dicette agli alunni di aprire il libro. ....

3. Dal 1865 al 1871 Firenze era la capitale d'Italia. ....

4. Il re d'Italia viveva a Palazzo Pitti per sei anni. ....

5. Gli immigrati si messerono in salvo dalla furia del mare. ....

14. Quale dovrebbe essere l'atteggiamento della scuola di fronte alle difficoltà linguistiche degli alunni immigrati? Scrivi un testo (180/200 parole) commentando la frase seguente.

Del resto bisognerebbe intendersi su cosa sia lingua corretta. Le lingue le creano i poveri e poi continuano a rinnovarle all'infinito. I ricchi le cristallizzano per poter sfottere* chi non parla come loro. O per bocciarlo*.

Scuola di Barbiana, *Lettera a una professoressa*, 1967

sfottere = deridere, prendere in giro; *bocciare* = fare ripetere l'anno scolastico o non fare passare un esame a uno studente

....

....

....

....

....

....

Preposizioni

15. Completa il testo con le preposizioni.

Don Lorenzo Milani e la scuola di Barbiana

Don Lorenzo Milani Comparetti nacque (1)................. 1923
(2)................. Firenze dove morì (3)................. 1967. Diventò sacerdote (4)................. ventiquattro anni e da subito
si impegnò (5)................. istruzione dei bambini e (6).........
.... adolescenti di Calenzano, non lontano (7).................
Firenze.
(8)................. dicembre 1954, a causa di contrasti con la cu-
ria (9)................. Firenze, fu mandato (10)................. Barbiana, minuscolo e sperduto paesino (11)................. montagne del Mugello, dove iniziò il primo tentativo di scuola
(12)................. tempo pieno con i ragazzi (13)................. classi popolari. Opera fondamentale (14).........
.... scuola di Barbiana è *Lettera a una professoressa* (maggio 1967), in cui i ragazzi (15).................
scuola (guidati da Don Milani) denunciavano il sistema scolastico e il metodo didattico che favoriva
l'istruzione delle classi più ricche, mentre era ancora molto diffuso l'analfabetismo. *Lettera a una professoressa* fu scritta (16)................. anni (17)................. malattia (18)................. prete. (19).................
morte (20)................. Don Milani il libro registrò un incremento di vendite incredibile e diventò una
(21)................. opere fondamentali (22)................. movimento studentesco (23)................. '68. Altre
esperienze di scuole popolari sono nate nel corso degli anni basandosi (24)................. esperienza di
Don Lorenzo e (25)................. questa opera.

adattato da *it.wikipedia.org*

Parola chiave

16. Completa lo schema con le parole della lista. Puoi aggiungere altre parole che conosci.

sacra - senza storia - raccontare una storia - fare delle storie - moderna - antica - d'Italia - storiella
avere una storia - dell'arte - passare alla storia - raccontare un sacco di storie - contemporanea

materie di studio
....
....
....
....
....
....

senza importanza
....

essere molto importante
....

STORIA

**relativo alla storia;
chi scrive la storia**
(evento) storico
lo storico

sinonimi
narrare
....
lamentarsi
....
dire bugie
....
avere una relazione amorosa
....
barzelletta
....

Edizioni Edilingua

Ma sei davvero così superstizioso?

Funzioni

1. Completa il dialogo con le espressioni della lista.

a. non crederai davvero a queste cose
b. avevi studiato
c. proprio tu parli
d. un gatto nero ha attraversato Viale Dante proprio mentre arrivavo io
e. non trovavi più quella tua conchiglia
f. ma non ti sembra di esagerare
g. senza il mio portafortuna
h. anche tu sei superstizioso

- Ciao Marco!
- Ciao...
- Mhh, che faccia! Cosa ti è successo?
- Una cosa terribile: (1)............!
- Beh, e allora?
- Come allora? Ho dovuto aspettare per 20 minuti, non passava neanche una macchina!
- Ma cosa dici? Non mi dire che (2)............?
- Guarda, prima non lo ero. Ora però preferisco... fare attenzione, ecco!
- Scusa, Marco, (3)............?
- Non penso proprio. L'anno scorso avevo l'esame di Storia contemporanea venerdì 17 giugno e... indovina? Sono stato bocciato!
- Dài, (4)............?! Scusa, ma (5)............?
- Sì, certo! Era un esame molto difficile in effetti... ma quel giorno mi è andato tutto storto! E poi, (6)............?
- Io non sono superstiziosa!
- Veramente? Allora come mai l'anno scorso hai quasi cancellato il volo per Parigi perché (7)............?
- Quella? Ma è ovvio! Io non vado da nessuna parte (8)............!

2. Abbina le frasi alle funzioni. Successivamente, indica per ciascuna frase se c'è un rapporto di contemporaneità/posteriorità (C/P) o anteriorità (A).

1. Vengo a teatro con te, a patto che non ti metta quell'abito viola!
2. Voglio che la smettiate di fare gli scongiuri!
3. Penso che gli italiani siano molto superstiziosi.
4. Indossa sempre il tuo talismano, affinché ti protegga dal male.
5. Non so cosa gli sia successo.
6. Spero che tu non creda al malocchio.

a. Esprimere una volontà.
b. Esprimere un dubbio.
c. Esprimere una condizione.
d. Esprimere uno scopo.
e. Esprimere un desiderio.
f. Esprimere un'opinione.

1	2	3	4	5	6

3. Collega le parole e le espressioni della lista alle definizioni.

1. scongiurare (la sfortuna o un pericolo)
2. superstizioso
3. portare male
4. talismano
5. irrazionale
6. imprevisto
7. esorcismo
8. ossessivo

a. oggetto che ha il potere magico di aiutare o proteggere
b. senza logica o ragione
c. evento che accade inaspettato, di sorpresa
d. che crede alla fortuna e alla sfortuna
e. azione per allontanare il male o una forza negativa
f. fortemente insistente
g. allontanare
h. causare sfortuna

4. Quali coppie sono sinonimi? Quando le parole non sono sinonimi, scrivi il significato della parola evidenziata.

sinonimi

1. sfortunato   jellato   ▢   ....
2. superstizioso   razionale   ▢   ....
3. illogico   irrazionale   ▢   ....
4. oroscopo   profezia   ▢   ....
5. imprevisto   rituale   ▢   ....
6. insicurezza   incertezza   ▢   ....
7. talismano   malocchio   ▢   ....

5. Scegli l'opzione corretta.

1. Ma guardalo, così vestito sembra proprio che porti/dia sfortuna!
2. Esco sempre la sera prima di un esame all'università: è il mio personale imprevisto/rituale.
3. Matteo aveva l'esame ieri, ma non l'ha detto a nessuno per scaramanzia/fortuna.
4. Napoli è la città simbolo della superstizione/iella italiana.
5. Nessun oroscopo farà mai profezie/esorcismi di sventura, altrimenti nessuno lo leggerebbe!

══◎ Grammatica

6. Completa il testo con il congiuntivo presente o passato.

Si crede che il cornetto (essere) (1)..................................... il più diffuso amuleto italiano. Si dice che (risalire) (2)..................................... ai tempi del Neolitico. Si pensa inoltre che Giove (regalare) (3)..................................... un corno come ringraziamento alla donna che lo aveva cresciuto e che questo le (portare) (4)..................................... ricchezza e fortuna. La tradizione vuole che il corno (essere) (5)..................................... rosso e fatto a mano. Si crede, infatti, che il colore rosso (rappresentare) (6)..................................... da sempre la vittoria sui nemici; e (essere) (7)..................................... .... quindi di buon auspicio. Deve, inoltre, essere fatto a mano, come tutti i talismani, affinché

(prendere) (8).................................... i poteri benefici dalle mani che lo producono. Dal corno portafortuna sono arrivati poi l'offesa o lo scongiuro del fare le corna, gesto che si fa alzando l'indice e il mignolo della mano per allontanare la malasorte, a volte accompagnato dalla parola "Tiè" (tieni).

7. Scegli l'opzione adeguata.

Origini di alcune credenze superstiziose

La superstizione nella civiltà contadina era una forma di interpretazione magica di eventi, azioni o fenomeni che ancora oggi si crede che (1) possono/possano modificare negativamente o positivamente il destino. Molte superstizioni sono legate alla tavola e si pensa che alcune di queste credenze (2) sono/siano indirettamente legate alla religione. Ad esempio, è di cattivo auspicio sedersi a tavola in tredici, perché si ricollega all'ultima cena di Cristo con gli Apostoli, o invitare ospiti a pranzo di venerdì, giorno che (3) ha/abbia coinciso con la morte di Gesù.

C'è anche chi crede che si (4) impazzisce/impazzisca se si mangia la testa dell'oca o che posando il pane capovolto sulla tavola si (5) rovesciano/rovescino gli interessi della famiglia.

Infine, sembra che (6) porta/porti male versare una bevanda o porgere un piatto con la mano sinistra. Mentre (7) porta/porti bene rovesciare il vino, a patto che poi tutti i presenti lo (8) toccano/tocchino con un dito e si (9) bagnano/bagnino la nuca.

adattato da *www.taccuinistorici.it*

8. *Che + congiuntivo* oppure *di + infinito*? Trasforma le frasi.

1. Sono troppo sfortunato. Forse devo consultare un cartomante.
   Credo .... È meglio ....
   ....

2. Probabilmente Marco non è partito perché ha perso il suo amuleto.
   È probabile ....

3. Probabilmente Lucia e Giulio non si sposeranno di venerdì.
   È probabile ....

4. Forse comprerò un cornetto contro la sfortuna!
   Penso ....!

5. Secondo la scienza, tutti gli eventi si possono spiegare in maniera razionale.
   La scienza crede ....

6. Dobbiamo diventare meno superstiziosi.
   È necessario ....

7. Secondo me, la superstizione è un misto di ignoranza e di paura.
   Credo ....
   ....

8. Oggi è venerdì 17, può succedere qualcosa di brutto!
   Oggi è venerdì 17, temo ....!

9. Scegli l'opzione corretta e poi metti in ordine i paragrafi del testo.

Sicurezza auto:

in un'indagine gli italiani preferiscono i gesti scaramantici

A primeggiare tra gli oggetti più utilizzati per allontanare la sfortuna sono (1) infine/in primo luogo i cornetti rossi, che vengono messi sugli specchietti retrovisori delle auto, per il 19,5% dei casi nel Sud Italia, mentre nel Nord Italia per il 15,7% dei casi si utilizzano oggetti personali come le foto dei familiari per far aumentare la sicurezza nella guida stradale. (2) A seguire/Poi la coccinella per il 9,2% degli intervistati, il ferro di cavallo 3,8%, i dadi 3,8%, il quadrifoglio 2,4%, (3) e poi/e anzitutto sotto il 2% l'elefante con la proboscide all'insù (1,7%) e la zampa di coniglio (1%).

A

Questa indagine ci mostra quindi come in auto gli italiani si affidino più alla scaramanzia che alla prevenzione del rischio.

B

Scopriamo (4) altre volte/in secondo luogo che, nonostante non sia un oggetto scaramantico come quelli menzionati sopra, il 30% degli italiani ha in auto un santino protettivo. Emerge (5) dopo un po'/poi che il guidatore non inizia un viaggio il giorno 17; infine c'è il gatto nero che fa bloccare di colpo i guidatori con il rischio di provocare incidenti e quindi diminuire la sicurezza stradale anche per gli altri guidatori.

C

La società *Direct Line*, compagnia di assicurazione online, ha svolto un'indagine per vedere, in tema di sicurezza stradale quanto gli italiani si affidino a gesti scaramantici o amuleti per scacciare la sfortuna. L'indagine ha rilevato che più del 35% degli italiani sono superstiziosi e ricorrono alla scaramanzia.

D

adattato *da www.corriere.it*

1	2	3	4

10. Forma le frasi.

1. che / le lenticchie / mangino / gli italiani / è comune / a Capodanno

....

....

2. il 13 / che / gli altri / non credono / un numero / come / molti / sia

....

....

3. sposa / sposa / il proverbio / fortunata / bagnata, / dice:

....

....

Edizioni Edilingua

4. della cerimonia / sposi / è sconsigliabile / il giorno / che / i futuri / si vedano / prima
....

5. si sia / credo che / dopo che / Anna / uno specchio / ammalata / ha rotto
....

11. Trova gli errori e correggi le frasi.

1. Molti pensano che la superstizione è sinonimo di ignoranza. ....
2. In Italia ci sono molte credenze legate con la tavola. ....
3. Andrea ha perso tre volte le chiavi: è veramente fortunato! ....
4. Facciamo i corni, non mi sono mai ammalata quest'inverno! ....
5. Sono felice che hai finalmente vinto al Lotto!

12. Qual è la tua opinione sulla superstizione? Secondo te, è pericoloso credere nelle forze soprannaturali o lo trovi buffo? Ti è mai successo di fare qualcosa che una persona superstiziosa ha giudicato grave? Scrivi un testo (180/200 parole).

....
....
....
....
....
....
....
....
....
....

◎ Preposizioni

13. Completa le frasi con le preposizioni.

1. Il giorno del mio matrimonio ha piovuto .... tutto il giorno: che fortuna!

2. Non credo .... questi riti contro il malocchio, sono tutte sciocchezze!

3. Non si deve avere paura .... ciò che non si capisce.

4. Ti hanno dato il posto 17, devi chiedere se c'è la possibilità .... cambiarlo!

5. Se faccio quello che mi chiedi, è solo perché credo .... te.

6. Una sposa deve ricevere il velo in prestito .... una moglie felice.

7. Molte credenze popolari hanno legami .... la religione.

8. Non parlare con quello lì. Fidati .... me!

14. Completa lo schema con le parole della lista. Puoi aggiungere anche altre parole che conosci.

avere - menagramo - buona sorte - sfortunato - sfiga - fortuna - portare
iella - sfigato - iettatura - malasorte - credere (alla) - scalogna - malaugurio

verbi che si usano con *sfortuna*
....
....
....

augurio di buona fortuna
In bocca al lupo!
(risposta: Crepi il lupo!**)**

contrari
....
....

SFORTUNA

aggettivi legati alla sfortuna
....
....

sinonimi
....
....
....
....

altri sostantivi legati alla sfortuna
....
....
....

Scusa, mi passi la teglia?

Funzioni

1. Completa il testo con le espressioni della lista.

> al posto della carne - sull'olio extravergine d'oliva - consumo di carboidrati
> abbondano sulle tavole - stile alimentare

Cos'è la dieta mediterranea

La dieta mediterranea è un particolare (1)........... .... adottato fin dai tempi antichi dalle popolazioni dell'Europa mediterranea e che si affacciano sul Mar Mediterraneo. Quello che caratterizza questo regime alimentare è il (2)..................................... ...., attraverso l'assunzione di pane e cereali. (3)..................................... .... bovina ed equina, si preferiscono i legumi, vera e propria "carne dei poveri", nelle campagne italiane di qualche decennio fa. Solo settimanalmente si consumano carni bianche. Il condimento si basa (4)..................................... ...., e i contorni abbondano assieme al consumo di frutta e verdura. Completano l'alimentazione giornaliera altri due prodotti che, grazie alla posizione geografica, (5).................. ....: vino e pesce.

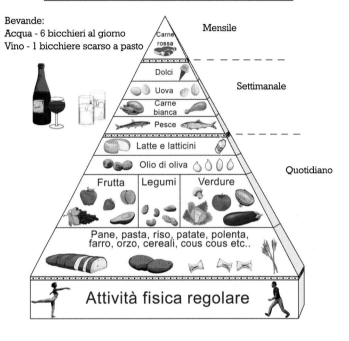

La Piramide Alimentare nella Dieta Mediterranea

Bevande:
Acqua - 6 bicchieri al giorno
Vino - 1 bicchiere scarso a pasto

Carne rossa — Mensile
Dolci
Uova
Carne bianca — Settimanale
Pesce
Latte e latticini
Olio di oliva — Quotidiano
Frutta | Legumi | Verdure
Pane, pasta, riso, patate, polenta, farro, orzo, cereali, cous cous etc..

Attività fisica regolare

2. Inserisci nell'intervista le domande che trovi alla pagina seguente.

Ricerca italiana mette in evidenza i benefici della dieta mediterranea

1. • ◯
   • Sono originario della Calabria. Mi sono trasferito in Toscana per studiare medicina, ho cominciato a frequentare il Dipartimento di Area Critica Medico-Chirugica dell'Università di Firenze e poi sono rimasto a lavorare lì come medico. Sono attualmente ricercatore in Scienze dell'alimentazione e conduco ricerche sulla dieta mediterranea, in cui credo molto.

2. • ◯
   • L'idea iniziale era di raggruppare e analizzare insieme i principali studi effettuati sulla dieta mediterranea, nel tentativo di "tirare fuori" gli effetti più nascosti della dieta. Abbiamo incontrato per caso alcune ricerche che avevano come obiettivo quello di vedere se la dieta mediterranea poteva contrastare le malattie che attaccano il sistema nervoso e abbiamo deciso di aggiungere questo importante aspetto alla nostra analisi.

3. ● ◯

   ● La nostra analisi, su più di un milione e mezzo di soggetti seguiti per periodi da 3 a 18 anni, ha messo in evidenza che chi segue di più la dieta mediterranea mostra:

     - una riduzione della mortalità da tutte le cause del 9%

     - una riduzione della comparsa o mortalità da tumori del 6%

     - una riduzione della comparsa di malattia di Parkinson del 13%

     - una riduzione della comparsa di malattia di Alzheimer del 13%

4. ● ◯

   ● È possibile, anche se questo non è dimostrato. Io penso che la tradizionale cucina italiana abbia contribuito al fenomeno.

5. ● ◯

   ● Sì. Negli ultimi anni la dieta mediterranea è in declino, si nota la perdita delle abitudini tradizionali mediterranee persino qui in Italia a favore di tipi di alimentazioni alternative estere, come le catene di fast food. Bisogna evitare l'abbandono della dieta mediterranea, che contribuisce alla salute più di quanto pensavamo.

A. ● È noto che la popolazione italiana è tra le più longeve del mondo. È possibile che questo sia dovuto alla dieta mediterranea?

B. ● C'è un messaggio che desidera dare ai nostri lettori?

C. ● Dottor Sofi, Lei è un esperto di nutrizione che i lettori di www.parkinson.it non conoscono. Di dove è originario, quali studi ha fatto e quale è stato il suo percorso da ricercatore?

D. ● Come ha avuto l'idea di collegare la dieta mediterranea con la malattia di Parkinson?

E. ● In sintesi, quali sono i risultati delle sue ricerche di interesse per i nostri lettori?

tratto da www.parkinson.it

◎ Vocabolario

3. Collega la definizione con il nome dell'oggetto.

1. Apparecchio elettrico che trita direttamente in pentola.
2. Recipiente trasparente da forno.
3. Utensile usato principalmente per sbattere le uova.
4. Utensile usato principalmente per friggere.
5. Permette di cuocere in maniera molto rapida.
6. Si usa per rendere la carne più sottile.
7. Contenitore dove mescolare gli ingredienti.
8. Utensile per spalmare ingredienti (per esempio creme).

a. padella

b. frusta

c. ciotola

d. batticarne

e. pirofila

f. spatola

g. frullino a immersione

h. pentola a pressione

1	2	3	4	5	6	7	8

Edizioni Edilingua

4. **Leggi la ricetta e inserisci i verbi della lista.**

> soffriggetela - cuocete
> aggiungete - lasciatele - cuocete
> frullate - servite - mescolate
> toglietelo - versate

Sartù di riso alla napoletana

Preparazione

(1)................................ la carne e preparate delle piccole polpette, friggetele, toglietele dall'olio e (2).. da parte.

Mettete in acqua i funghi fino a che non diventano morbidi. (3)................................ 2 uova sode.

Saltate i piselli in un po' di burro.

In una pentola, (4)................................ dell'olio, tagliate una cipolla e (5)................................; poi aggiungete i funghi, strizzati e sminuzzati.

Versate poi i pelati e la salsiccia a pezzetti, salate e pepate, (6)................................ tutto e fate cuocere per 20 minuti.

Aggiungete poi le polpettine e fate cuocere per altrettanti minuti.

A questo punto, tirate su dalla pentola tutto il ragù di carne, e nel sugo (7)................................ il risotto; aggiungete un po' di brodo, se necessario.

Quando il riso è molto al dente, (8)................................ dal fuoco, versate un uovo intero e un bianco, aggiungete tanto formaggio, mescolate bene e fate raffreddare.

Ungete con l'olio uno stampo e mettete dentro 2/3 del riso creando un buco al centro, in cui, alternativamente, (9)................................ il ragù, i piselli, le uova sode tagliate a fettine, la provola, il salame a pezzettini e il formaggio grattugiato.

Finite tutti gli ingredienti e poi chiudete con il resto del riso.

Spolverate con pangrattato e fiocchetti di burro. Infornate e cuocete a 180° per un'ora e poi (10).. ben caldo.

5. **Collega il nome della famiglia di alimenti al gruppo.**

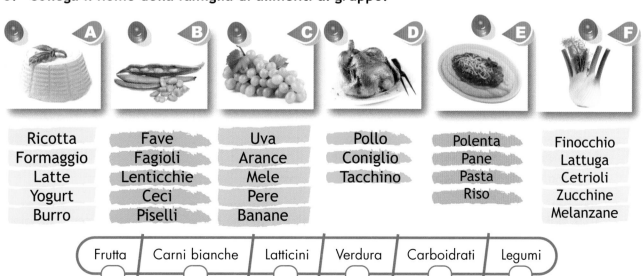

A	B	C	D	E	F
Ricotta	Fave	Uva	Pollo	Polenta	Finocchio
Formaggio	Fagioli	Arance	Coniglio	Pane	Lattuga
Latte	Lenticchie	Mele	Tacchino	Pasta	Cetrioli
Yogurt	Ceci	Pere		Riso	Zucchine
Burro	Piselli	Banane			Melanzane

Frutta | Carni bianche | Latticini | Verdura | Carboidrati | Legumi

6. Riscrivi la ricetta. Per dare le istruzioni usa l'imperativo formale singolare al posto dell'infinito. Attenzione alla posizione dei pronomi!

Risotto carciofi e salsiccia

Tagliare a pezzetti mezza cipolla e farla rosolare con un po' d'olio in una pentola a pressione aperta.

Pulire i carciofi dalle foglie esterne, tagliare la parte superiore con le spine, fare delle fettine sottili con la parte centrale (il cuore del carciofo). Affettare un po' di salsiccia e poi tagliarla a cubetti.

Unire tutto al soffritto.

Versare un bicchiere di riso parboiled e aggiungere due bicchieri di acqua.

Salare, pepare e mettere il dado per brodo.

Chiudere la pentola a pressione e lasciare cuocere a fuoco alto.

Quando dalla pentola a pressione comincia a uscire del vapore, abbassare la fiamma. Lasciare cuocere per altri 5 minuti.

A cottura ultimata aggiungere al risotto un cucchiaio di burro.

Servirlo ben caldo.

....

....

....

....

....

....

....

....

7. Riscrivi le frasi con i pronomi combinati corretti.

1. Ho comprato dei bellissimi spinaci. Quando arrivo a casa, a te cucino gli spinaci.

   ....

2. Signora, deve seguire la dieta mediterranea, a lei lo dico sempre!

   ....

3. ● Mi passa il formaggio grattugiato? ● Sì, certo. A Lei passo il formaggio subito.

   ....

4. ● Prendiamo le fragole, sembrano fresche.

   ● Mah, a noi hanno sconsigliato le fragole in inverno!

   ....

5. ● Hai preparato la cena a Marco? ● No, oggi non ce l'ho fatta. Si preparerà la cena da solo.

   ....

6. ● Guarda che ti sei macchiato la camicia con il sugo! ● Oddio, è vero! Mi cambio la camicia subito.

   ....

8. Trova le frasi con le forme impersonali corrette e correggi quelle sbagliate.

	Corretta	Sbagliata
1. Se fa sport e mangia correttamente, è difficile ingrassare.	◯	◯
2. Oggi provo il pesce: dicono che sia squisito!	◯	◯
3. Quando si cominci a mangiare patatine, non si finiresti più, vero?	◯	◯
4. In questa università uno può andare a mensa dalle 12 alle 14.	◯	◯
5. Odio questa mensa! Arrivi e trovi sempre una fila chilometrica!	◯	◯
6. Durante le feste si possono mangiare e bere un po' di più, ma senza esagerare!	◯	◯

Testualità

9. Inserisci i segnali discorsivi per attirare l'attenzione o dare il turno di parola.

> guardi - dimmi - ci dica - prego - senti

1. ● Scusa, Rosanna, posso dirti una cosa?
   ● Certo, ... pure.
2. ...., Marta, secondo me questa dieta non va bene per te!
3. E quali sono i disturbi di un'alimentazione poco equilibrata? ...., dottor Rossi.
4. ...., io credo che gli chef siano più artisti che semplici cuochi.
5. Sentiamo ora il parere del nostro esperto di alimentazione. ....

Per concludere

10. Forma le frasi.

1. molti / conoscono / per il suo gusto / italiana / la cucina

2. un piatto / trovare / nella cucina italiana / molto ricco / è comune / unico

3. 180 gradi / la pirofila / mettere / 45 minuti / in forno e / cuocere / a / per

4. ogni pasto / la frutta e / consumate / la verdura / durante

5. l'aspetto e / per presentare / dei profumi / un piatto / l'armonia / sono importanti

6. mangia / spende / universitaria / si / poco / alla mensa / bene / e si

11. Trova l'errore e correggi le frasi.

1. Signor La Grassa, non mangiare troppi affettati!

   ....

2. Belle le fragole di Luisa, vero? Lele ho comprate io!

   ....

3. Prego, signora, si siedi! Questo è il suo tavolo.

   ....

4. Allora, Fiorenza, la torta glil'hai preparata ai bambini?

   ....

5. ● Scusi, posso parlarle un secondo? ● Prego, avvocato, dicami!

   ....

12. Scrivi un testo (180/200 parole) su cosa ritieni sia giusto mangiare. Tu invece cosa mangi? Credi nella dieta mediterranea o ti trovi meglio con le abitudini alimentari del tuo paese? Perché?

....

....

....

....

....

....

....

....

◎ Preposizioni

13. Completa le frasi con le preposizioni.

1. La frequente mancanza di tempo .... parte delle mamme porta i bambini .... consumare delle merende con "calorie vuote", cioè alimenti troppo calorici e poveri di nutrienti.

2. Gli studi dimostrano che è meglio mangiare frutta .... stagione, che fa bene .... organismo.

3. Tagliare la cipolla .... cubetti, farla soffriggere .... olio d'oliva.

4. La frutta è ricca .... vitamine, però è meglio consumarla lontano .... pasti.

5. La colazione è il pasto più importante .... giornata, bisogna evitare .... saltarla.

6. La varietà dei cibi è il segreto .... una sana alimentazione.

276

◎ Parola chiave

14. Completa lo schema con le parole della lista. Puoi aggiungere anche altre parole che conosci.

> preparare - di ceramica - ricercato - il piatto forte - sperimentare - fondo - piano
> il piatto piange - rotondo - di carta - da frutta - sporcare - da dolce - tipico
> da portata - di plastica - rompere - esotico - guarnire - regionale - semplice - squisito
> lavare - inventare - presentare - di porcellana

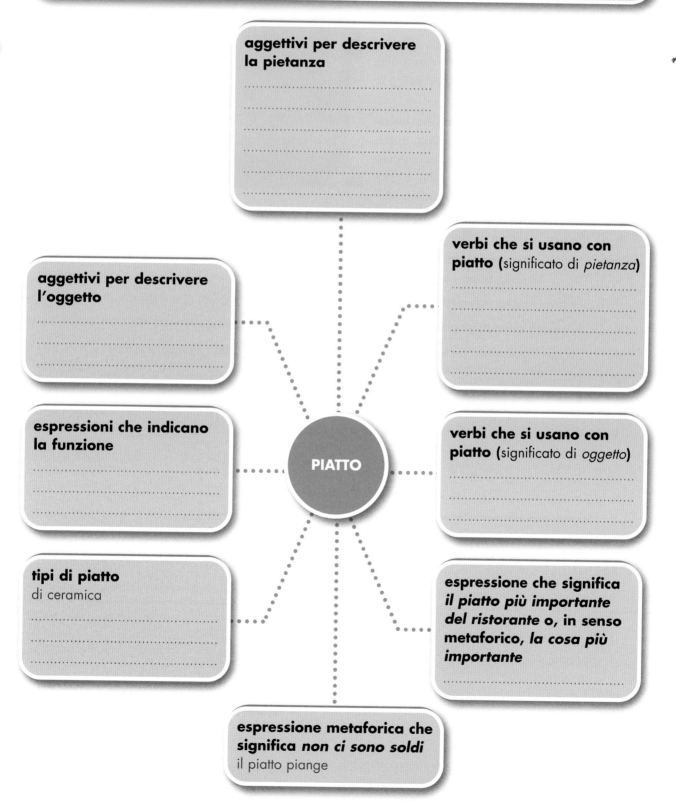

aggettivi per descrivere la pietanza

verbi che si usano con piatto (significato di *pietanza*)

aggettivi per descrivere l'oggetto

espressioni che indicano la funzione

PIATTO

verbi che si usano con piatto (significato di *oggetto*)

tipi di piatto
di ceramica

espressione che significa *il piatto più importante del ristorante* o, in senso metaforico, *la cosa più importante*

espressione metaforica che significa *non ci sono soldi*
il piatto piange

l'italiano all'università

Puoi comprare i biglietti per il concerto?

Eserciz

Funzioni

1. Metti in ordine il dialogo.

- A. Paola: Bravo, è proprio così. Ma perché non sei venuto anche tu? Pensavo che Capossela piacesse anche a te.

- B. Paola: Eh sì, tutta la gente si è messa a ballare nel teatro! Poi, alla fine, dopo ben tre bis, il pubblico voleva che tornasse ancora sul palco a suonare!

- C. Paola: Sì, l'ultimo disco ha un'atmosfera molto intima, eppure è molto bello. Lui comunque ha suonato tutte le canzoni nuove nella prima parte del concerto. Poi, dopo l'intervallo, ha fatto i vecchi pezzi del suo repertorio.

- D. Paola: Bellissimo! Uno spettacolo emozionante. Eravamo tutti entusiasti.

- E. Paola: Ovviamente, lei ha trovato qualcosa da criticare, come al solito. Diceva che il concerto è stato troppo lungo, pensa!

- F. Filippo: Sì, ma non conosco le canzoni dell'ultimo album. È vero che è un po' malinconico?

- G. Filippo: È piaciuto anche a Valentina? Lei che si lamenta sempre?!

- H. Filippo: Immagino che la seconda parte del concerto sia stata più vivace allora.

- I. Filippo: Allora, Paola, com'è stato il concerto di Vinicio Capossela?

- L. Filippo: Se lo spettacolo è davvero bello, la lunghezza non è un problema, anzi.

- M. Filippo: Che peccato che non sono venuto! Speriamo che faccia presto un altro spettacolo nella nostra città.

1	2	3	4	5	6	7	8	9	10	11
					A					

2. Abbina la frase alla funzione corrispondente.

1. Pensavo che Capossela piacesse anche a te.
2. Poi, alla fine, dopo ben tre bis, il pubblico voleva che tornasse ancora sul palco a suonare!
3. Sì, l'ultimo disco ha un'atmosfera molto intima, eppure è molto bello.
4. Speriamo che faccia presto un altro spettacolo nella nostra città.

a. Esprimere un desiderio.
b. Esprimere una speranza.
c. Esprimere un'opinione.
d. Mettere in opposizione due frasi o concetti.

1	2	3	4

Edizioni Edilingua

Vocabolario

3. Guarda le parole della lista e cerca nel dizionario monolingue **il significato di quelle che non conosci. Dopo usale per completare il testo della recensione al disco di Andrea Bocelli.**

> appassionati - colonna sonora - duetti - protagonisti
> registrato - arrangiate - classici - intervista - pubblicato - voce

Andrea Bocelli: *My Christmas*

My Christmas è stato ....(1) il 20 novembre nella versione CD, ma anche CD+DVD con un estratto del concerto che Andrea Bocelli ha tenuto al *Kodak Theatre* di Los Angeles per il programma *Great Performances* della PBS. È anche disponibile un DVD con la versione integrale del concerto e, come contenuto speciale, un'..........................(2) in cui Andrea Bocelli racconta il suo *My Christmas*.

Il disco è interamente dedicato ai ....(3) natalizi di tutti i tempi: da *I believe*, che Bocelli ha cantato anche davanti a un commosso Giovanni Paolo II, alle tradizionali *Silent Night*, *White Christmas* e *Tu scendi dalle stelle*.

Due canzoni indimenticabili come *Tu scendi dalle stelle* e *Adeste Fideles* sono state ....(4) dal maestro Renato Serio. Ben cinque sono i brani di *My Christmas* in cui Bocelli ha deciso di coinvolgere altri artisti per ....(5) inediti e imperdibili: la mezzosoprano rivelazione di questi ultimi anni Katherine Jenkins lo accompagna in *I believe*, Malika Ayane condivide la malinconica *Blue Christmas*, Mary J. Blidge ha ....(6) in un giorno a New York *What child is this* mentre Natalie Cole ha prestato il calore delle sue tonalità *soul* e *r&b* a *The Christmas song*.

A queste quattro signore della musica si aggiungono i *Muppets*: i pupazzi più famosi del mondo sono infatti i ....(7) di un'irresistibile versione di *Jingle Bells* destinata a conquistare il pubblico di tutto il mondo. I *Muppets* hanno fatto una bella sorpresa a Bocelli proprio durante lo show televisivo di Fabio Fazio, apparendo in trasmissione con un messaggio di auguri dagli States!

My Christmas contiene anche *God bless us everyone*, brano che fa parte della ....(8) del film *A Christmas Carol*, tratto da un racconto di Charles Dickens, intepretato al cinema da Jim Carrey, Colin Firth e Gary Oldman. In *My Christmas* la ....(9) di Bocelli spazia dai toni lievi e sussurrati di *White Christmas* a quelli gioiosi e trascinanti di *Santa Claus is coming to town* per un album destinato a scaldare il Natale dei moltissimi ....(10) della musica di Andrea Bocelli nel mondo.

adattato da *www.musicalnews.com*

4. Metti in ordine le lettere date e trova i nomi degli strumenti musicali rappresentati nelle immagini.

CHARATIR

....

TIRABETA

....

PENTOFARIO

....

OLVINIO

....

ATULFO

....

BROMAT

....

5. Ricostruisci le frasi.

1. Abbiamo fatto il karaoke
2. Hanno registrato il loro ultimo disco
3. Sonia vuole partecipare
4. Tommaso ha fatto uno splendido
5. I musicisti jazz sono bravissimi
6. Adoro questo disco, lo ascolto
7. Vado a comprare i biglietti per il concerto

a. assolo alla chitarra.
b. e io ero il più stonato di tutti!
c. dieci volte al giorno!
d. a improvvisare.
e. al Festival di Sanremo.
f. al botteghino del teatro.
g. in uno studio di Londra.

6. Scegli l'opzione corretta.

1. Eros Ramazzoti ha pubblicato una raccolta/un album di inediti con tutti i suoi successi storici.
2. Questa canzone ha un testo/un brano molto poetico.
3. Giulio ha un gran senso del ritmo: suona il basso/la fisarmonica in un gruppo rock.
4. Il disco di Laura Pausini ha avuto una recensione/un'opinione molto positiva sul giornale.
5. I critici non lo amano, ma questo cantante ha un enorme successo tra il pubblico/le vendite.
6. Tiziano Ferro farà un tour in tutta Italia per il lancio/il botteghino del suo ultimo disco.

7. Cancella la parola che non fa parte del gruppo.

1. ritornello, canzone, critico, testo
2. fisarmonica, cantante, duetto, coro
3. spartiti, clarinetto, violino, pianoforte
4. disco, opera, ballata, album
5. traccia, pezzo, ritmo, brano
6. chitarra, basso, batteria, album

◎ Grammatica

8. Scegli l'opzione corretta.

1. I miei genitori non sono musicisti, sebbene abbiano avuto/avessero sempre una forte passione per la musica.
2. Mia nonna materna ha studiato canto al Conservatorio di Genova e si diceva che sia/fosse molto brava.
3. Non sapevo che Carmen Consoli dedicasse/avesse dedicato una canzone a suo padre.
4. Tutti credevano che il concerto sia/fosse finito, e invece Tiziano Ferro è tornato sul palco per concedere un secondo bis.
5. Sono molto felice che voi vi diplomaste/vi siate diplomati al Conservatorio.
6. A Katia dispiaceva che Luciana e Marcella non fossero andate/vadano a sentirla cantare.

9. Completa il testo coniugando i verbi tra parentesi ai tempi dell'indicativo, al congiuntivo imperfetto o trapassato.

● ● ●		Ciao		▢

A: adele@gmail.it

Cc:

Oggetto: Ciao

Ciao Adele,

nella tua ultima e-mail mi chiedi di raccontarti di quando alcuni anni fa ho conosciuto Roberto Forti, il mio cantante preferito. Devi sapere che da adolescente io (essere) (1).. una sua fan scatenata: la sua musica (cambiare) (2).. la mia vita e volevo che lui lo (sapere) (3).. Quell'anno aveva in programma due concerti nel teatro della mia città. Io ero già andata a vederlo la prima sera; la sera dopo, sono andata ad aspettarlo davanti all'uscita degli artisti prima che lo spettacolo (finire) (4).. Così, nonostante (esserci) (5).. una gran folla, io ero in prima fila, davanti a tutti. Quando è uscito, volevo dirgli tante cose, ma ero così emozionata che non (riuscire) (6).. a parlare. Lui ha guardato verso di me, che stavo lì con in mano il poster del concerto, muta. Anche se io non (dire) (7).. nulla, speravo che in qualche modo (capire) (8).. dal mio sguardo cosa significavano per me le sue canzoni. E infatti, si è avvicinato a me, ha preso il poster, ha chiesto il mio nome e mi ha scritto una dedica bellissima! Quando l'ho raccontato alle mie amiche, pensavano che (inventare) (9).. tutto per prenderle in giro, ma poi ho mostrato loro la dedica che mi (fare) (10).. e sono rimaste a bocca aperta. Temevo che (provare) (11).. invidia, ma loro hanno capito che (essere) (12).. il sogno della mia vita e alla fine erano contente che (riuscire) (13).. davvero a vederlo da vicino.

Paola

10. Riscrivi questi brevi testi al passato, coniugando i verbi al modo e al tempo adeguato.

1. Nonostante non sappia suonare nessuno strumento, è un ottimo artista.
   Nonostante non sapesse ....

2. Gianni pensa che sia più facile suonare il basso che la chitarra e non crede che il basso sia uno strumento molto importante per un gruppo.
   ....

3. Sono contenti che i loro figli abbiano deciso di studiare il pianoforte. Sperano che diventino bravi come Giovanni Allevi.
   ....

4. Dubito che tu possa imparare a suonare bene il flauto, è meglio che studi il sassofono. Ritengo che tu sia più dotato per questo strumento.
   ....

5. Bisogna che voi mi portiate un CD con tre o quattro vostre canzoni, se volete suonare nel mio bar.
   ....

◎ Testualità

11. Completa il testo dell'e-mail con il giusto connettivo.

Carissima Ilaria,

siamo in viaggio in autobus per il nostro tour in giro per l'Italia da due settimane ormai.
(1) Anche se/Così/Eppure sono ancora un po' stanco per il concerto di ieri, ho pensato di scriverti un po'. Ieri sera abbiamo suonato a Maglie, un piccolo centro in provincia di Lecce. C'era un piccolo festival, così, (2) invece/nonostante/mentre sia un piccolo centro, abbiamo avuto tantissimo pubblico. Eravamo molto tesi prima di salire sul palco: suoniamo dal vivo da tanti anni, (3) mentre/anche se/eppure ci preoccupiamo ancora di come la gente possa reagire alla nostra musica. E poi era la prima volta che suonavamo nella piazza di un paese durante una festa popolare. E (4) così/nonostante/invece tutto è andato benissimo! Il pubblico ci ha accolto con un grande applauso e alla fine ci hanno chiesto due volte il bis.
Il tour è stancante: il pomeriggio facciamo le prove, la sera il concerto, ceniamo tardi e spesso finiamo di sistemare gli strumenti alle tre di notte! (5) Comunque/Invece/Al contrario è divertente e ci divertiamo un sacco. È vero, la mattina siamo stanchi morti. Io come sai non ho mai riposato di giorno, (6) nonostante/sebbene/invece ora mi faccio certe dormite sull'autobus!
Anche adesso mi sa che dormirò un po', (7) così/mentre/invece stasera sarò in forma per il concerto!

Un bacio e a presto.
Luigi

Per concludere

12. Forma le frasi.

1. fosse / che / un'appassionata / pensavo / jazz / di / Chiara

  ....

  ....

2. non ero / nel / Giovanni / cantare / nostro gruppo / sicuro che / pote

  ....

  ....

3. avesse rotto / chitarra / temevo / la mia / Benedetto / che

  ....

  ....

4. i miei amici / che io / al / volessero / che / loro matrimonio / cantassi / era probabile

  ....

5. positiva / il cantante / scrivesse / sperava / il critico / che / una recensione

  ....

13. Trova l'errore e correggi le frasi.

1. Sebbene aveva dimenticato il testo della canzone, nessuno l'ha criticato.

  ....

2. Sono sicuro che tu abbia visto il Festival di Sanremo ieri sera.

  ....

3. Per fortuna sono andato via prima che Piero iniziassi a cantare.

  ....

4. Molti pensano che De André è stato il migliore cantautore italiano.

  ....

5. Hanno sempre avuto un grande talento: era normale che si iscrivesse al Conservatorio.

  ....

14. Hai mai fatto parte di un gruppo musicale o di un coro? Sei mai andato/a a un concerto rock? Dove? Quando? Hai mai conosciuto da vicino un componente di un gruppo musicale molto conosciuto? Scrivi un testo (220/240 parole) e racconta il tuo rapporto con la musica.

  ....

  ....

  ....

  ....

  ....

  ....

  ....

  ....

  ....

  ....

Puoi comprare i biglietti per il concerto?

l'italiano all'università

◎ Preposizioni

15. Completa le frasi con le preposizioni.

1. Ho provato varie volte .... suonare questa canzone, ma è difficile .... eseguire al pianoforte.
2. Quando compone una canzone si ispira .... problemi sociali.
3. Ho comprato l'ultimo disco .... Laura Pausini .... negozio .... Piazza Mazzini.
4. Pensavo che Enrico Ruggeri si fosse ritirato .... scena musicale.
5. Sai che sono timido, non mi obbligare .... cantare .... pubblico!

◎ Parola chiave

16. Completa lo schema con le parole della lista. Puoi aggiungere anche altre parole che conosci.

> musica per le mie orecchie! - scrivere - musicale - solista - assordante
> coro - studiare - cantautore - gruppo - fare - musicista - autore - comporre
> leggere - apprezzare - leggera - classica - commerciale - cambia musica!

verbi
....
....
....
....
....

aggettivi
....
....
....

parole che derivano da *musica*
....
....

MUSICA

esortazione a cambiare
....

persone che fanno musica
....
....
....
....
....

esclamazione per segnalare una cosa molto positiva
....

Edizioni Edilingua

Hai letto l'ultimo libro di...?

Funzioni

1. **Inserisci le domande nell'intervista.**

I castelli di rabbia
Intervista ad Alessandro Baricco

Universale Economica Feltrinelli
**ALESSANDRO BARICCO
CASTELLI DI RABBIA**

Giornalista: (1).................

A. Baricco: Due sono le immagini che lo compongono: il sogno e la rabbia. L'ho scritto in un periodo in cui ero arrabbiato per faccende della mia vita. I castelli, invece, sono il bimbo che sogna e costruisce mondi suoi.

Giornalista: (2).................

A. Baricco: Forse sono stato premiato perché quel che avevo in testa era davvero nuovo o forse perché era un libro generoso, estroverso: non parlava di me, non era una storia di una generazione o locale, ciò che narravo poteva esser colto da persone differenti.

Giornalista: (3).................

A. Baricco: Sono molto legato a *Castelli di rabbia* perché contiene tutte le mie visioni. Sono rimasto fedele a quelle visioni anche negli altri romanzi. Da allora s'è aggiunto un pensiero: che per alcune storie il massimo della forza si ottiene con il massimo dell'essenzialità.

Giornalista: (4).................

A. Baricco: Ci sono delle storie che sorgono in me e mi sembrano importanti, fin dall'inizio non appartengono a un tempo o a un luogo definibili. Sono mondi staccati con leggi proprie, dei non luoghi come Paperopoli. A me pare in questo modo di andare più diretto al senso di ciò che ho in mente. Il presente non c'entra quando scrivo. Anche *Novecento*, dove il tempo è determinato, si svolge in un non luogo: su una nave.

Giornalista: (5).................

A. Baricco: I miei romanzi sono pieni di musica e di musicisti, di sintassi e strutture musicali. Il cuore di *Castelli di rabbia* è la scena in cui le due bande che partono dagli estremi del paese s'incontrano. È quello il punto attorno al quale si costruisce il romanzo, è lì che tutto s'intreccia.

adattato da *www.archiviostorico.corriere.it*

A. Quel romanzo è entrato nei primi cinque del famoso Premio Campiello, secondo Lei, perché?

B. I suoi romanzi sono sempre ambientati in un tempo passato. Lei stesso ha dichiarato di non poter parlare del presente se non sviluppa le sue storie in un tempo altro.

C. Perché quel titolo? Quali castelli, di quale rabbia parla il romanzo?

D. In *Castelli di rabbia*, un ruolo molto importante svolge la musica, ma non soltanto come tema che ritroveremo in *Novecento*.

E. *Castelli di rabbia* è ricco di personaggi ed eventi, più dei suoi romanzi successivi. Lei come lo valuta ora, a tanti anni di distanza?

2. Metti in ordine l'articolo di giornale.

la Repubblica

È scomparsa la poetessa Alda Merini, cantò il dolore degli esclusi

a. Viveva in condizioni di indigenza – per scelta – tanto che i pasti quotidiani le venivano portati dai servizi sociali comunali. Ha cantato gli esclusi e ha vissuto la malattia mentale. "I funerali di Stato, autorizzati dal Consiglio dei Ministri, si terranno nel Duomo" – lo annuncia il sindaco di Milano.

b. Da quel momento ha vissuto al confine tra il riconoscimento della sua eccezionale capacità poetica e la malattia mentale. Lei stessa ne ha sempre parlato e scritto definendo la sua sofferenza come "ombre della mente". Con le quali, nel tempo, ha saputo convivere. Il dolore l'ha aiutata a conoscere a fondo l'animo umano.

c. MILANO – È morta la poetessa Alda Merini. Aveva 78 anni. Protagonista della scena culturale italiana, e considerata la più grande poetessa italiana della sua epoca, era ricoverata all'ospedale San Paolo per un tumore osseo. I medici l'hanno assistita per una decina di giorni.

d. Nata in una famiglia poco abbiente (il padre era impiegato in una compagnia di assicurazione, la madre casalinga), la Merini aveva appena quindici anni quando ha esordito con la raccolta *La presenza di Orfeo* curata dall'editore Schwarz. E mentre già attirava l'attenzione della critica, incontrò difficoltà nel mondo della scuola "normale". Il liceo Manzoni non l'aveva ammessa perché "non era stata sufficiente nella prova d'italiano".

e. Negli ultimi anni il suo volto era diventato popolare anche al pubblico televisivo. Frequenti le sue apparizioni, la voce arrochita dal fumo, parole e pensieri profondi e comprensibili. Grazie a lei, molti si erano avvicinati alla poesia. Il presidente della Repubblica ha detto di essere profondamente rattristato della sua scomparsa: "Viene meno un'ispirata e limpida voce poetica".

adattato da *www.repubblica.it*

1	2	3	4	5
			e	

◎ Vocabolario

3. Abbina la parola alla definizione.

1. novella/racconto	a. storia fantastica che spesso ha per protagonisti degli animali
2. romanzo	b. lunga composizione in versi divisa in canti o libri
3. radiodramma	c. componimento in versi di solito breve
4. poema	d. adattamento di un'opera narrativa per la radio
5. poesia	e. parti in cui si divide un libro
6. favola/fiaba	f. narrazione breve in prosa
7. manuale	g. lungo componimento narrativo in prosa
8. capitoli	h. libro che presenta un determinato argomento in modo ampio e chiaro

Edizioni Edilingua

4. Leggi il testo e inserisci le parole della lista.

storia - intreccio - trama - pagina - scrittrice - personaggi - libro - lettore

Il cuore in ombra di Maria Stella Conte

Un uomo e due donne. Sebastian, Brina, la misteriosa Qu e le loro vicende scottanti sono al centro de *Il cuore in ombra*, il nuovo ....(1) di Maria Stella Conte. Dopo *Terza persona singolare* e *La casa dei gusci di granchio*, la ....(2) e giornalista romana torna a raccontare una ....(3) incentrata su una donna misteriosa a partire dal nome, Qu.

Di Qu sono innamorati Sebastian, ricco avvocato quarantenne malamente sposato, e sua sorella Brina. Sotto gli occhi di un misterioso osservatore, il triangolo che lega Sebastian, Brina e Qu si svolge tra dialoghi sottili, descrizioni dettagliate e scoperte improvvise.

Più che l'....................(4), a tenere desta l'attenzione del ....(5) sono degli interrogativi esistenziali. Che cosa porta una donna a costruire sulla propria pelle un rapporto così distruttivo e autodistruttivo? Che cosa spinge un uomo ad accettare una relazione che distrugge un'apparenza di rispettabilità faticosamente costruita? Capitolo dopo capitolo la ....(6) si fa più complessa, i ....(7) si approfondiscono, e le sorprese arrivano di dialogo in dialogo. Ma le domande continuano a rimanere nella testa del lettore anche dopo l'ultima ....(8).

adattato da www.ilmiolibro.kataweb.it

5. Scegli l'opzione corretta.

1. La persona più importante di un romanzo è:
   a. l'interprete
   b. il personaggio
   c. il protagonista

2. La recensione è:
   a. la storia di un libro
   b. un articolo su un libro
   c. un riassunto del libro

3. Riproduce in modo verosimile le caratteristiche di qualcun altro:
   a. attore
   b. imitatore
   c. conduttore

4. La storia del romanzo si chiama:
   a. traccia
   b. trama
   c. pagina

5. Realizza disegni per un libro:
   a. compositore
   b. immaginatore
   c. disegnatore

6. Albo con disegni e nuvolette con il testo:
   a. comico
   b. fumetto
   c. disegnetto

◎ Grammatica

6. Cosa esprime il condizionale passato?

	Un'azione che		
	non si è realizzata nel passato.	non si realizzerà nel futuro.	non è sicura.
1. Il nuovo romanzo di Fabio Volo avrebbe superato ogni record di vendite.			
2. Molti studenti avrebbero seguito un corso di scrittura creativa, ma i costi erano troppo elevati.			
3. Sarei venuta al cinema ma questa sera sono già impegnata.			
4. Il film sarebbe basato sulla biografia del poeta Dino Campana.			
5. Hanno già venduto tutti i biglietti? Che rabbia, sarei andata sabato a comprarli!			

7. Scegli l'opzione corretta.

Davide Nonino ha scritto *Chi ha visto Cenerontola? Manuale pratico per giovani scrittori*. (1) Vorrebbe/Avrebbe voluto che tutti lo leggessero per imparare a scrivere in maniera creativa. Ecco cosa ha detto recentemente l'autore: «Vorrei che tutti (2) considerassero/avessero considerato la letteratura come una forma creativa di espressione umana. (3) Mi piacerebbe/Mi sarebbe piaciuto che i corsi di scrittura creativa fossero arrivati prima in Italia. Sarebbe bello se tutte le persone (4) sapessero/avessero saputo liberare la fantasia e far nascere una storia su cui scrivere un libro. (5) Vorrei/Avrei voluto che gli scrittori esercitassero sempre la loro fantasia; per questo motivo, nel mio libro, propongo molti spunti di riflessione ed esercizi e vorrei che questi (6) dessero/avessero dato una mano nei momenti in cui mancano idee e che (7) spingessero/avessero spinto a tenere 'allenata la penna'».

Sabato 17 aprile
ore 15.00 @ Castel d'Emilio
ad Agugliano

chi ha visto
CenerOntola?

Laboratorio libera-mente di scrittura creativa

Cos'è?
Un laboratorio di scrittura per bambini, pieno zeppo di giochi di parole, idee di scrittura, esercizi pratici, lavori di gruppo & fantasia a manovella! A cura di Davide Nonino, inventore di CenerOntola, la principessa più XXXL che ci sia!

Per chi?
Per piccoli scrittori e lettori dagli 8 ai 12 anni.

Dove e quando?
Presso l'Ex convento di Castel d'Emilio dalle 15.00 alle 18.00 di sabato 17 aprile.

Info
Il laboratorio è a contributo libero per l'organizzazione e la merenda prevista per tutti Si consigliano vestiti sportivi... ci si sporcherà di parole ;)

Per prenotarsi
Luca – info@scritturacreativa.com
Davide – davide.nonino@gmail.com
www.lanostraoccasione.it

8. Ora ascolta l'intervista a Davide Nonino, autore di *Chi ha visto Cenerontola? Manuale pratico per giovani scrittori*, e indica i tre aspetti che trovi più interessanti sulla scrittura creativa.

10

....

....

....

◎ Testualità

9. Scegli l'opzione adeguata.

- Buongiorno. Vorrei acquistare un libro per ragazzi. Ha qualche cosa da suggerirmi?
- Sì, certo. Anche se, (1) in effetti/in altre parole, avrei bisogno di qualche informazione in più...
- (2) Per caso/Per esempio?
- Se è per un ragazzo o una ragazza, se ama l'avventura o la storia, (3) però/insomma: i suoi gusti.
- (4) Dunque/Infatti... è per una ragazza di 15 anni. Ama le storie d'amore o comunque a lieto fine.
- Bene, (5) allora/insomma possiamo provare con... Vediamo... Susanna Tamaro!
- L'autrice di *Va' dove ti porta il cuore*?
- Esattamente. Ha scritto anche un romanzo sull'amicizia e sui sentimenti, (6) in altreparole/in altro modo un libro romantico. È una bella storia e piacerà alla ragazza, si fidi!
- Va bene, lo prendo. In caso, lo può cambiare?
- Certamente, non si preoccupi per questo! Le faccio una confezione regalo?

Edizioni Edilingua

Per concludere

10. Forma le frasi.

1. gli audiolibri / apprezzasse / di più / sarebbe bello / che / la gente

....

2. per giornalisti / giornalisti / in erba / alcuni / un manuale / hanno curato

....

3. la mia / leggere / durante / importante / di più / sarebbe / infanzia / stato

....

4. di non recitare / dicono / deciso / per protesta / che gli attori / avrebbero

....

5. io studiassi / mia madre / che / voluto / recitazione / avrebbe

....

11. Trova l'errore e correggi le frasi. Attenzione: c'è una frase corretta!

1. Leggere storie ai bambini piccoli è importante, magari lo faranno tutti i genitori!

....

2. Moccia è uno scrivente che tratta argomenti attuali e per questo è molto amato dai giovani.

....

3. Luciana Littizzetto avrebbe scritto un nuovo libro. Almeno, così ho sentito alla radio.

....

4. Vorrei che si capirebbe che comprando gli e-book si consuma meno carta e si salvano tanti alberi!

....

5. Gli audiolibri fossero sempre più venduti in Italia.

....

12. Scrivi un testo (220/240 parole) in cui esponi il tuo punto di vista, il tuo pensiero sui romanzi, la poesia e il teatro: quale di questi generi letterari ti interessa di più e perché? Ci sono autori che hanno avuto grande importanza nella tua vita?

Preposizioni

13. Completa la poesia con le preposizioni semplici o articolate della lista.

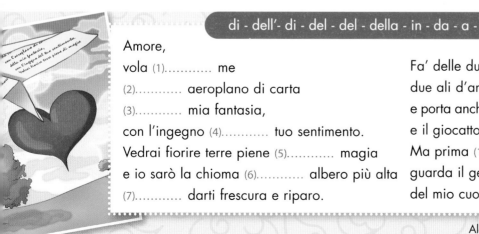

di - dell'- di - del - del - della - in - da - a - per - con l'

Amore,
vola (1)............ me
(2)............ aeroplano di carta
(3)............ mia fantasia,
con l'ingegno (4)............ tuo sentimento.
Vedrai fiorire terre piene (5)............ magia
e io sarò la chioma (6)............ albero più alta
(7)............ darti frescura e riparo.

Fa' delle due braccia
due ali d'angelo
e porta anche (8)............ me un po' di pace
e il giocattolo (9)............ sogno.
Ma prima (10)............ dirmi qualcosa
guarda il genio (11)............ fiore
del mio cuore.

Alda Merini, *Alla tua salute, amore mio*

14. Completa lo schema con le parole della lista. Puoi aggiungere anche altre parole che conosci.

> recensire - giallo - pesante - essere un libro aperto - coinvolgente
> di evasione - leggero - sfogliare - leggiucchiare - essere un libro chiuso - libraio
> copertina - audiolibro - divorare - parlare come un libro stampato - libreria - capitolo

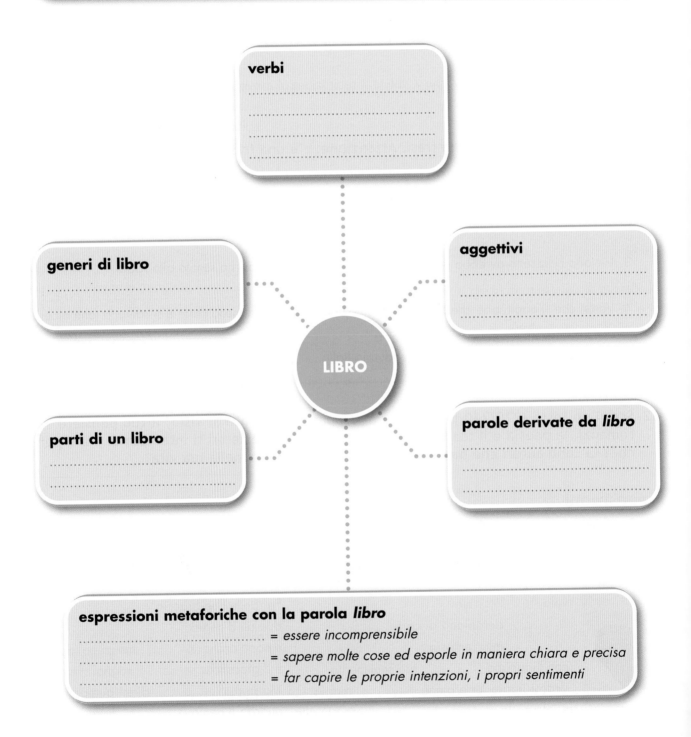

verbi
....
....
....
....

generi di libro
....
....

aggettivi
....
....

LIBRO

parti di un libro
....
....

parole derivate da *libro*
....
....
....

espressioni metaforiche con la parola *libro*
.... = *essere incomprensibile*
.... = *sapere molte cose ed esporle in maniera chiara e precisa*
.... = *far capire le proprie intenzioni, i propri sentimenti*

Edizioni Edilingua

All'estero qualche volta ci prendono in giro...

Esercizi

Funzioni

1. Completa liberamente il dialogo.

Gabriele: Ciao Marco! Ho saputo che sei stato in Francia.

Marco: Sì, sono stato a Parigi una settimana.

Gabriele: ....(1)

Marco: Perché? Io ho conosciuto soltanto francesi simpatici e disponibili.

Gabriele: Beh, visto che ....(2).

Marco: Mah... secondo me, è solo uno stereotipo. Non si può generalizzare: ci saranno francesi simpatici e francesi antipatici. Ma questo vale per tutti i popoli, no?

Gabriele: Certo, ...(3).

Mi sembra solo che ....(4).

Marco: Guarda, secondo me bisogna stare attenti quando si danno giudizi sui popoli. È possibile che alcuni siano molto sensibili sotto questo aspetto.

Gabriele: ....(5)

Marco: Esattamente. Per esempio, io sono siciliano e mi dà molto fastidio quando le persone dicono che i siciliani sono mafiosi senza averne conosciuto nemmeno uno!

Gabriele: ....(6).

Del resto, ...(7).

Marco: Ecco. Quindi se a noi non piace che gli altri abbiano idee sbagliate e diano giudizi su di noi, dobbiamo pensare che la stessa cosa vale per gli altri popoli.

Gabriele: ....(8)

2. Scegli l'opzione corretta. In quale frase...?

1. si indica un'azione probabilmente già realizzata
   a. All'estero l'opinione sugli italiani sarà certamente cambiata.
   b. All'estero l'opinione sugli italiani cambierà sicuramente.

2. si indica un contrasto
   a. Gli italiani sono ottimi lavoratori anche se alcuni pensano che siano dei fannulloni.
   b. Si dice che gli italiani siano fannulloni, ma al contrario sono degli ottimi lavoratori.

3. si introduce una causa
   a. Dato che esistono stereotipi su di loro, gli italiani devono farsi conoscere meglio.
   b. Per abbattere gli stereotipi su di loro, gli italiani devono farsi conoscere.

4. si indicano due azioni consecutive nel futuro
   a. Se Anna la conosci bene, cambi parere su di lei.
   b. Dopo che avrai conosciuto bene Anna, cambierai parere su di lei.

3. Che "tipo di italiano" dice queste frasi? Trova la parola adatta.

1. Come fa una bella ragazza come te a non avere il fidanzato? ....
2. Quest'anno non pago le tasse. Tanto fanno tutti così. ....
3. Resta pure quanto vuoi. Ti prego, fa' come se fossi a casa tua. ....
4. Cosa? Lei non sa chi sono io! ....
5. Sono pieno. Ma questo dolce è buonissimo... Ne prendo ancora un po'. ....
6. Sto bene anche con chi viene da paesi culturalmente molto lontani dal mio. ....
7. Hai bisogno d'aiuto? Conta pure su di me! ....
8. Perché vivo ancora con i miei? Beh, gli affitti sono cari e poi dai miei ho ....
   tutte le comodità!

4. Sinonimi o contrari? Scegli l'opzione corretta.

		sinonimi	contrari
1. goliardico	scherzoso	▢	▢
2. sciocco	furbo	▢	▢
3. tirchio	avaro	▢	▢
4. gradasso	spaccone	▢	▢
5. bugiardo	insincero	▢	▢
6. modesto	semplice	▢	▢
7. accogliente	inospitale	▢	▢
8. serio	affidabile	▢	▢
9. altruista	egoista	▢	▢
10. truffatore	imbroglione	▢	▢

5. Completa il testo con gli aggettivi della lista. Attenzione alla concordanza.

goliardico - sciocco - solare - bugiardo - tirchio - modesto

Abito in Italia da un paio di anni e ho amici italiani di tutti i tipi. Quasi tutti sono sinceri. Silvio però, ieri mi ha di nuovo mentito, il solito (1)...............
.... Alcuni sono spendaccioni e appena hanno in mano lo stipendio lo spendono subito. Il mio fidanzato però non mi ha mai pagato neanche una pizza. A dire il vero è un po' (2)...............................

In genere sono ottimisti. Marta, per esempio, ha un carattere (3)................
...............: è sempre contenta e vede le cose in positivo. In genere si dice che gli italiani siano un po' arroganti. Io invece conosco principalmente persone (4)........................... che non si vantano per niente. È vero, possono scherzare anche in occasioni formali, insomma sono un po' (5).............................. e questo atteggiamento può essere preso da qualcuno per arroganza. Insomma, non riuscirei a definire un solo "italiano tipo". Se devo indicare la caratteristica che ho notato più spesso in loro, direi la furbizia: non conosco nessuno poco sveglio o (6)...............................

6. Forma la parola con il suffisso adatto.

1. Chi commette un crimine. ....
2. Chi fa una rapina. ....
3. Chi fa un'aggressione. ....
4. Chi fa parte della mafia. ....
5. Chi fa uno scippo. (scippare) ....
6. Chi sequestra qualcuno. (sequestrare) ....

7. Scegli l'opzione corretta.

1. La persona che arresta un ladro è un carabiniere/magistrato.
2. Prendere i soldi a qualcuno con minacce o violenza è un'estorsione/un ricatto.
3. Il furto di un portafogli o di una borsa è una rapina/uno scippo.
4. La persona che ruba i soldi in banca è un rapitore/rapinatore.
5. Commettere un omicidio significa derubare/ammazzare qualcuno.
6. Posso andare alla polizia per denunciare/minacciare un furto.

8. Completa il testo con le parole della lista.

magistrati - criminale - sequestri - uccisione - traffico - estorsione - giro d'affari - stupefacenti

IL POTERE DELLA 'NDRANGHETA

Mentre la Camorra si sgretola in una guerra senza fine e Cosa Nostra cerca di riorganizzarsi, la 'Ndrangheta non perde il suo potere, oltretutto economico. Quest'organizzazione ....(1) è stata per molti anni un'organizzazione mafiosa brutale, radicata nelle montagne calabresi e specializzata in ....(2). Oggi si è globalizzata, mettendo da parte i rapimenti e l'....................(3) di persone note (....................(4), scrittori ecc.), scegliendo di controllare, invece, i traffici mondiali di ....(5), investire nella sanità, nel ....(6) dei rifiuti e nella grande distribuzione commerciale. Ormai ha acquisito un importante ruolo imprenditoriale e anche una grande soggettività politica. Infatti, in questo modo è diventata una borghesia mafiosa inserita nell'economia mondiale trasformandosi così nella società con il più grosso ....(7) del mondo, dove il suo settore più remunerativo è quello del traffico di droga e armi, senza dimenticare il mercato dell'....................(8), dell'usura e della prostituzione.

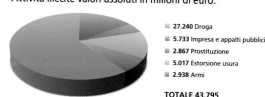

Il giro d'affari della "Ndrangheta Holding"
Attività illecite valori assoluti in milioni di euro.

- 27.240 Droga
- 5.733 Impresa e appalti pubblici
- 2.867 Prostituzione
- 5.017 Estorsione usura
- 2.938 Armi

TOTALE 43.795

adattato da *www.eoiquartit.blogspot.it*

◎ Grammatica

9. Trasforma le frasi usando il futuro anteriore.

1. Tornerete dal viaggio e potrete raccontarci le vostre impressioni sulla Cina.

....

2. La burocrazia italiana diventerà più snella e le cose saranno più semplici.

....

3. Gli stranieri ci conosceranno meglio e ci apprezzeranno un po' di più.

....

4. Andrò in Sicilia e sicuramente conoscerò dei siciliani.

....

5. Quando elimineremo i falsi stereotipi, potremo confrontarci serenamente con gli altri.

....

6. Visiterò la Calabria e potrò verificare se la mia opinione sui calabresi è realistica.

....

10. Scegli l'opzione corretta.

Gli inglesi? Più estroversi degli italiani
Uno studio abbatte gli stereotipi delle varie nazionalità

NEW YORK – (1) Pensavate/Avete pensato che gli inglesi fossero riservati, i tedeschi industriosi e gli italiani passionali? (2) Avrete dovuto/Dovrete ricredervi perché sono stereotipi, falsi e privi di fondamento scientifico. A dimostrarlo è un ampio studio, pubblicato sulla rivista *Science* e realizzato con la collaborazione di 85 ricercatori in 49 paesi. Gli scienziati (3) avevano rivolto/hanno rivolto a quattromila persone di età, sesso e status sociale diverso la stessa domanda: "Com'è il cittadino tipico del tuo paese?". Quando (4) paragonavano/hanno paragonato le risposte ai dati, ben più rigorosi, di alcuni studi indipendenti che (5) avevano svolto/svolgevano precedentemente negli stessi paesi, non (6) hanno riscontrato/riscontravano la minima correlazione tra la scienza e le risposte che gli intervistati hanno fornito.

ITALIANI INTROVERSI – (7) Si erano rivelati/Si sono rivelati falsi gli stereotipi nazionali trasmessi di padre in figlio e da una generazione all'altra nel Bel Paese. In Italia, giovani e vecchi condividono lo stereotipo secondo il quale l'italiano è estroverso, aperto, ma poco coscienzioso. Come in tanti altri paesi, il cliché (8) è risultato/risultava fasullo. Spiega Robert McCrae, leader dello studio: "L'italiano medio è alquanto introverso, emotivo, e meno aperto di quanto pensa di essere".

SOTTOVALUTATI GLI INGLESI – Ma lo stereotipo peggiore affligge gli inglesi. "Si considerano e sono considerati molto riservati, mentre in realtà sono tra i più estroversi al mondo", incalza McCrae. Non solo: "La differenza tra francesi e inglesi è relativamente modesta". E se gli indiani si giudicano "anticonvenzionali" e "aperti a nuove esperienze", lo studio (9) ha dimostrato/dimostrò che sono tra i popoli più conformisti.

DISCRIMINAZIONI – "Il nostro studio dimostra che non c'è nessuna corrispondenza tra stereotipi e tratti di personalità reali – dice McCrae –, teniamo presente questo dato così (10) contribuiremo/contribuiamo a evitare che gli stereotipi si trasformino in pregiudizi. (11) Dovevamo/Dovremo quindi ricordarci di guardare alla gente come individui singoli – puntualizza –, e non come americani, arabi, italiani o israeliani".

adattato da **www.corriere.it**

11. Forma le frasi con gli indefiniti.

1. Non si può giudicare un popolo in base a   nessun   a. conoscenza di quello di cui si parla.
2. Non mi piacciono i giudizi superficiali di   qualunque   b. delinquenti, ma non tutti gli italiani lo sono.
3. In Sicilia non ho conosciuto   alcuna   c. cosa gli venga in mente.
4. Non è giusto esprimere giudizi senza   certa   d. siciliano con atteggiamenti mafiosi.
5. Ovviamente in Italia esistono   qualche   e. stampa estera sugli italiani.
6. Marco crede di poter dire   alcuni   f. falso stereotipo.

12. Trasforma le frasi e usa una subordinata condizionale o eccettuativa come nell'esempio.

Sugli italiani ci sarebbero meno stereotipi, ma dovremmo cambiare alcuni atteggiamenti.
Sugli italiani ci sarebbero meno stereotipi, purché cambiassimo alcuni atteggiamenti.

1. Non possiamo essere italiani orgogliosi fino a quando lo Stato non riuscirà a sconfiggere la mafia.

....

2. Non litigherò con lui, l'importante però è che non mi manchi di rispetto.

....

3. Non ho intenzione di parlargli, se non mi chiede scusa.

....

4. Non c'è motivo per non accogliere gli stranieri. Ovviamente devono essere onesti.

....

Edizioni Edilingua

5. Se non diventi un po' più tollerante, rischi di sembrare razzista.

....

6. Culture diverse possono rispettarsi, ma deve esserci la volontà da tutte e due le parti.

....

Testualità

13. Completa con le parole della lista e poi metti in ordine i paragrafi del testo.

Al contrario - visto che - Eppure - Personalmente penso che Dunque - Insomma

A. ....(1), io sono orgogliosa di essere italiana e faccio di tutto per lasciare una buona idea in quanto italiana all'estero, ma ci tengo a sottolineare che se fossi in Italia agirei comunque allo stesso modo: è semplicemente una questione di dignità personale.

B. Certo, non voglio dire che fuori dall'Italia ci comportiamo sempre in maniera impeccabile e del resto ci sono anche molti italiani maleducati in patria, non occorre andare in Europa per trovarli! ....(2) è troppo facile generalizzare.

C. Per esempio, in Germania, dove vivo e lavoro da un anno (con una laurea in tasca) gli italiani sono rispettati più di quanto immaginassi al mio arrivo qui. Dunque (3) posso dire che gli italiani che lavorano seriamente sono apprezzati e stimati.

D. ....(4) la gente simpatica o antipatica, educata o maleducata, colta o ignorante, gentile o cafona, si trovi in tutto il mondo. Ho vissuto nelle più grandi capitali europee e ho girato l'Europa in lungo e in largo, per lavoro e per piacere, e dovunque ho incontrato persone interessanti, italiane e non. Con molte sono tuttora in contatto – persino dopo anni.

E. E ....(5) i seri lavoratori italiani qui sono tanti, più in generale noto che l'immagine "Spaghetti-Mafia-Mandolino" associata agli italiani non è poi così frequente. ....(6), a questa immagine stereotipata si contrappone l'interesse dei tedeschi che sognano la Toscana, le librerie piene di riviste e di libri sull'Italia, sulle sue tradizioni e sulla sua cucina. E questo cambiamento di mentalità dipende senz'altro anche dalla serietà di tanti di noi che vivono all'estero.

adattato da *www.letterealdirettore.it*

1	2	3	4	5
		C		

Per concludere

14. Forma le frasi.

1. alcuna / possa essere / il Giappone / non / di come / ho / idea

....

2. certi / accoglienti / nel complesso / popoli / sono / di altri / meno

....

3. i calabresi / chiunque / abbia conosciuto / l'ospitalità / ne apprezza

....

4. la Cina / è diversa / dopo che / ti accorgerai / di quanto / avrai / visitato

....

5. la falsità / sugli italiani / qualunque / degli stereotipi / turista / potrà verificare

....

15. Trova l'errore e correggi le frasi.

1. Esistono stereotipi per qualunque paesi. ....
2. Dopo che andrò in Francia, potrò avere un'opinione sui francesi. ....
3. Gianni esagera un po' con il cibo. È uno spaccone. ....
4. Ho notato una alcuna arroganza nel fratello di Maria. ....
5. Non sono d'accordo, pertanto rispetto la tua opinione. ....

16. Qual è la tua opinione sugli stereotipi? Possono essere pericolosi? In quali casi? Quali sono quelli che ti divertono e quelli che ti disturbano? Scrivi un testo argomentativo (220/240 parole). Prova a utilizzare quello che hai imparato nell'unità 9.

◎ Preposizioni

17. Completa le frasi con le preposizioni e le locuzioni preposizionali della lista.

> in base a - sulla base delle - a partire dagli - in seguito a - nei confronti di

1. Non si deve giudicare un popolo .... stereotipi.
2. .... una retata della polizia, diversi boss mafiosi sono finiti .... carcere.
3. L'eccessivo campanilismo porta anche .... sentirsi migliori rispetto .... altri.
4. L'attaccamento .... italiani .... propria mamma dipende sia .... aspetti culturali che economici.
5. Secondo una ricerca, molti stereotipi .... certi popoli sono totalmente lontani .... realtà.
6. Spesso si giudica .... cose che si sentono, non .... quello che si conosce.

◎ Parola chiave

18. Completa lo schema con le parole della lista. Puoi aggiungere altre parole che conosci.

> duramente - stimare - apprezzare - sulla base di - sentenziare - male
> condannare - valorizzare - criticare - da - bene - superficialmente - in base a

sinonimi con significato negativo
....
....
....

contrari (dei sinonimi con significato negativo)
....
....
....

GIUDICARE

avverbi usati con giudicare
....
....
....

preposizioni e locuzioni usate con giudicare
....
....
....

Edizioni Edilingua

Risp x fav!

◎ Funzioni

1. La trasmissione radiofonica che hai ascoltato e letto a pagina 181 continua qui: adesso la giornalista parla con una psicologa. Completa liberamente il dialogo.

Giornalista:	Dottoressa Martini, Lei usa cellulare e computer?
Psicologa:	Sì, certo! Non credo sarebbe possibile, oggi come oggi, lavorare senza questi strumenti...
Giornalista:	....(1)
Psicologa:	Per esempio confermo appuntamenti, o cambio orari e date degli appuntamenti con i miei pazienti tramite un sms. È comodo ed economico.
Giornalista:	....(2)
Psicologa:	Qualche volta uso anche le video chiamate con Skype o altri software simili.
Giornalista:	....(3)
Psicologa:	No, non è strano. Anzi: queste tecnologie sono una grande risorsa per lo psicoterapeuta. Permettono di fare sedute domiciliari, per esempio, anche quando non è possibile incontrarsi di persona.
Giornalista:	....(4)
Psicologa:	I vantaggi sono molti. Per esempio, per alcuni pazienti, vedere il terapeuta attraverso un'interfaccia è più accettabile che incontrarlo di persona e questo permette di iniziare una terapia che senza l'aiuto della tecnologia sarebbe stata rimandata.
Giornalista:	....(5)
Psicologa:	I rischi dipendono in larga misura dall'abuso, non dall'uso, come in altri casi. Abusare delle tecnologie per comunicare può portare ad un impoverimento delle capacità di gestire relazioni faccia a faccia. La tecnologia allora funziona come una maschera attraverso la quale si possono assumere identità virtuali, diverse dalla propria.
Giornalista:	....(6)
Psicologa:	L'unica soluzione è capire e far capire che la tecnologia è nata per aiutare l'uomo. Non deve essere demonizzata, ma non deve neanche sostituire la vita reale!

2. Guarda le immagini e rispondi agli sms.

Non ti sopporto. Non chiamarmi più!

Quanto hai pagato i jeans?

1. ....

....

2. ....

....

Il bimbo non è mio. Arrangiati e lasciami stare!

A che ora è il party?

3. ....

4. ....

....

....

3. Leggi il testo di questa chat e riscrivi le abbreviazioni in rosso.

⏶			▱
Amici		Chat	modifica

Gianna: Ciao amore — 14.40.44

Marco: Ciao — 14.41.00

Gianna: cm stai? (1.............) — 14.41.08

Marco: bene — 14.41.18
te*?? — 14.41.23

Gianna: bene ke fai?? (2.............) — 14.41.30

Marco: Tra pc mi mtt a studiare ing — 14.41.48
Te*? — 14.41.51

Gianna: io grammatica — 14.41.08
Uffii, ho voglia di stare cn te (3.............) 14.42.27

Marco: Ank'io (4..........................) — 14.42.44

Gianna: Allr x doma cm rimaniamo??
(5.....................................) — 14.43.11

Marco: Vengo da te? — 14.43.32

Gianna: ok — 14.40.44

Marco: Ti faccio uno squillo appena arrivo?! — 14.43.55

Gianna: Benissimo amore nn vedo l'ora! — 14.44.10

Marco: Ieri sono stato benissimo!! — 14.44.24

Gianna: Davvero! Ank'io, vorrei starci smpre cn te!
(6........................, ...) — 14.44.46

Marco: Xké ioo?!!? (7.............) — 14.45.00

Gianna: Sì amore lo so! Anke te! ihih — 14.45.15
Doma avrei anke l'allenamento, ma ho deciso ke nn andrò... — 15.45.40
SI xké voglio stare cn te!!
(8............., ...) — 15.46.05

Marco: Io lo sapevo ke eri speciale! — 15.46.13

Gianna: Grz! (9. ....) — 15.46.18

Marco: Via amore, vado, ci vediamo doma.
Ciaoooooo... TATTTT (10......................
...................................) 15.46.34

Gianna: Ok amore, Ciaoo a doma! MMT+!
(11....................................) — 15.46.54

Edizioni Edilingua

*L'uso del pronome *te* in funzione di soggetto è tipico della lingua parlata colloquiale e informale. Si usa per dare maggiore forza espressiva al soggetto *tu*, grammaticalmente corretto. Negli ultimi decenni questo uso, prima limitato all'Italia centro-settentrionale, si è diffuso in tutta la penisola.

4. Completa il testo con le parole della lista.

tablet - schermo - scaricare - dispositivo - tastiera

Ti presentiamo il nuovo iPad

Il miglior modo di godersi web, e-mail, foto e video. Tocca con mano.

La nostra tecnologia più evoluta in un ....(1) *magico e rivoluzionario, a un prezzo incredibile.*

Tutte le applicazioni integrate nell'iPad sono state progettate appositamente per sfruttare l'ampio ....(2): potrai navigare su Internet con maggiore velocità, leggere e spedire e-mail, ...(3) e ascoltare la tua musica preferita da iTunes, e molto altro ancora. Fra gli accessori, anche una base da tavolo con o senza ....(4). Tutto questo fa del nuovo iPad molto più di un ....(5): un'esperienza davvero incredibile!

adattato da *www.apple.com/it*

5. Completa i dialoghi con la forma giusta delle espressioni e dei verbi della lista.

essere all'altezza di - rendere bene l'idea - farne di - farcela - avere orecchio - sfondare

Chiara: Ehi! Hai visto l'aggiornamento di *Yahoo! Messenger*??

Marisa: Sì, l'ho visto poco fa, ma non mi piace, non (1)........................ altri programmi di chat che ha il Mac...

Chiara: Sì. In effetti hai ragione, è troppo complesso. Cosa ce (2)........................ tutti quei nomi colorati e di quelle scritte stranissime?!

Marisa :   Esatto, (3)........................!

Chiara :   Vado a cena, ci emailiamo dopo...

Marisa :   Cosa? "Emailiamo"?!? È proprio brutto! Ma non (4) .... proprio ....?!

Chiara :   Hai ragione! Non lo userò più! Le e-mail nel mondo (5)........................, ma il verbo non (6)........................ mai: suona proprio male!

6. Elimina l'intruso in ogni gruppo e scrivi sotto ogni colonna la "famiglia".

A	B	C	D
schermo	allegare	sms	lettera
telegrafo	scaricare	chat	telefono fisso
mouse	in copia	email	cellulare
stampante	link	chiavetta	skype
tastiera	telefonino	fax	citofono
....	....	....	....

7. Indica cosa esprime il condizionale passato nelle seguenti frasi.

	Desiderio irrealizzabile	Futuro nel passato	Frase ipotetica (III tipo)
1. L'anno scorso John mi disse che sarebbe venuto in maggio.			
2. Se non fosse stato tardi, ti avrei telefonato.			
3. Sarei entrato nella chat, ma non avevo Internet.			
4. Sapevo che saresti arrivato oggi.			
5. Avrei collegato la stampante, se avessi avuto il cavo.			
6. Mi sarebbe piaciuto conoscerti meglio, ma domani mi trasferisco in Austria.			

8. Indica cosa esprime l'imperfetto nelle seguenti frasi.

	Azione passata dinamica e/o abituale	Richiesta cortese	Frase ipotetica (III tipo)
1. Se avevo tempo, ti scrivevo prima.			
2. Volevo una chiavetta per il computer, per favore.			
3. Volevo parlare con un tecnico informatico: è possibile?			
4. Chattavo ancora, se non cadeva la connessione.			
5. Quando Paolo era all'estero parlava con la sua famiglia su Skype.			
6. Dieci anni fa il fax si usava molto più di oggi.			

9. Unisci le frasi delle due colonne per formare dei periodi ipotetici.

1. Se ci fosse la connessione wi-fi,
2. Se Tommaso ha spento il telefono,
3. Se non mi avessi mandato quell'sms,
4. Se avesse il suo portatile,
5. Se avevate il cellulare,
6. Se cambio computer,

a. potrebbe lavorare.
b. non mi sarei arrabbiata tanto.
c. userei Internet per studiare.
d. ne compro uno della *Apple*.
e. non lo potrò chiamare.
f. potevate avvertirci del ritardo.

10. Completa liberamente le frasi.

1. Se domani Sara non avrà il suo computer, ...
2. Se non avessi comprato il cellulare in Italia, adesso ....
3. Paolo chatterebbe meno, se ....
4. I ragazzi sarebbero partiti presto ieri mattina, se ....
5. Se stai così tanto al computer, ...
6. Se avevate tempo, ...
7. Avremmo acceso il computer, se ....
8. Come comunicherai con i tuoi amici, se ....?

Edizioni Edilingua

11. Scegli l'opzione corretta.

Italiani pazzi per il cellulare: c'è chi ne ha anche quattro

Gli italiani e il cellulare, una passione infinita. Si può fare quasi di tutto per averlo, purché (1) è/sia l'ultimo modello, rigorosamente trendy e con accesso al Web.

Anzi, gli italiani e i cellulari, visto che uno non basta più. C'è chi ne ha due, e chi addirittura quattro: uno per il lavoro, uno per la famiglia, uno per gli amici, uno, magari, per l'amante. Il popolo italiano è pazzo per la comunicazione senza fili, tanto che anche l'80 per cento dei bambini riceve il primo telefonino prima di (2) arrivare/arrivino alla fine delle scuola primaria. Infatti, secondo una recente indagine, l'87 per cento degli italiani possiede almeno un cellulare e, fra questi, il 9 per cento arriva a possederne quattro. E questo perché in molti (3) scelgano/scelgono di munirsi di più apparecchi a seconda delle diverse relazioni sociali. Una penetrazione che ha cambiato lo stile comunicativo di molti individui e di intere famiglie, e che consente di avere sempre "sotto controllo" gli appartenenti al gruppo anche se non (4) siano/sono nelle immediate vicinanze. Uno sviluppo, quello italiano, che la ricerca definisce "country specific": acquistiamo prodotti innovativi soprattutto per (5) usarli/si usino fra quattro mura, in una "dimensione home", in modo che le relazioni familiari ne (6) possano/possono beneficiare al massimo.

Una tale diffusione, un tale amore, prima che il cellulare (7) aveva/avesse prezzi accessibili, erano riservati solo alla televisione.

◎ Testualità

12. Scegli l'opzione adeguata e ordina i paragrafi.

second life: **tutto un mondo virtuale sul web**

A. (1) Restiamo ad altri/Passando ad altri aspetti, l'accesso a *Second Life* è riservato ai soli maggiorenni, si deve creare un account sul sito ufficiale e scaricare gratis il software, un'interfaccia abbastanza complessa nell'insieme: è necessario avere una buona familiarità con le applicazioni informatiche e con la lingua inglese, e fare un bel po' di pratica iniziale.

B. (2) Tuttavia/Voglio dire che bisogna armarsi di pazienza e voglia di imparare. Questo però non deve scoraggiare dall'accostarsi a una realtà che, già oggi, apre una finestra sul futuro della comunicazione e dell'interazione attraverso il web. (3) A differenza di/Torniamo a SL: è una realtà in continua espansione e le centinaia di migliaia di utenti possono modificare e creare oggetti, elementi dell'ambiente naturale e architettonico, caratteristiche degli avatar, animazioni, contenuti testuali, audiovisivi ecc. Restano, in parte, i diritti d'autore sulle proprie creazioni, che possono essere donate, scambiate o anche vendute tramite una moneta virtuale, il *Linden Dollar* (L$), convertibile tramite Paypal in veri Dollari statunitensi. (4) Comunque/Insomma, anche se la moneta locale è povera e vari prodotti e attività virtuali hanno un valore reale irrisorio, la *Linden Lab* ha un discreto ritorno economico da *Second Life*, soprattutto dalla vendita e tassazione di terreni e spazi virtuali ad aziende, istituzioni e compagnie pubblicitarie che hanno interesse ad apparire e sponsorizzarsi, nonché ai tantissimi privati. È per questo che la semplice iscrizione a SL è gratuita, e anzi, si riceve anche un piccolo bonus in L$.

C. *Second Life* (SL) è un mondo virtuale online creato nel 2003 dalla *Linden Lab*, società americana fondata nel 1999 da Philip Rosedale al fine di produrre ambienti digitali in 3D. (5) Poi/In altre parole, rappresenta una fusione tra Internet e realtà virtuale che in parte simula e in parte amplifica e trasforma aspetti del mondo reale, un vero e proprio universo parallelo che vive nella rete, e in cui è possibile proiettarsi attraverso una rappresentazione grafica di se stessi, l'avatar.

D. (6) In seguito/Ora, il fattore economico in SL non va sopravvalutato, e il possesso di *Linden Dollars* non è affatto essenziale per poter godere di molte delle possibilità offerte da SL e si può guadagnare qualcosa semplicemente partecipando alle attività più disparate. (7) Figuratevi/Sapete che alcuni "Residenti" sono pronti persino a regalare L$ a chi ne ha bisogno!

adattato da *www.psycommunity.it*

1	2	3	4

══◎ Per concludere

13. Forma le frasi.

1. chiamarti / il telefonino / posso / ho / scarico / non / perché

   ....

2. il videoproiettore / collegare / presentazione / al mio / portatile / devo / per la

   ....

3. allega / in copia / per favore / anche Gianna / e / metti / il documento

   ....

4. il link / interessante / trovato / avete / se / un sito / mandatemi

   ....

5. bar / andiamo / la connessione / wi-fi / in quel / c'è / gratis!

   ....

14. Trova l'errore e correggi le frasi.

1. La mia vita sarebbe più facile, se avrei un computer portatile. ....
2. Anche se chattare non costi niente, preferisco parlare al telefono. ....
3. Se per te non sia tardi, ti telefono alle 5. ....
4. Compreresti un nuovo computer, se avessi avuto i soldi? ....
5. Ci sentiamo su Skype, senza che dovete pagare niente. ....

15. *Uso e abuso della tecnologia nelle comunicazioni.* Scrivi un testo (220/240 parole) in cui esponi i benefici e i rischi dell'uso della tecnologia nelle comunicazioni. Fai qualche esempio concreto e presenta una possibile soluzione.

Edizioni Edilingua

16. Completa le frasi con le preposizioni.

1. Possiamo incontrarci .... Skype domani mattina .... 8, se per te va bene, così parliamo .... voce .... questo problema.

2. Ti ho mandato le foto .... un'e-mail. Se vuoi, ne parliamo .... persona.

3. Mentre parlava .... cellulare, Giovanni ha ricevuto un sms .... sua ragazza.

4. Stavate lavorando .... computer, quando è arrivata Lucia, ... ritorno .... Stati Uniti.

5. Abbiamo trovato molte informazioni .... questo argomento .... Internet: abbiamo fatto una ricerca .... Google.

6. Ho scaricato queste immagini .... sito .... *Apple* perché voglio comprare un iPhone.

◎ Parola chiave

17. Completa lo schema con le parole della lista. Puoi aggiungere anche altre parole che conosci.

telefonare - chiamare per nome/cognome - convocare - soprannominare
il dovere mi chiama - chiamare le cose con il loro nome - definire - chiamare in causa

sinonimi

....
....
....
....

espressioni relative al nome
(anche in senso figurato)

....
....

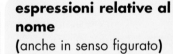

CHIAMARE

espressione con significato di *coinvolgere*

....

espressione con significato di *devo andare / devo fare qualcosa*

....

Fai la raccolta differenziata?

Esercizi

Funzioni

1. Completa il dialogo con le battute date.

A. Vuoi negare che c'è stato un aumento della temperatura negli ultimi anni?

B. Non dico questo. Però dobbiamo abituarci a cambiare consumi e stili di vita. Per esempio, per gli spostamenti si può consumare e inquinare molto meno.

C. Che, se non fermiamo il riscaldamento globale, è a rischio addirittura l'esistenza sulla Terra.

D. Allora? Sarebbe tanto assurdo? Molti lo potrebbero fare. Con più autobus non inquinanti, poi, l'uso delle automobili diminuirebbe molto, con tutti i vantaggi che ormai sappiamo.

E. Forse l'uomo non è l'unico responsabile ma è sicuro che il suo comportamento influisce tantissimo sul clima e l'ambiente!

F. Veramente no. Aumento della temperatura vuol dire scioglimento dei ghiacciai e di conseguenza rischio di estinzione per molte specie e anche per noi!

Franco: Hai letto questo articolo sui cambiamenti climatici?

Alessio: Cosa dice?

Franco: (1)...........

Alessio: Addirittura! Mi sembra un po' troppo catastrofico, no?

Franco: (2)...........

Alessio: Scusa, ma non ti fai condizionare un po' troppo? Io veramente non sono sicuro che questa ipotesi sia molto realistica...

Franco: (3)...........

Alessio: Non voglio dire questo... però mi sembra esagerato lanciare questi allarmi. Confonde le persone... E poi non è sicuro che tutti i cambiamenti climatici dipendano dall'uomo.

Franco: (4)...........

Alessio: Ho capito, ma non possiamo pensare di fermare la produzione e il progresso...

Franco: (5)...........

Alessio: Cioè? Secondo te, dovremmo muoverci solo a piedi o in bici?

Franco: (6)...........

2. In quale frase...?

1. si chiede conferma ....
2. si indicano le possibili conseguenze di un fenomeno ....
3. si chiede di spiegare meglio quanto detto prima ....
4. si esprime un dubbio ....
5. si accetta un'opinione e si fa un'obiezione ....

a. Mi sembra un po' troppo catastrofico, no?

b. Ho capito, ma non possiamo pensare di fermare la produzione e il progresso...

c. Cioè? Secondo te, dovremmo muoverci solo a piedi o in bici?

d. Se non fermiamo il riscaldamento ambientale, è a rischio l'esistenza dell'uomo sulla Terra.

e. Io veramente non sono sicuro che questa ipotesi sia molto realistica...

Vocabolario

3. Vero o falso? Scegli l'opzione corretta e scopri cosa dobbiamo salvare.

	Vero	Falso
1. L'energia eolica è prodotta dal vento.	b	i
2. Le piogge inquinate sono definite "sporche".	n	i
3. L'energia solare è rinnovabile.	o	q
4. Il taglio delle foreste si definisce "deforestazione".	d	u
5. L'ecosistema è l'inquinamento di un ambiente.	e	i
6. L'energia geotermica è quella generata dalla Terra.	v	n
7. La siccità è l'aumento dei deserti sulla Terra.	a	e
8. L'effetto serra determina l'aumento delle temperature.	r	m
9. L'inondazione è prodotta da fiumi e corsi d'acqua in genere.	s	e
10. Le risorse idriche sono i guadagni che si fanno con l'energia prodotta dall'acqua.	n	i
11. Eolica, solare e geotermica sono energie pulite.	t	p
12. L'inquinamento acustico è l'inquinamento dell'aria.	ò	à

La ....

4. Leggi il testo e scegli l'opzione corretta.

Le funzioni del verde in città

Il verde in città assume una grande importanza perché offre una larga serie di opportunità di miglioramento (1) ambientale/energetico e di vita sociale. Sul tema delle funzioni del verde in città è necessario assumere un comportamento molto serio e scientifico. Serio perché molte funzioni della vegetazione (2) nell'ecosistema/nel paesaggio urbano sono utili, pratiche e applicabili a basso costo, ma da sole non risolvono tutti i problemi che contribuiscono a limitare. Scientifico perché il ruolo del verde in città è motivato da studi che sono stati applicati con ottimi risultati. Il verde in città deve essere considerato come una grande opera pubblica, ideale per uno sviluppo ambientale e urbano (3) economico/sostenibile. La vegetazione nell'ecosistema urbano, perché svolga al meglio il suo ruolo, deve essere integrato nell'insieme degli obiettivi della pianificazione (4) panoramica/paesaggistica.

Presentiamo sinteticamente le più importanti ed evidenti funzioni del verde in città: 1. miglioramento del (5) tempo/clima urbano; 2. miglioramento del bilancio energetico; 3. purificazione dell'aria dalle (6) sabbie/polveri sottili e dagli agenti (7) inquinanti/sporcanti; 4. attenuazione dei rumori; 5. ricostruzione urbanistica e ruralità; 6. socialità e sicurezza; 7. arredo urbano e miglioramento della viabilità ecc.

NON TAGLIARMI! ci ho messo tanto per crescere!

adattato da *www.cittapossibilecomo.org*

5. Abbina il sostantivo all'aggettivo adeguato.

1. inquinamento
2. sviluppo
3. energia
4. verde
5. cambiamento
6. fabbisogno
7. piogge
8. pannello
9. pista
10. sostanza

a. ciclabile
b. acide
c. inquinante
d. solare
e. urbano
f. rinnovabile
g. sostenibile
h. ambientale
i. climatico
l. energetico

6. Scegli l'opzione corretta.

1. Non hai ancora finito? Sei una tartaruga/lepre, come al solito.
2. Maria si spaventa di tutto. È paurosa come un coniglio/una volpe.
3. Marco non ha per niente un buon carattere. Diciamo che è un orso/leone.
4. Non è una persona istruita, ma è furba come una gallina/volpe.
5. Potresti anche cambiare idea! Invece sei sempre testardo come un mulo/una balena.

7. Completa il testo con le parole della lista.

lampadine - avariati - posate - contenitori - gusci - avanzi - organico - plastificata - fondi - imballaggi

COME SEPARARE I RIFIUTI

	COSA SÌ	COSA NO
UMIDO (1)....................	• scarti di cucina, (2).................... di cibo • alimenti (3)...................., (4)..................... d'uovo, pane vecchio • scarti di verdura e frutta • (5)..................... di caffè, filtri di tè • lettiere di piccoli animali • fiori recisi e piante • ceneri spente di caminetti • erba e foglie (negli appositi sacchi)	• pannolini • stracci anche se bagnati
VETRO, METALLI E ALLUMINIO	• bottiglie, vasetti, bicchieri in vetro • contenitori e scatolette in banda stagnata, in alluminio, in metallo (tonno, pelati e altro)	• (6)..................... e neon* *da portare nelle Isole Ecologiche del Comune o in appositi punti di raccolta
IMBALLAGGI IN PLASTICA	• imballaggi con i simboli PE, PET, PP, PVC, PS • bottiglie per bibite • flaconi per detersivi, shampoo • confezioni sagomate • (7)..................... per alimenti • borse della spesa, polistirolo	• oggetti in plastica e gomma (giocattoli, grucce per abiti ecc.)
CARTA, CARTONE E CARTONI PER BEVANDE	• giornali e riviste, libri • quaderni, fotocopie e fogli vari • scatole per alimenti • (8)..................... di cartone • cartoni per bevande	• carta (9).....................
RESIDUO SECCO NON RICICLABILE	• gomma, giocattoli • CD, cassette audio e video • piatti e (10)..................... di plastica • carta carbone, oleata, plastificata • calze di nylon • cocci di ceramica • cosmetici, stracci sporchi	• rifiuti riciclabili

adattato da *www.elly.selva.name*

Edizioni Edilingua

Grammatica

8. Trasforma le frasi da attive in passive.

1. Attualmente le energie pulite coprono in Italia meno del 25% del fabbisogno energetico.

....

2. L'inquinamento causa molti cambiamenti climatici.

....

3. L'ultimo vertice sul clima ha stabilito una riduzione delle emissioni.

....

4. Numerosi scienziati avevano segnalato i cambiamenti climatici già 30 anni fa.

....

5. In passato molti consideravano l'energia nucleare una soluzione ai problemi energetici.

....

9. Scegli l'opzione corretta.

Per capire in cosa consiste praticamente la raccolta differenziata, incominciamo con il dire che la parte "secca" dei nostri rifiuti (1) va distinta/distinguono in secco riciclabile e secco non riciclabile. Il secco riciclabile (vetro, carta, plastica, alluminio) (2) è posto/va posto nelle campane di diverso colore a seconda dei diversi materiali; il secco non riciclabile (3) va posto/è andato posto nei comuni cassonetti insieme alla parte "umida", ossia gli scarti alimentari come bucce della frutta, gusci delle uova, fondi del caffè, residui di pulizia delle verdure ecc.
In molti comuni la parte organica dei rifiuti deve (4) essere conferita/andare conferita in appositi cassonetti e (5) va ritirata/viene ritirata porta a porta per (6) avviare/essere avviata agli impianti di formazione del compost (sostanza organica che (7) viene trasformata/trasforma in terriccio fertile per attività agricole e di giardinaggio).
Inoltre, molti cittadini possono già partecipare ai corsi di compostaggio domestico che (8) vengono organizzati/vanno organizzati con successo dai Centri di Educazione Ambientale.

adattato da www.cadnet.marche.it

10. Riformula le frasi evidenziate. Usa ci o ne.

1. ● Sei stato alla manifestazione degli ambientalisti? ● Sì, torno ora dalla manifestazione.

....

2. ● Fai la raccolta differenziata? ● Sì, tengo molto a fare la raccolta differenziata.

....

3. ● Hai sentito del Summit sul clima? ● Sì, hanno parlato del Summit alla radio.

....

4. ● Hai comprato i contenitori per la raccolta differenziata? ● No, Marco ha pensato a questo.

....

5. Sono consapevole del problema ambientale ma non sono angosciato dal problema ambientale.

....

11. Completa il dialogo con le parole della lista. Attenzione: devi lasciare vuoti alcuni spazi!

> ah, sì - questa passione - lo - beh, dài
> modo di viaggiare - questo tipo di vacanza

Martina: Allora, com'è andato il tuo viaggio da ecoturista?

Alberto: Molto bene. Far.............................(1) mi ha portato a cambiare prospettiva sui ....(2) viaggi.

Martina: ....(3)? Davvero? ....(4) e come mai?

Alberto: Lo sai, viaggiare mi piace molto. Riuscire a mettere insieme ....(5) con il rispetto per la natura è stata davvero una scoperta. Secondo me, tutti dovrebbero viaggiare in questo modo.

Martina: ....(6)... è un po' difficile che tutti possano fare ....(7) ecoturismo.

Alberto: E perché? È un ....(8) intelligente ed economico. Fare ....(9) fa risparmiare e ti fa vedere i posti in maniera diversa.

◉ **Per concludere**

12. Forma le frasi.

1. spesso poi / chi / sul clima / conto / stabilisce accordi / ne / non / tiene

   ....

2. fanno / altri / alcuni / ci / la differenziata / non / badano

   ....

3. ambientali / alcune / non / realizzate / sono / politiche / seriamente

   ....

4. il protocollo di Kyoto / so / conosco / che esiste / non / ma / ne / i contenuti

   ....

5. anche / è / dall'uomo / il cambiamento / provocato / climatico

   ....

13. Trova l'errore e correggi le frasi.

1. Quasi ogni anno viene stato fatto un Summit sul clima.   ....

2. Cos'è l'ecoturismo? Non lo so niente.   ....

3. Ho installato i pannelli solari: costano un po' ma ci vale la pena.   ....

4. Il problema energetico ha causato anche dai consumi eccessivi.   ....

5. Sole e vento sono cause di energia rinnovabile.   ....

Fai la raccolta differenziata?

14. Qual è il tuo atteggiamento nei confronti dei problemi ambientali? Pensi che sia possibile limitare i cambiamenti climatici? Cosa fai per rispettare l'ambiente? Se fossi il sindaco della tua città, quali misure prenderesti a favore dell'ambiente? Scrivi un testo (220/240 parole).

Preposizioni

15. Completa le frasi con le preposizioni.

1. A causa .... abbondanti piogge il fiume è uscito .... argini.

2. In seguito .... Summit .... clima sono state prese importanti decisioni.

3. Plastica e vetro vanno conferiti .... apposite campane .... raccolta differenziata.

4. Le sostanze nocive prodotte .... industrie hanno dirette conseguenze .... nostra salute.

5. Tutti dobbiamo provare .... produrre meno rifiuti e sforzarci .... inquinare il meno possibile.

6. Dovremmo affidarci sempre di più .... fonti rinnovabili per avere energia sufficiente.

Parola chiave

16. Completa lo schema con le parole della lista. Puoi aggiungere anche altre parole che conosci.

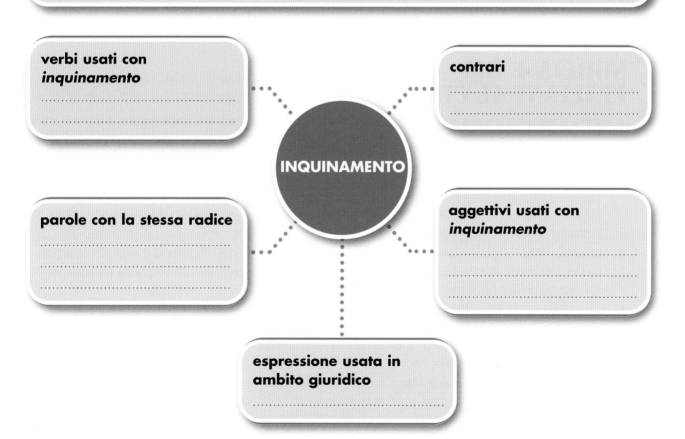

atmosferico - bonifica - inquinante - fluviale - idrologico - inquinare - ridurre
inquinato - produrre - inquinamento delle prove - depurazione

verbi usati con *inquinamento*

contrari

INQUINAMENTO

parole con la stessa radice

aggettivi usati con *inquinamento*

espressione usata in ambito giuridico

Andiamo al cinema stasera?

Funzioni

1. Rispondi alle domande sul cinema e sui tuoi gusti cinematografici.

- Quali sono i generi di film che preferisci?
- ....

- Quali sono le cose che rendono diverso un film visto al cinema?
- ....

- Quali sono a tuo parere i fattori che rendono un film sicuro successo al botteghino?
- ....

- Cosa ti spinge soprattutto a vedere un film? (recensioni, parere degli amici, *trailer*...)
- ....

- Quando ne hai la possibilità, preferisci vedere un film o leggere un libro?
- ....

- Secondo te, il cinema è destinato a scomparire a causa di Internet?
- ....

- Pensi che la pirateria sia un reato grave?
- ....

2. Ecco la presentazione di un libro sul rapporto tra pubblico italiano e cinema. Metti in ordine i paragrafi del testo.

SORLIN E GLI ITALIANI AL CINEMA

Immaginario e identità sociale di una nazione
Pierre Sorlin racconta in un libro gli italiani al cinema

A. Ma la cosa che rende il libro ancor più sorprendente è l'attualità di alcuni temi come la globalizzazione, la convergenza, il potere dei media, l'influenza della politica, la censura della Chiesa che riescono a farci leggere il passato in una lente ravvicinata, che sembra quasi "ancora non passato". Bellissime anche le foto contenute all'interno del libro e importantissimi i dati rilevati, di incassi, vendite, ricavi, numero di lavoratori, di case di produzione e di sale cinematografiche del passato.

B. Una panoramica puntuale della Storia del cinema investita da un approccio biografico che intreccia la Storia con le storie con la esse minuscola che ci riportano sensazioni, gusti ed emozioni di chi quegli anni li ha vissuti da vicino.

C. In un saggio di assoluta novità, dove studiando il pubblico scopre l'oggetto cinema e le sue trasformazioni, Sorlin ci mostra come quattro generazioni di spettatori italiani hanno avuto una propria idea di quello che era lo spettacolo cinematografico e ne hanno fatto partecipe il proprio vissuto.

D. Il punto di partenza di questo libro è stato una domanda che ne contiene molte altre: chi erano gli spettatori del cinema in Italia? Che cosa si aspettavano dai film, come li giudicavano? I cinque capitoli del libro sono cinque aperture su questa entità reale, ma concretamente inafferrabile, che è il pubblico. Senza di esso non ci sarebbe nessuno spettacolo, è la variabile che dà senso al divertimento.

E. Cosa accade nella mente dello spettatore quando vede un film? Come si è formato il pubblico cinematografico? E quello italiano che caratteristiche ha avuto? Cosa differenzia un film italiano da un film americano?

tratto da *www.cinemonitor.it*

1	2	3	4	5
E				C

◎ Vocabolario

3. Abbina le parti di sinistra a quelle di destra per formare una sola parola.

1. tele
2. neo
3. dopo
4. contro
5. fanta
6. multi
7. cine

a. guerra
b. figura
c. sala
d. panettone
e. camera
f. scienza
g. realismo

4. Completa il testo con le parole e le espressioni della lista.

film - autori - esperti - Neorealismo - interpreti - pellicole - cineasti - cinema d'impegno
ambientazioni - tragicomica - commedia all'italiana - produttori - diva

Ecco i cento film italiani da salvare. E su tutti vincono Fellini e Visconti.

Il regista de *La dolce vita* ha 8 citazioni, quello de *Il Gattopardo* 6. Tra le attrici c'è cinque volte la Sandrelli.

ROMA – Monumenti dell'arte. Patrimonio di spettacolo e di costume. Tesori del nostro Novecento. Strumenti di riflessione. Testimonianza viva di cultura. Non parliamo di architettura, pittura o letteratura. Parliamo di cinema. E questa è già una bella novità: perché per la prima volta, in maniera organica, i film italiani vengono visti come un vero e proprio tesoro. Qualcosa da proteggere, da conservare, da far vedere ai giovani. Una commissione di (1).............................. ne ha selezionati cento. O meglio, 101. In un arco temporale che va dal 1942 al 1978. Dall'alba del (2)........................ agli anni di piombo. Cento titoli, cento (3)........................., una fetta enorme di creatività made in Italy. Guardando ai registi, su tutti prevale – e non poteva essere altrimenti – **Federico Fellini** con sette (4)............................ inseriti in graduatoria. In questa competizione tra i (5)........ .... italiani più rappresentativi, al secondo posto, dietro Fellini, troviamo **Luchino Visconti**, con sei citazioni. Dopo di lui, l'indimenticabile **Vittorio De Sica**. A pari merito, sempre con cinque film, un paladino del (6)........................... come **Francesco Rosi**. Ma questo non vuole dire che la grande stagione della (7)..... .... non sia presente in massa nella top 100. Anzi. E infatti, ex aequo con Rosi e De Sica, troviamo il grande **Mario Monicelli**, con i suoi *Guardie e ladri* (1951), *Un eroe dei nostri tempi* ('55), *I soliti ignoti* ('58), *La grande guerra* ('59) e *Un borghese piccolo piccolo* ('77). Ma il cinema non è fatto solo di (8)............... .... È fatto anche di volti. Indimenticabili volti

d'attore, (9)............................. straordinari, che hanno fatto la fortuna di registi e (10)............................. Nella classifica ci sono tutti, e con più di un film: **Vittorio Gassman**, **Marcello Mastroianni**, **Alberto Sordi**, **Nino Manfredi**, **Totò**. Perfino una maschera (11)........... .... come **Paolo Villaggio**, presente col primo *Fantozzi*. E poi ci sono i volti femminili. Bellissimi, intensi. La **Silvana Mangano** di *Riso Amaro*, l'**Anna Magnani** di *Roma città aperta*, la **Gina Lollobrigida** di *Pane amore e fantasia*, la **Sofia Loren** di *Una giornata particolare* e di altre interpretazioni. In questo contesto, però, una citazione particolare la merita **Stefania Sandrelli**, vera (12)......

..........................., presente con ben cinque film. Ultima osservazione. Come in ogni classifica che si rispetti, il gioco di chi non appare, un po' inspiegabilmente, è inevitabile. Si potrebbero citare, tanto per fare degli esempi di grandi esclusi, *La ciociara* di De Sica; o *Ecce Bombo* di **Nanni Moretti**, uscito proprio nel 1978; o *Ultimo tango a Parigi* di **Bernardo Bertolucci**, forse non preso in considerazione per il cast e le (13)........ .... internazionali. O l'intera carriera di **Sergio Leone**. Ma il bello delle graduatorie è anche questo.

adattato da *www.repubblica.it*

5. Scegli l'opzione corretta.

1. Chi valuta un film in un concorso sono i...
   a. giurati
   b. produttori
   c. botteghini

2. Il reato di scaricare illegalmente un film da Internet si definisce...
   a. pirateria
   b. riciclaggio
   c. falsificazione

3. La recensione è...
   a. la storia di un film
   b. il finale di un film
   c. un articolo su un film

4. Le persone appassionate di cinema sono...
   a. cineasti
   b. cinofili
   c. cinefili

5. Il cinema che non è finanziato dall'industria cinematografica si definisce...
   a. ribelle
   b. indipendente
   c. povero

6. Chi sostituisce l'attore principale in scene pericolose si chiama...
   a. comparsa
   b. controfigura
   c. sceneggiatore

6. Elimina una parola in ogni gruppo e scopri il nome dell'attore italiano della foto.

1. commedia	a	comico	c	drammatico	v	attore	r
2. regista	b	critico	a	sceneggiatore	i	produttore	e
3. comparsa	v	attore	e	controfigura	a	sceneggiatore	o
4. ripresa	u	film	f	pellicola	t	lungometraggio	l
5. giurati	p	cineasti	o	cinefili	l	critici	q
6. sceneggiatura	z	copione	n	scene	d	comparsa	b
7. antipatico	o	leggero	c	coinvolgente	b	pesante	s
8. festival	e	fiera	v	mostra	i	rassegna	a
9. trama	t	storia	r	intreccio	h	recensione	a

....

Grammatica

7. Indica qual è la funzione del gerundio. In una frase ha due funzioni.

	Temporale	Modale	Causale	Concessiva
1. Mi sono appassionato al cinema italiano studiando la storia del cinema.				
2. Ieri sera mi sono addormentato guardando un film e ho perso la fine della storia.				

Edizioni Edilingua

	Temporale	Modale	Causale	Concessiva
3. Essendo diventate più severe le leggi sul diritto d'autore, la gente scarica meno film illegalmente.				
4. Non ricordo la trama di questo film pur avendolo già visto due volte.				
5. Ho preso un virus scaricando un film da Internet.				
6. Andando al cinema abbiamo incontrato Marta e l'abbiamo invitata a venire con noi.				
7. Si apprezza il cinema italiano soprattutto guardando i capolavori del Neorealismo.				

8. Trasforma le frasi utilizzando un gerundio presente o passato.

1. Ho letto una bella recensione sul film di Salvatores e così sono andato a vederlo.

   ....

2. Riconosco il valore di alcuni film anche se non sono un cinefilo esperto.

   ....

3. Scarichi illegalmente film e in questo modo danneggi l'industria cinematografica.

   ....

4. Mi è piaciuto molto il libro *Io non ho paura* e quindi ho deciso di vedere anche il film.

   ....

5. Osservo con attenzione la fotografia quando guardo un film.

   ....

6. Sebbene non abbia vinto nessun premio, il film italiano è stato il più applaudito al festival.

   ....

9. Scegli l'opzione corretta.

1. Mi piacerebbe andare/essere andato al cinema domani a vedere/avere visto l'ultimo film di Nanni Moretti.

2. Dopo pubblicizzarlo/averlo pubblicizzato, la casa cinematografica ha distribuito il film contemporaneamente in molte sale.

3. Penso di vedere/avere visto più di 500 film, fino ad oggi.

4. Dopo la rivalutazione del western italiano, il regista Sergio Leone può ben dire di prendersi/essersi preso la rivincita su tutti i critici che anni fa lo disprezzavano.

5. Non ricordo la fine di questo film, ma sono sicuro di vederlo già/averlo già visto.

6. A sorpresa il Leone d'oro è stato assegnato al film tedesco in concorso. Forte la delusione per il regista italiano che pensava di avere vinto/vincere già.

10. Trasforma il testo al discorso indiretto.

A Cesenatico è stata presentata la prima Accademia del Cinema e delle Arti Visive, organizzata con Cinecittà. Si tratta di un progetto ambizioso, che punta a formare in Romagna le figure professionali legate al mondo dello spettacolo. Abbiamo intervistato l'organizzatore Roberto De Laurentis.

– Qual è il progetto e l'obiettivo della vostra scuola?

– *Siamo convinti che i nostri corsisti lavoreranno in questo settore, abbiamo un team in grado di coniugare alta professionalità e tutor. Inoltre molte scuole si appoggiano ai locali di Cinecittà, mentre noi siamo l'unica accademia che ha Cinecittà come partner.*

– Perché avete scelto la Romagna?

– *Frequento questa terra da oltre vent'anni ed è l'unica dove c'è di tutto, mare, monti, palazzi storici, un territorio molto vario, con gente amicale. Assieme a Roberto Pantani abbiamo così deciso di organizzare l'accademia non nel chiuso di una piccola stanza, ma in spazi aperti, nei locali, in discoteca.*

adattato da *http://www.riminibeach.it/notizie/accademia-del-cinema*

Accademia del CINEMA Cesenatico

Il giornalista ha chiesto ....

De Laurentis ha risposto che ....

....

....

....

Il giornalista poi ha domandato .... De Laurentis

ha detto di ....

....

....

....

Testualità

11. Scegli l'opzione adeguata.

1. ● Ti ricordi chi è il regista di *Ladri di biciclette*?
   ○ Dunque dovrebbe essere... Fell..., ma/no, De Sica. Sì, De Sica.

2. ● Andate al cinema con Sara questa sera?
   ○ Sì, vado... cioè/Infatti andiamo a vedere l'ultimo film con Stefano Accorsi.

3. ● Allora, Valeria, era interessante il film ieri?
   ○ Beh, sì... ma niente di eccezionale, diciamo che non era proprio un capolavoro, ecco/no.

4. ● Qual è il film italiano che preferisci?
   ○ Veramente non saprei sceglierne uno. Mi piace il Neorealismo. Pensiamo che/Diciamo che tutti i film neorealisti sono molto interessanti.

Edizioni Edilingua

Per concludere

12. Forma le frasi.

1. *La dolce vita* / visto / ad apprezzare / ho / Fellini / avendo / cominciato

   ....

2. al Neorealismo / di essersi / molti / ammettono / italiano / registi / ispirati

   ....

3. il cinema / festival / indipendente / ho conosciuto / frequentando / locali

   ....

4. cosa ne pensasse / del genere / il giornalista / chiese / al regista / poliziottesco

   ....

5. a casa sua / a vedere / Gabriele / mi ha chiesto / un film / di andare

   ....

13. Trova l'errore e correggi le frasi.

1. Siamo tornati a casa dopo andare al cinema.   ....
2. La critica ha rivalutato Leone lo considerando un valido regista.   ....
3. Vedendo già alcuni suoi film, ero sicuro della validità della sua ultima opera.   ....
4. La crisi del cinema non dipende dalla pirateria pur sia questa un problema.   ....
5. Sono contento di vedere il film, ne valeva la pena.   ....

14. Scrivi un testo (220/240 parole) dove esponi il fenomeno della pirateria. Indicane le cause, esponi le ragioni di chi la pratica e di chi la contrasta. Esponi il tuo parere e una possibile soluzione del problema.

Preposizioni

15. Completa le frasi con le preposizioni.

1. Scaricare film .... Internet rappresenta un problema .... l'industria del cinema.
2. Questo giovane regista è destinato .... far parlare .... sé .... futuro.
3. Un uomo è stato condannato .... tre anni .... reclusione .... il reato di pirateria.
4. Hai fatto male .... non venire ieri .... cinema. Il film è stato molto piacevole.
5. Trovo il panorama cinematografico italiano .... grande interesse.
6. Anche se non ti piace Moretti, ti assicuro che il suo ultimo film è .... vedere.

16. Completa lo schema con le parole della lista. Puoi aggiungere anche altre parole che conosci.

vivace - cinematografico - giovane - sala - cinematografia - finanziare - cinefilo - commerciale
cineasta - industria - sostenere - indipendente - arte - proteggere - banale - impegnato

parole derivate

altri significati di *cinema*

CINEMA

verbi usati con *cinema*
(significato di *industria*)

aggettivi usati con *cinema*
(significato di *arte*)

Edizioni Edilingua

Chiavi

Unità 1
Funzioni
1. 1. d, 2. f, 3. c, 4. e, 5. b, 6. a, 7. g
2. 1. c, 2. e, 3. g, 4. a, 5. f, 6. d, 7. b
3. 1. c, 2. b, 3. a, 4. e, 5. d
Vocabolario
4. 1. cravatta, 2. scarpe, 3. giacca, 4. giubbotto, 5. calzini, 6. cappotto, 7. camicia, 8. sciarpa, 9. maglione, 10. gonna, 11. vestito, 12. impermeabile, 13. borsa, 4. sandali
5. 1. abbigliamento, 2. giacca, 3. calzini, 4. calzature, 5. maglie, 6. maglione, 7. maglietta, 8. felpa, 9. cappotto, 10. gonna, 11. pantaloni
6. 1. maniche corte/mezze maniche, 2. senza cappuccio, 3. comode/basse, 4. con la cerniera/zip, 5. di lana, 6. formale/elegante
7. 1. capi, 2. maglieria, 3. collezione, 4. stilista, 5. marchi, 6. pronto moda, 7. cuciture, 8. fatturato
8. 1. gonna, 2. cintura, 3. vestito, 4. impermeabile, 5. cappotto, 6. calzini
Grammatica
9. *Azioni contemporanee*: 3, 6; *Sequenza di azioni*: 2, 4; *Un'azione interrotta da un'altra*: 1, 5
10. *accendere*/acceso, aprire/*aperto*, *chiedere*/chiesto, chiudere/*chiuso*, *decidere*/deciso, *essere*/stato, fare/*fatto*, leggere/*letto*, offrire/*offerto*, perdere/*perso*, *prendere*/preso, *scendere*/sceso, *scrivere*/scritto, *spegnere*/spento
11. 1. ho passato, 2. siamo andati/e, 3. è finita, 4. siamo tornati/e, 5. è ricominciata, 6. abbiamo rivisto, 7. ha incontrato, 8. ha salutata
12. 1. è tornata, 2. era, 3. aveva, 4. Ha telefonato, 5. stava, 6. poteva, 7. ha saputo, 8. ha cambiato, 9. faceva, 10. ascoltava, 11. sorrideva, 12. ha suonato, 13. è andata, 14. era, 15. vedeva, 16. stava, 17. era, 18. sono usciti
Testualità
13. 1. d, 2. e, 3. b, 4. a, 5. f, 6. c
14. 1. Ho incontrato le mie amiche e le ho invitate a cena; 2. A Paolo è sempre piaciuta la moda; 3. In montagna di solito mi mettevo i calzini di lana; 4. Queste scarpe, le hai messe ieri per andare a teatro?; 5. Benetton è diventato negli ultimi 25 anni un marchio molto importante/Benetton è diventato un marchio molto importante negli ultimi 25 anni
15. 1. Da bambino *portavo* sempre vestiti comodi; 2. Ieri mattina Marta prima si *è vestita* e poi si è truccata; 3. Mentre *eravamo* in un negozio di calzature, è entrato Paolo; 4. La prima sfilata di moda *è stata* a Firenze nel 1951; 5. Che belli questi stivali, dove li hai *comprati*?
Preposizioni
16. 1. da; 2. da; 3. alla, in; 4. in, per; 5. Nel, a, in, del/nel; 6. da; 7. per
Parola chiave
17.
sinonimi (parte superiore del corpo): testa, cranio
con significato di parte di un insieme: capo di bestiame, capo di abbigliamento
sottomettersi ribellarsi: alzare il capo, abbassare il capo
con significato di interamente, del tutto: da capo a piedi
espressioni con significato di dirigere, comandare: essere il capo, essere a capo di
ragionamento senza logica: non avere né capo né coda
risolvere un problema: venire a capo di una situazione

Unità 2
Funzioni
1. 1. B, 2. G, 3. A, 4. H, 5. *D*, 6. *I*, 7. E, 8. M, 9. C, 10. N, 11. F, 12. L
2. 1. c, 2. a, 3. b, 4. e, 5. d
Vocabolario
3. 1. disciplina, 2. attività, 3. Borsa, 4. salute, 5. limiti, 6. dedicare, 7. tengono, 8. sollevamento, 9. sforzo, 10. di squadra, 11. seguire
4. *Matteo*: pugilato, *Antonio*: pallavolo, *Marcella*: sci, *Francesca*: nuoto, *Marco*: scherma
5. 1. g, 2. d, 3. e, 4. c, 5. b, 6. a, 7. f
6. 1. a, 2. b, 3. a, 4. c
7. 1. sportivo, 2. pugilato, 3. gamba, 4. giocatore, 5. altezza, 6. agonismo
8. 1. le sopracciglia, 2. le dita, 3. le mani, 4. le orecchie/gli orecchi, 5. le ginocchia/i ginocchi
Grammatica
9. 1. Desiderio, 2. Consiglio, 3. Ipotesi, 4. Richiesta
10. 1. vorrei, 2. piacerebbe, 3. comincerò, 4. mangerò, 5. sarà, 6. dovrò/dovrei, 7. dovrebbero/dovremmo, 8. eviterei, 9. frequenterei, 10. farai, 11. potrai
11. *temporale*: 2, 3, 5; *modale*: 1, 4
12. 1. che, 2. il migliore, 3. degli, 4. fortissima, 5. più forte, 6. alla
Testualità
13. 1. *sia*, 2. sia, 5. non solo, 6. ma anche, 7. né, 8. né, 9. e neppure, 10. *tanto*, 11. quanto, 12. sia, 13. che; 3, 4, 14, 15: spazi vuoti
Per concludere
14. 1. Marta è molto più sportiva di me; 2. Mi piacerebbe fare yoga ma non trovo il tempo; 3. Il calcio è uno sport popolarissimo in tutto il mondo; 4. Phelps ha vinto il maggior numero di medaglie olimpiche; 5. Sia il pugilato che il nuoto sono sport completi
15. 1. Il calcio è lo *sport più pagato*; 2. *Potremmo* andare in palestra insieme; 3. Preferisco guardare la partita in TV *che* andare allo stadio; 4. Mi piace *sia* guardare *sia/che* praticare lo sport (*Non* mi piace né guardare né praticare lo sport); 5. Quando *finirò* di lavorare andrò in palestra
16. Risposta libera
Preposizioni
17. 1. di; 2. sul, sulla; 3. alla, al; 4. con il, di; 5. da; 6. da
Parola chiave
18.
espressioni con significato di stare bene: essere il ritratto della salute, scoppiare di salute
altre espressioni usate con salute: mantenersi in salute, l'importante è la salute, stare attenti alla salute, pensa alla salute!
parole derivate da salute: salutare, insalubre, salubre
aggettivi usati con salute: buona, cattiva, ottima, cagionevole

Unità 3
Funzioni
1. 1. H, 2. D, 3. L, 4. *C*, 5. *O*, 6. F, 7. G, 8. E, 9. M, 10. A, 11. I, 12. B, 13. N
2. 1. c, 2. a, 3. b, 4. d
Vocabolario
3. *Orizzontali*: 4. separate, 5. affidamento, 7. contraccettivi, 8. denunciare, 9. aborto, 10. allargata, 12. opportunità, 14. maschilista, 15. abuso, 17. matrimonio, 18. referendum, 19. divorzio

Verticali: 1. emancipazione, 2. femminista, 3. vedente, 6. parenti, 11. consultorio, 13. divisione, 14. muto, 16. sordo
4. 1. diritto di voto, 2. diritti civili, 3. divisione dei ruoli, 4. rapporti di potere, 5. movimento studentesco, 6. rimettere in discussione, 7. vivere associato, 8. liberalizzazione dei contraccettivi, 9. approvare
5. *Mario*: ex marito di Marta, marito di Lucia, padre di Paolo e Filippo, patrigno di Sara e Ilaria; *Lucia*: moglie di Mario, madre di Filippo, Sara e Ilaria, matrigna di Paolo; *Fabio*: primo marito di Lucia, padre di Sara e Ilaria; *Paolo*: figlio di Marta e Mario, figliastro di Lucia, fratellastro di Filippo, Sara e Ilaria; *Filippo*: figlio di Mario e Lucia, fratellastro di Paolo, Sara e Ilaria; *Sara*: figlia di Lucia e Fabio, figliastra di Mario, sorella di Ilaria, sorellastra di Paolo e Filippo; *Ilaria*: figlia di Lucia e Fabio, figliastra di Mario, sorella di Sara, sorellastra di Paolo e Filippo
1. vedova, 2. figliastre, 3. patrigno, 4. figliastro, 5. matrigna, 6. sorellastre, 7. fratellastro

Grammatica
6. 1. avevo conosciuta; 2. era uscita, aveva cercato; 3. era stata, si erano mai occupati; 4. avevo riconosciuto; 5. avevi ricevuto
7. 1. aveva fatto, 2. sarebbe diventata, 3. avrebbe cambiato, 4. sarebbe stato, 5. era cominciato, 6. ci sarebbero voluti
8. 1. Futuro immediato, 2. Presente storico, 3. Presente atemporale, 4. Presente abituale
9. 1. da cui/dal quale; 2. che; 3. tra (fra) cui/tra (fra) le quali; 4. che, che/la quale; 5. con cui/con il quale; 6. chi; 7. per cui/per la quale; 8. in cui/nella quale

Testualità
10. 1. ma, 2. A differenza di, 3. Inoltre, 4. mentre, 6. in seguito, 7. poi, 8. oltre a, 9. Però/Tuttavia, 8. Tuttavia/Però; 5, 10: spazi vuoti

Per concludere
11. 1. Sono separato esattamente da due anni; 2. Mio marito non vuole darmi l'assegno di mantenimento; 3. Il Parlamento ha approvato la legge sull'aborto nel 1978; 4. Non vedenti e non udenti sono espressioni più corrette per ciechi e sordi; 5. Stefano e Chiara hanno divorziato dopo 15 anni di matrimonio
12. 1. Le femministe mettevano in discussione i valori *in* cui credevano i loro genitori; 2. È Giuseppe l'uomo *che* ho incontrato lo scorso anno; 3. Ha detto che si *sarebbe sposato/a* dopo qualche mese; 4. Per riferirci alle persone cieche si usa il termine non *vedenti*/Per riferirci alle persone sorde si usa il termine non *udenti*; 5. Ha denunciato la violenza che *aveva* subìto da ragazza
13. Risposta libera

Preposizioni
14. 1. Dal; 2. Dal, al; 3. tra/fra; 4. in; 5. da; 6. per, da

Parola chiave
15.
sinonimi: spostamento, gesto, vivacità
tipi di movimento: femminista, letterario, artistico, organizzazione politica
espressione con significato di fare attività fisica: fare movimento
altre espressioni usate con movimento: (essere) in movimento, avere libertà di movimento, movimento di denaro

Unità 4
Funzioni
1. 1. C, 2. A, 3. E, 4. B, 5. D, 6. G, 7. F
2. 1. c, 2. a, 3. b, 4. d
Vocabolario
3. 1. settentrionali, 2. centrali, 3. meridionali, 4. orientale, 5. occidentali
4. 1. extracomunitario, 2. clandestino, 3. permesso di soggiorno, 4. comunitario
5. 2. immigrante, 3. Immigrare, 4. Emigrare, 5. Emigrazione, 6. Immigrazione, 7. Emigratorio, 8. Immigratorio
6. 1. esclamò; 2. tacere; 3. tossisce; 4. sorride; 5. una pentola

in ebollizione; 6. Si dette/Si è dato/Si dava dei pugni in testa; 7. sospira; 8. balbetta, borbotta
Grammatica
7. *Conoscere*: conoscesti, conobbe, conoscemmo, conosceste, conobbero; *Sapere*: sapesti, seppe, sapemmo, sapeste, seppero; *Venire*: venisti, venne, venimmo, veniste, vennero; *Volere*: volesti, volle, volemmo, voleste, vollero; *Mettere*: mettesti, mise, mettemmo, metteste, misero; *Vedere*: vedesti, vide, vedemmo, vedeste, videro; *Bere*: bevesti, bevve, bevemmo, beveste, bevvero; *Dire*: dicesti, disse, dicemmo, diceste, dissero; *Fare*: facesti, fece, facemmo, faceste, fecero
8. 1. emigrarono, 2. si stabilì, 3. si trasferì, 4. partii, 5. andai, 6. Ebbi, 7. incontrai, 8. prendemmo, 9. potemmo
9. 1. ti ho scritto, 2. ho avuto, 3. è stato, 4. ho trovato, 5. ho cominciato, 6. conobbi, 7. rimasi, 8. Viaggiammo, 9. portarono, 10. dovemmo
10. 1. si unificò, 2. erano, 3. diminuì, 4. arrivò, 5. è sceso, 6. aveva, 7. fece, 8. iniziava, 9. finiva, 10. istituì, 11. cambiò, 12. è diventata, 13. ha stabilito
Testualità
11. 1. A, 2. D, 3. F, 4. E, 5. G, 6. B, 7. I, 8. H, 9. C
Per concludere
12. 1. La Costituzione italiana entrò in vigore nel 1948; 2. Nel 1960 si riunì a Roma il primo gruppo di capi di stato; 3. L'immigrato diede al poliziotto il permesso di soggiorno; 4. Giuseppe conobbe sua moglie nel 1952 in Germania; 5. Saimir venne in Italia quasi venti anni fa dall'Albania
13. 1. Nel 1958 *sono* andato prima in Belgio e poi in Germania; 2. L'insegnante *disse* agli alunni di aprire il libro; 3. Dal 1865 al 1871 Firenze *fu* la capitale d'Italia; 4. Il re d'Italia *visse* a Palazzo Pitti per sei anni; 5. Gli immigrati si *misero* in salvo dalla furia del mare
14. Risposta libera
Preposizioni
15. 1. nel, 2. a, 3. nel, 4. a, 5. per l', 6. degli, 7. da, 8. Nel, 9. di, 10. a, 11. tra/fra le, 12. a, 13. delle, 14. della, 15. della, 16. negli, 17. della, 18. del, 19. Alla, 20. di, 21. delle, 22. del, 23. del, 24. sull', 25. su
Parola chiave
16.
materie di studio: sacra, moderna, antica, d'Italia, dell'arte, contemporanea
sinonimi: raccontare una storia, fare delle storie, raccontare un sacco di storie, avere una storia, storiella
senza importanza: senza storia, *essere molto importante*: passare alla storia

Unità 5
Funzioni
1. 1. d, 2. h, 3. f, 4. a, 5. b, 6. c, 7. e, 8. g
2. 1. c (C/P), 2. a (C/P), 3. f (C/P), 4. d (C/P), 5. b (A), 6. e (C/P)
Vocabolario
3. 1. g, 2. d, 3. h, 4. a, 5. b, 6. c, 7. e, 8. f
4. *sinonimi*: 1, 3, 4, 6; 2. logico, che deriva dalla ragione e si fonda su basi scientifiche; 5. insieme di atti di un rito o di comportamenti che si ripetono anche come abitudine consolidata; 7. "occhio cattivo", sfortuna provocata dallo sguardo invidioso di alcune persone
5. 1. porti, 2. rituale, 3. scaramanzia, 4. superstizione, 5. profezie
Grammatica
6. 1. sia, 2. risalga, 3. abbia regalato, 4. abbia portato, 5. sia, 6. rappresenti, 7. sia, 8. prenda
7. 1. possano, 2. siano, 3. ha, 4. impazzisca, 5. rovescino, 6. porti, 7. porta, 8. tocchino, 9. bagnino
8. 1. di essere troppo sfortunato, che consulti un cartomante; 2. che Marco non sia partito perché ha perso il suo amuleto; 3.

che Lucia e Giulio non si sposino di venerdì; 4. di comprare un cornetto contro la sfortuna; 5. che tutti gli eventi si possano spiegare in maniera razionale; 6. che diventiamo meno superstiziosi; 7. che la superstizione sia un misto di ignoranza e paura; 8. che possa succedere qualcosa di brutto

Testualità
9. 1. in primo luogo, 2. A seguire, 3. e poi, 4. in secondo luogo, 5. poi; 1. D, 2. A, 3. C, 4. B

Per concludere
10. 1. È comune che gli italiani mangino le lenticchie a Capodanno; 2. Molti non credono che il 13 sia un numero come gli altri; 3. Il proverbio dice: sposa bagnata, sposa fortunata; 4. È sconsigliabile che i futuri sposi si vedano il giorno prima della cerimonia; 5. Credo che Anna si sia ammalata dopo che ha rotto uno specchio

11. 1. Molti pensano che la superstizione *sia* sinonimo di ignoranza; 2. In Italia ci sono molte credenze legate *alla* tavola; 3. Andrea ha perso tre volte le chiavi: è veramente *sfortunato!*; 4. Facciamo *le corna*, non mi sono mai ammalata quest'inverno!; 5. Sono felice che *(tu) abbia* finalmente vinto al Lotto!

12. Risposta libera

Preposizioni
13. 1. per, 2. in/a, 3. di, 4. di, 5. in, 6. da, 7. con, 8. di

Parola chiave
14.
verbi che si usano con sfortuna: avere, portare, credere (alla)
contrari: buona sorte, fortuna
aggettivi legati alla sfortuna: sfortunato, sfigato
sinonimi: sfiga, iella, malasorte, scalogna
altri sostantivi legati alla sfortuna: menagramo, iettatura, malaugurio

Unità 6
Funzioni
1. 1. stile alimentare, 2. consumo di carboidrati, 3. Al posto della carne, 4. sull'olio extravergine d'oliva, 5. abbondano sulle tavole
2. 1. C, 2. D, 3. E, 4. A, 5. B

Vocabolario
3. 1. g, 2. e, 3. b, 4. a, 5. h, 6. d, 7. c, 8. f
4. 1. Frullate, 2. lasciatele, 3. Cuocete, 4. versate, 5. soffriggetela, 6. mescolate, 7. cuocete, 8. toglietelo, 9. aggiungete, 10. servite
5. A. Latticini, B. Legumi, C. Frutta, D. Carni bianche, E. Carboidrati, F. Verdura

Grammatica
6. *Tagli* a pezzetti mezza cipolla e *la faccia* rosolare con un po' d'olio in una pentola a pressione aperta. *Pulisca* i carciofi dalle foglie esterne, *tagli* la parte superiore con le spine, *faccia* delle fettine sottili con la parte centrale (il cuore del carciofo). *Affetti* un po' di salsiccia e poi *la tagli* a cubetti. *Unisca* tutto al soffritto. *Versi* un bicchiere di riso parboiled e *aggiunga* due bicchieri di acqua. *Sali, pepi* e *metta* il dado per brodo. *Chiuda* la pentola a pressione e *lasci* cuocere a fuoco alto. Quando dalla pentola a pressione comincia a uscire del vapore, *abbassi* la fiamma. *Lasci* cuocere per altri 5 minuti. A cottura ultimata *aggiunga* al risotto un cucchiaio di burro. *Lo serva* ben caldo.
7. 1. Quando arrivo a casa, *te li* cucino; 2. ...*glielo* dico sempre!; 3. *Glielo* passo subito; 4. Mah, *ce le* hanno *sconsigliate* in inverno!; 5. *Se la* preparerà da solo; 6. *Me la* cambio subito
8. 1. sbagliata: Se *si fa* sport e *si mangia* correttamente, è difficile ingrassare; 2. corretta; 3. sbagliata: Quando *si comincia* a mangiare patatine, non *si finirebbe* più, vero?/Quando *cominci* a mangiare patatine, non finiresti più, vero?; 4. corretta; 5. corretta; 6. sbagliata: Durante le feste *si può* mangiare e bere un po' di più, ma senza esagerare!

Testualità
9. 1. dimmi, 2. Senti, 3. Ci dica, 4. Guardi, 5. Prego

Per concludere
10. 1. Molti conoscono la cucina italiana per il suo gusto; 2. Nella cucina italiana è comune trovare un piatto unico molto ricco/È comune trovare nella cucina italiana un piatto unico molto ricco; 3. Mettere la pirofila in forno e cuocere a 180 gradi per 45 minuti; 4. Durante ogni pasto consumate la frutta e la verdura/Consumate la frutta e la verdura durante ogni pasto; 5. Per presentare un piatto sono importanti l'aspetto e l'armonia dei profumi; 6. Alla mensa universitaria si mangia bene e si spende poco/si spende poco e si mangia bene

11. 1. Signor La Grassa, non *mangi* troppi affettati!; 2. *Gliele* ho comprate io!; 3. Prego, signora, si *sieda!*; 4. Allora, Fiorenza, la torta *gliel'*hai preparata ai bambini?; 5. Prego, avvocato, *mi dica!*

12. Risposta libera

Preposizioni
13. 1. da, a; 2. di, all'; 3. a, in/nell'; 4. di, dai; 5. della, di; 6. per

Parola chiave
14.
aggettivi per descrivere la pietanza: ricercato, tipico, esotico, regionale, semplice, squisito
aggettivi per descrivere l'oggetto: fondo, piano, rotondo
verbi che si usano con piatto (significato di pietanza*)*: preparare, sperimentare, guarnire, inventare, presentare
espressioni che indicano la funzione: da frutta, da dolce, da portata
verbi che si usano con piatto (significato di oggetto*)*: sporcare, rompere, lavare
tipi di piatto: di carta, di plastica, di porcellana
espressione che significa il piatto più importante del ristorante o, in senso metaforico, *la cosa più importante*: il piatto forte

Unità 7
Funzioni
1. 1. I, 2. D, 3. G, 4. E, 5. L, 6. A, 7. F, 8. C, 9. H, 10. B, 11. M
2. 1. c, 2. a, 3. d, 4. b

Vocabolario
3. 1. pubblicato, 2. intervista, 3. classici, 4. arrangiate, 5. duetti, 6. registrato, 7. protagonisti, 8. colonna sonora, 9. voce, 10. appassionati
4. 1. chitarra, 2. batteria, 3. pianoforte, 4. violino, 5. flauto, 6. tromba
5. 1. b, 2. g, 3. e, 4. a, 5. d, 6. c, 7. f
6. 1. una raccolta, 2. un testo, 3. il basso, 4. una recensione, 5. il pubblico, 6. il lancio
7. 1. critico, 2. fisarmonica, 3. spartiti, 4. ballata, 5. ritmo, 6. album

Grammatica
8. 1. abbiano avuto, 2. fosse, 3. avesse dedicato, 4. fosse, 5. vi siate diplomati, 6. fossero andate
9. 1. ero, 2. aveva cambiato, 3. sapesse, 4. finisse, 5. ci fosse, 6. riuscivo, 7. dicevo/avevo detto, 8. capisse, 9. avessi inventato, 10. aveva fatto, 11. provassero, 12. era, 13. fossi riuscita
10. 1. suonare nessuno strumento, *era* un ottimo artista; 2. Gianni *pensava* che *fosse* più facile suonare il basso che la chitarra e non *credeva* che il basso *fosse* uno strumento molto importante per un gruppo; 3. *Erano* contenti che i loro figli *avessero* deciso di studiare il pianoforte. *Speravano* che *diventassero* bravi come Giovanni Allevi; 4. *Dubitavo* che tu *potessi* imparare a suonare bene il flauto, *era* meglio che *studiassi* il sassofono. *Ritenevo* che tu *fossi* più dotato per questo strumento; 5. *Bisognava* che voi mi *portaste* un CD con tre o quattro vostre canzoni, se *volevate* suonare nel mio bar

Testualità
11. 1. Anche se, 2. nonostante, 3. eppure, 4. invece, 5. Comunque, 6. invece, 7. così

l'italiano all'università

Per concludere

12. 1. Pensavo che Chiara fosse un'appassionata di jazz; 2. Non ero sicuro che Giovanni potesse cantare nel nostro gruppo; 3. Temevo che Benedetto avesse rotto la mia chitarra; 4. Era probabile che i miei amici volessero che io cantassi al loro matrimonio; 5. Il cantante sperava che il critico scrivesse una recensione positiva

13. 1. Sebbene *avesse* dimenticato il testo della canzone, nessuno l'ha criticato; 2. Sono sicuro che tu *hai* visto il Festival di Sanremo ieri sera; 3. Per fortuna sono andato via prima che Piero *iniziasse* a cantare; 4. Molti pensano che De André *sia* stato il migliore cantautore italiano; 5. Hanno sempre avuto un grande talento: era normale che si *iscrivessero* al Conservatorio

14. Risposta libera

Preposizioni

15. 1. a, da; 2. ai; 3. di, nel/al, in/di; 4. dalla; 5. a, in

Parola chiave

16.

verbi: scrivere, studiare, fare, comporre, leggere, apprezzare

aggettivi: assordante, leggera, classica, commerciale

parole che derivano da musica: musicale, musicista

esortazione a cambiare: cambia musica!

persone che fanno musica: solista, coro, cantautore, gruppo, autore

esclamazione per segnalare una cosa molto positiva: musica per le mie orecchie!

Unità 8
Funzioni

1. 1. C, 2. A, 3. E, 4. B, 5. D

2. 1. c, 2. d, 3. b, 4. e, 5. a

Vocabolario

3. 1. f, 2. g, 3. d, 4. b, 5. c, 6. a, 7. h, 8. e

4. 1. libro, 2. scrittrice, 3. storia, 4. intreccio, 5. lettore, 6. trama, 7. personaggi, 8. pagina

5. 1. c, 2. b, 3. b, 4. b, 5. c, 6. b

Grammatica

6. *non si è realizzata nel passato*: 2, 5; *non si realizzerà nel futuro*: 3; *non è sicura*: 1, 4

7. 1. Vorrebbe, 2. considerassero, 3. Mi sarebbe piaciuto, 4. sapessero, 5. Vorrei, 6. dessero, 7. spingessero

8. *Soluzione possibile*: si entra nella dimensione del gioco; si perde un po' il senso delle regole, dei freni; si esce dagli schemi; vengono fuori i caratteri più distintivi della personalità; ci si mette in gioco

Testualità

9. 1. in effetti, 2. Per esempio, 3. insomma, 4. Dunque, 5. allora, 6. in altre parole

Per concludere

10. 1. Sarebbe bello che la gente apprezzasse di più gli audiolibri; 2. Alcuni giornalisti hanno curato un manuale per giornalisti in erba; 3. Sarebbe stato importante leggere di più durante la mia infanzia; 4. Dicono che gli attori avrebbero deciso di non recitare per protesta; 5 Mia madre avrebbe voluto che io studiassi recitazione

11. 1. Leggere storie ai bambini piccoli è importante, magari lo *facessero* tutti i genitori!; 2. Moccia è uno *scrittore* che tratta argomenti attuali e per questo è molto amato dai giovani; 4. Vorrei che si *capisse* che comprando gli e-book si consuma meno carta e si salvano tanti alberi!; 5. Gli audiolibri *sarebbero* sempre più venduti in Italia

12. Risposta libera

Preposizioni

13. 1. da, 2. con l', 3. della, 4. del, 5. di, 6. dell', 7. per, 8. a, 9. del, 10. di, 11. in

Parola chiave

14.

verbi: recensire, sfogliare, leggiucchiare, divorare

generi di libro: giallo, di evasione

aggettivi: pesante, coinvolgente, leggero

parti di un libro: copertina, capitolo

parole derivate da libro: libraio, audiolibro, libreria

espressioni metaforiche con la parola libro: essere un libro chiuso, parlare come un libro stampato, essere come un libro aperto

Unità 9
Funzioni

1. *Soluzione possibile*: 1. Deve essere bella Parigi! Certo, magari avrai avuto qualche problema con i francesi, no?; 2. *Beh, visto che* fanno finta di non capirti se non parli un francese perfetto, mi danno l'idea di essere un po' snob; 3. *Certo*, non volevo offendere nessuno! 4. *Mi sembra solo che* molti la pensino come me sui francesi; 5. Sì, in effetti, hai ragione. Del resto, anche noi italiani siamo sensibili se ci prendono in giro o ci offendono; 6. È vero, è insopportabile!; 7. *Del resto*, anche a me è capitato che qualcuno mi abbia considerato un mezzo delinquente, solo perché sono di Napoli!; 8. Va bene, va bene... la prossima volta sarò più attento a parlare di certi argomenti

2. 1. a, 2. b, 3. a, 4. b

Vocabolario

3. 1. donnaiolo/rubacuori/dongiovanni, 2. disonesto, 3. ospitale/accogliente, 4. gradasso/spaccone/arrogante, 5. mangione, 6. aperto/tollerante, 7. disponibile, 8. mammone

4. *sinonimi*: 1, 3, 4, 5, 6, 8, 10; *contrari*: 2, 7, 9

5. 1. bugiardo, 2. tirchio, 3. solare, 4. modeste, 5. goliardici, 6. sciocco

6. 1. criminale, 2. rapinatore, 3. aggressore, 4. mafioso, 5. scippatore, 6. sequestratore

7. 1. carabiniere, 2. un'estorsione, 3. uno scippo, 4. rapinatore, 5. ammazzare, 6. denunciare

8. 1. criminale, 2. sequestri, 3. uccisione, 4. magistrati, 5. stupefacenti, 6. traffico, 7. giro d'affari, 8. estorsione

Grammatica

9. 1. Dopo che sarete tornati/e dal viaggio, potrete raccontarci le vostre impressioni sulla Cina; 2. Dopo che la burocrazia italiana sarà diventata più snella, le cose saranno più semplici; 3. Dopo che gli stranieri ci avranno conosciuto meglio, ci apprezzeranno un po' di più; 4. Conoscerò sicuramente dei siciliani dopo che sarò andato/a in Sicilia; 5. Dopo che avremo eliminato i falsi stereotipi, potremo confrontarci serenamente con gli altri; 6. Dopo che avrò visitato la Calabria, potrò verificare se la mia opinione sui calabresi è realistica

10. 1. Pensavate, 2. Dovrete, 3. hanno rivolto, 4. hanno paragonato, 5. avevano svolto, 6. hanno riscontrato, 7. Si sono rivelati, 8. è risultato, 9. ha dimostrato, 10. contribuiremo, 11. Dovremo

11. 1. (qualche) f, 2. (certa) e, 3. (nessun) d, 4. (alcuna) a, 5. (alcuni) b, 6. (qualunque) c

12. 1. a meno che lo Stato non riesca a sconfiggere la mafia; 2. a patto che/purché non mi manchi di rispetto; 3. a meno che non mi chieda scusa; 4. purché/a patto che siano onesti; 5. A meno che non diventi un po' più tollerante; 6. purché/a patto che ci sia la volontà di tutte e due le parti

Testualità

13. 1. Insomma, 2. Eppure, 3. *Dunque*, 4. Personalmente penso che, 5. visto che, 6. Al contrario; 1. D, 2. B, 3. C, 4. E, 5. A

Per concludere

14. 1. Non ho alcuna idea di come possa essere il Giappone; 2. Nel complesso certi popoli sono meno accoglienti di altri; 3. Chiunque abbia conosciuto i calabresi ne apprezza l'ospitalità; 4. Dopo che avrai visitato la Cina, ti accorgerai di quanto è diversa; 5. Qualunque turista potrà verificare la falsità degli stereotipi sugli italiani

15. 1. Esistono stereotipi per qualunque *paese*; 2. Dopo che sarò andato/a in Francia, potrò avere un'opinione sui francesi; 3. Gianni esagera un po' con il cibo. È *un mangione*; 4. Ho notato

Edizioni Edilingua

una *certa* arroganza nel fratello di Maria; 5. Non sono d'accordo, *tuttavia* rispetto la tua opinione

16. Risposta libera

Preposizioni

17. 1. a partire dagli; 2. In seguito a, in; 3. a, agli; 4. degli, alla, da; 5. nei confronti di, dalla; 6. sulla base delle, in base a

Parola chiave

18.

sinonimi con significato negativo: sentenziare, condannare, criticare
contrari (dei sinonimi con significato negativo): stimare, apprezzare, valorizzare
avverbi usati con giudicare: duramente, male, bene, superficialmente
preposizioni e locuzioni usate con giudicare: sulla base di, da, in base a

Unità 10

Funzioni

1. *Soluzione possibile*: 1. Può spiegarci in che modo li usa nel suo lavoro, per favore? 2. Come usa Internet nella sua professione? 3. Non è un po' strano fare psicoterapia a distanza? 4. E quali vantaggi può offrire parlare con il proprio psicoterapeuta attraverso il video? 5. Ma non vede dei rischi potenziali in questo uso della tecnologia a scopo psicoterapeutico? 6. A suo parere, quali soluzioni possiamo prevedere per arginare questo rischio/prevedere contro questo potenziale pericolo?

2. Risposte libere

Vocabolario

3. 1. come; 2. che; 3. con; 4. Anch'io; 5. Allora per domani come; 6. Anch'io, con; 7. Perché; 8. perché, con; 9. Grazie; 10. Ti amo tanto tanto tanto tanto; 11. Mi manchi tantissimo

4. 1. dispositivo, 2. schermo, 3. scaricare, 4. tastiera, 5. tablet

5. 1. è all'altezza di, 2. ne facciamo di, 3. hai reso bene l'idea, 4. hai *proprio* orecchio, 5. hanno sfondato, 6. ce la farà

6. A. telegrafo (computer), B. telefonino (posta elettronica/e-mail), C. chiavetta (messaggi scritti), D. lettera (chiamare)

Grammatica

7. *Desiderio irrealizzabile*: 3, 6; *Futuro nel passato*: 1, 4; *Frase ipotetica (III tipo)*: 2, 5

8. *Azione passata dinamica e/o abituale*: 5, 6; *Richiesta cortese*: 2, 3; *Frase ipotetica (III tipo)*: 1, 4

9. 1. c, 2. e, 3. b, 4. a, 5. f, 6. d

10. Risposte libere

11. 1. sia, 2. arrivare, 3. scelgono, 4. sono, 5. usarli, 6. possano, 7. avesse

Testualità

12. 1. Passando ad altri, 2. Voglio dire che, 3. Torniamo a, 4. Comunque, 5. In altre parole, 6. Ora, 7. Figuratevi; 1. C, 2. A, 3. B, 4. D

Per concludere

13. 1. Non posso chiamarti perché ho il telefonino scarico; 2. Devo collegare il videoproiettore al mio portatile per la presentazione; 3. Allega il documento e metti in copia anche Gianna, per favore; 4. Se avete trovato un sito interessante, mandatemi il link; 5. Andiamo in quel bar: c'è la connessione wi-fi gratis!

14. 1. La mia vita sarebbe più facile, se *avessi* un computer portatile; 2. Anche se chattare non *costa* niente, preferisco parlare al telefono; 3. Se per te non è tardi, ti telefono alle 5; 4. Compreresti un nuovo computer, se *avessi* i soldi?/*Avresti comprato* un nuovo computer, se avessi avuto i soldi?; 5. Ci sentiamo su Skype, senza che *dobbiate* pagare niente

15. Risposta libera

Preposizioni

16. 1. su, alle, a, di; 2. con, di; 3. al, dalla; 4. al, di, dagli; 5. su, su/in, su; 6. dal, della

Parola chiave

17.

sinonimi: telefonare, convocare, soprannominare, definire

espressioni relative al nome (anche in senso figurato): chiamare per nome/cognome, chiamare le cose con il loro nome
espressione con significato di coinvolgere: chiamare in causa
espressione con significato di devo andare / devo fare qualcosa: il dovere mi chiama

Unità 11

Funzioni

1. 1. C, 2. F, 3. A, 4. E, 5. B, 6. D

2. 1. a, 2. d, 3. c, 4. e, 5. b

Vocabolario

3. 1. Vero, 2. Falso, 3. Vero, 4. Vero, 5. Falso, 6. Vero, 7. Falso, 8. Vero, 9. Vero, 10. Falso, 11. Vero, 12. Falso; *La biodiversità*

4. 1. ambientale, 2. nell'ecosistema, 3. sostenibile, 4. paesaggistica, 5. clima, 6. polveri, 7. inquinanti

5. 1. h, 2. g, 3. f, 4. e, 5. i, 6. l, 7. b, 8. d, 9. a, 10. c

6. 1. tartaruga, 2. un coniglio, 3. orso, 4. volpe, 5. un mulo

7. 1. organico, 2. avanzi, 3. avariati, 4. gusci, 5. fondi, 6. lampadine, 7. contenitori, 8. imballaggi, 9. plastificata, 10. posate

Grammatica

8. 1. Attualmente in Italia meno del 25% del fabbisogno energetico è coperto dalle energie pulite; 2. Molti cambiamenti climatici sono causati dall'inquinamento; 3. Una riduzione delle emissioni è stata stabilita dall'ultimo vertice sul clima; 4. I cambiamenti climatici erano stati segnalati da numerosi scienziati già 30 anni fa; 5. In passato l'energia nucleare veniva/era considerata da molti una soluzione ai problemi energetici

9. 1. va distinta, 2. va posto, 3. va posto, 4. essere conferita, 5. viene ritirata, 6. essere avviata, 7. viene trasformata, 8. vengono organizzati

10. 1. Sì, ne torno ora; 2. Sì, ci tengo molto; 3. Sì, ne hanno parlato alla radio; 4. No, Marco ci ha pensato; 5. ...non ne sono angosciato

Testualità

11. 1. lo; 3. Ah, sì; 5. questa passione; 6. Beh, dài; 8. modo di viaggiare; 9. questo tipo di vacanza; 2, 4, 7: spazi vuoti

Per concludere

12. 1. Chi stabilisce accordi sul clima spesso poi non ne tiene conto; 2. Alcuni fanno la differenziata, altri non ci badano; 3. Alcune politiche ambientali non sono realizzate seriamente; 4. So che esiste il protocollo di Kyoto, ma non ne conosco i contenuti; 5. Il cambiamento climatico è provocato anche dall'uomo

13. 1. Quasi ogni anno *viene fatto* un Summit sul clima; 2. ...Non *ne* so niente; 3. Ho installato i pannelli solari: costano un po' ma *ne* vale la pena; 4. Il problema energetico è causato anche dai consumi eccessivi; 5. Sole e vento sono *fonti* di energia rinnovabili

14. Risposta libera

Preposizioni

15. 1. delle, dagli; 2. al, sul; 3. nelle, della; 4. dalla, sulla; 5. a, di; 6. alle

Parola chiave

16.

verbi usati con inquinamento: ridurre, produrre
contrari: bonifica, depurazione
parole con la stessa radice: inquinante, inquinare, inquinato
aggettivi usati con inquinamento: atmosferico, fluviale, idrologico
espressione usata in ambito giuridico: inquinamento delle prove

Unità 12

Funzioni

1. Risposte libere

2. 1. *E*, 2. D, 3. B, 4. A, 5. *C*

Vocabolario

3. 1. e, 2. g, 3. a, 4. b, 5. f, 6. c, 7. d

4. 1. esperti, 2. Neorealismo, 3. pellicole, 4. film, 5. cineasti, 6. cinema d'impegno, 7. commedia all'italiana, 8. autori, 9. inter-

preti, 10. produttori, 11. tragicomica, 12. diva, 13. ambientazioni
5. 1. a, 2. a, 3. c, 4. c, 5. b, 6. b
6. 1. attore, 2. critico, 3. sceneggiatore, 4. ripresa, 5. cinefili, 6. comparsa, 7. antipatico, 8. fiera, 9. recensione; Raoul Bova

Grammatica
7. 1. Temporale/Modale, 2. Temporale, 3. Causale, 4. Concessiva, 5. Causale, 6. Temporale, 7. Modale
8. 1. Avendo letto una bella recensione sul film di Salvatores, sono andato a vederlo; 2. Riconosco il valore di alcuni film pur non essendo un cinefilo esperto; 3. Scaricando illegalmente film danneggi l'industria cinematografica; 4. Essendomi piaciuto molto il libro *Io non ho paura*, ho deciso di vedere anche il film; 5. Osservo con attenzione la fotografia guardando un film; 6. Pur non avendo vinto nessun premio, il film italiano è stato il più applaudito al festival
9. 1. andare, vedere; 2. averlo pubblicizzato; 3. avere visto; 4. essersi ripreso; 5. averlo già visto; 6. avere vinto
10. Il giornalista ha chiesto quale *fosse* il progetto e l'obiettivo della *loro* scuola. De Laurentis ha risposto che *erano* convinti che i *loro* corsisti *avrebbero lavorato* in *quel* settore e che *avevano* un team in grado di coniugare alta professionalità e tutor. De Laurentis ha aggiunto inoltre che molte scuole si *appoggiavano* ai locali di Cinecittà, mentre *loro erano* l'unica accademia che *aveva* Cinecittà come partner.
Il giornalista poi ha domandato perché *avessero scelto* la Romagna. De Laurentis ha detto di *frequentare* quella terra da oltre vent'anni e che *era* l'unica dove c'*era* di tutto: mare, monti, palazzi storici, un territorio molto vario, con gente amicale. Ha poi detto che assieme a Roberto Pantani *avevano deciso* di organizzare l'accademia non nel chiuso di una piccola stanza, ma in spazi aperti, nei locali, in discoteca.

Testualità
11. 1. no, 2. cioè, 3. ecco, 4. Diciamo che

Per concludere
12. Avendo visto *La dolce vita* ho cominciato ad apprezzare Fellini/Ho cominciato ad apprezzare Fellini avendo visto *La dolce vita*; 2. Molti registi ammettono di essersi ispirati al Neorealismo italiano; 3. Ho conosciuto il cinema indipendente frequentando festival locali; 4. Il giornalista chiese al regista cosa ne pensasse del genere poliziottesco; 5. Gabriele mi ha chiesto di andare a vedere un film a casa sua
13. 1. Siamo tornati a casa dopo *essere andati* al cinema; 2. La critica ha rivalutato Leone *considerandolo* un valido regista; 3. *Avendo visto* già alcuni suoi film, ero sicuro della validità della sua ultima opera; 4. La crisi del cinema non dipende dalla pirateria pur *essendo* questa un problema; 5. Sono contento di *avere visto* il film, ne valeva la pena
14. Risposta libera

Preposizioni
15. 1. da, per; 2. a, di, in; 3. a, di, per; 4. a, al; 5 di; 6. da

Parola chiave
16.
altri significati di cinema: sala, industria, arte
parole derivate: cinematografico, cinematografia, cinefilo, cineasta
verbi usati con cinema *(significato di* industria*)*: finanziare, sostenere, proteggere
aggettivi usati con cinema *(significato di* arte*)*: vivace, giovane, commerciale, indipendente, banale, impegnato

Test 1 (Unità 1-2)
Grammatica
1. 1. sono andato, 2. è durata, 3. sfilavano, 4. osservava, 5. sono rimasti
2. 1. abbiamo salutati, 2. hai comprato, 3. sono sempre piaciute, 4. hanno fatto, 5. ho messa
3. 1. *Dovresti* fare più sport: fa bene alla salute!; 2. *Vorrei* parlare con il responsabile della palestra, per favore!; 3. Forse una

ginnastica dolce ti *farebbe* bene per il mal di schiena; 4. *Potresti* cominciare a camminare almeno per andare al lavoro, per fare un po' di movimento; 5. Signora, *dovrei* vedere subito il dentista: ho un forte mal di denti!
4. Potrebbe, frequenterà, avrò, dovrebbe, Dovrei
5. 1. I miei genitori abitano al piano *superiore*; 2. Pelé è stato il *miglior* calciatore di tutti i tempi; 3. In Italia il calcio è più praticato *del* rugby; 4. Il nuoto è lo sport *più completo* di tutti; 5. Il campionato di calcio è andato *benissimo*

Testualità
6. 1. ma; 2. e; 3. sia, che; 4. né, né; 5. anche

Vocabolario
7. 1. cerniera/zip, 2. colletto, 3. polsino, 4. calzature, 5. stoffa
8. 1. costume, 2. spada, 3. caviglia, 4. culturismo, 5. collo

Test 2 (Unità 3-4)
Grammatica
1. 1. aveva immaginato, 2. sarebbe stato, 3. si erano sposati, 4. avevano vissuto, 5. avrebbe lasciato
2. Il Risorgimento *fu* il periodo storico durante il quale l'Italia *arrivò* alla sua unità nazionale. Il Regno di Italia all'inizio *ebbe* la sua capitale a Torino, città della famiglia reale italiana, i Savoia. La famiglia reale *visse* poi a Firenze dal 1861 al 1870, quando Garibaldi *prese* Roma, nuova e definitiva capitale italiana
3. 1. è aumentato, 2. eravamo, 3. voleva, 4. hanno scelto/scelsero, 5. abbiamo divorziato
4. 1. Chi, 2. con cui/con la quale, 3. di cui/dei quali, 4. che, 5. a cui/alle quali
5. 1. L'ISTAT è l'istituto *che* si occupa delle statistiche in Italia; 2. Anna Tatangelo è l'interprete *che* canta *Rose spezzate*; 3. Ho molte amiche *su* cui posso contare quando ho bisogno di aiuto; 4. Questo è l'uomo *per* cui ho lasciato mio marito; 5. È un amico *a* cui voglio molto bene

Testualità
6. 1. in quel periodo, 2. Dunque, 3. nel momento in cui, 4. invece, 5. dopo

Vocabolario
7. 1. vedova, 2. l'affidamento condiviso, 3. l'assegno di mantenimento, 4. diritti civili, 5. approvata
8. 1. immigrato, 2. matrigna, 3. settentrionale, 4. extracomunitari, 5. cieco

Test 3 (Unità 5-6)
Grammatica
1. 1. protegga, 2. abbia portato, 3. legga, 4. attraversiate, 5. abbia visto
2. Personalmente rispetto i superstiziosi, ma sinceramente non li capisco. Penso che le persone superstiziose non *siano* razionali e non *sappiano* usare la propria intelligenza. È probabile che *abbiano avuto* esperienze negative e *(che) abbiano preferito* collegarle a qualche evento esterno alla loro vita, come la data o la presenza di un gatto nero. Credo che questo li *faccia* sentire più tranquilli: tutto qui
3. 1. segui, 2. cucinare, 3. vada, 4. mangi, 5. scegli
4. 1. scrivigliele, 2. Non dateglieli, 3. Non ce la prepari, 4. Mangiatela, 5. Gliela scriva
5. 1. non gliela faccio, 2. glielo cucinavo spesso, 3. te la darò, 4. ve ne parlerò, 5. Glielo passo
6. 1. Mi hanno detto che qui si mangia bene e si spende poco; 2. Dicono che questo piatto sia davvero speciale; 3. Se mangi salato, si sa, puoi avere problemi di colesterolo; 4. Uno lavora tutto il giorno e poi deve avere anche il tempo per cucinare bene!; 5. Dicono che se si mangia bene si vive più allegri

Testualità
7. 1. Prego, 2. Allora, 3. Anzitutto, 4. Poi, 5. Vede

Vocabolario
8. 1. sfortunato/iellato/sfigato, 2. scaramanzia, 3. mestolo, 4.

pentola, 5. legumi
9. 1. sfortuna, 2. di buon auspicio, 3. amuleto, 4. latticini, 5. tagliatela

Test 4 (Unità 7-8)
Grammatica
1. 1. avrei voluto, 2. Sarei andato/a, 3. avrebbero annunciato, 4. sarebbe potuta, 5. sarebbe piaciuto
2. 1. *Credevo* che Luca *suonasse* la chitarra da un anno; 2. *Speravamo* che tu *riuscissi* a pubblicare il tuo disco; 3. *Volevi* che *prenotassi* due poltrone per il prossimo spettacolo?; 4. Anna *pensava* che *fossimo andati* al cinema sabato scorso; 5. Per trovare un posto vicino al palco *era* meglio che tu *andassi* al concerto almeno due ore prima
3. 1. sia stata, 2. fosse, 3. si sia esibita, 4. sia finito, 5. sia rimasto
4. 1. Vorrei che tu *leggessi* questo libro; 2. Magari l'ultimo romanzo di De Carlo *fosse* ancora disponibile; Avrei voluto che mio figlio *provasse/avesse provato* a scrivere un romanzo; 4. Mi sarebbe piaciuto che tu *avessi apprezzato* le mie poesie; 5. Magari *avesse* già *finito* di scrivere il suo nuovo libro
Testualità
5. *Indicare un contrasto*: 1, 3; *Spiegare*: 2, *Concludere*: 4, 5
6. 1. anzi, 2. In altre parole, 3. tuttavia, 4. però, 5. pertanto
Vocabolario
7. 1. duetto, 2. lancio, 3. batteria, 4. cantautore, 5. violinista
8. *Soluzione possibile*: giallo, fantascienza, d'avventura, romanzo rosa, romanzo storico, libro *horror*, libro *fantasy*

Test 5 (Unità 9-10)
Grammatica
1. 1. Accetterò, avrai mostrato; 2. Starò, racconterò, sarò tornato
2. 1. La criminalità è un problema di *alcune* città; 2. Qualunque *persona* che ci sia stata può dirlo; 3. Non ho avuto *alcun* problema con i siciliani quando ho visitato la Sicilia; 4. Non ho *alcuna/nessuna* idea su quale possa essere la soluzione migliore; 5. Se alcuni italiani sono truffatori, non è detto che lo siano *tutti*
3. 1. avessi, avrei, comprato; 2. avessi mandato, avrei raggiunto; 3. scrivessimo, useremmo; 4. Avremmo risparmiato, avessimo scoperto; 5. dipendesse, durerebbero
4. 1. *Se* ieri sera avessi avuto il cellulare, ti avrei chiamato; 2. *Se* avessi un profilo su Facebook, avrei ritrovato i miei vecchi compagni di scuola; 3. *Se non* spegnessi a lezione il cellulare, disturberei gli altri; 4. *Se ieri non* avessi avuto una connessione veloce a Internet, non avrei potuto mandarti i file; 5. *Se* avessi ancora credito, potrei inviarti un sms
Testualità
5. A. 4, B. 1, C. 2, D. 5, E. 3
6. 1. passiamo, 2. Voglio dire, 3. In altre parole, 4. Comunque, 5. come dicevo
Vocabolario
7. 1. tastiera, 2. connettersi, 3. allegato, 4. scaricare, 5. cuffie
8. 1. onesto, 2. intollerante, 3. furbo, 4. arrogante, 5. inospitale

Test 6 (Unità 11-12)
Grammatica
1. 1. andare, 2. avere finito, 3. avendo rispettato, 4. abolire, 5. Parlando
2. 1. Avendo vinto l'Oscar, è diventato famoso negli Stati Uniti; 2. Pur avendo girato molti film, non è apprezzato dalla critica; 3. Avendo finito di vedere il film, sono tornato/a a casa; 4. Pur non avendo avuto buoni incassi, è stato apprezzato dalla critica; 5. Essendosi addormentato, si è perso la fine del film
3. 1. "Verrò al cinema con te domani."; 2. "Il film è bello."; 3. "Se rispettassimo di più l'ambiente, vivremmo meglio."; 4. "Vuoi

uscire con me?"; 5. "Ti sei mai iscritto a un'associazione ambientalista?"
4. 1. ci, 2. ci, 3. ne, 4. ci, 5. ne
5. 1. I cambiamenti ambientali *sono* determinati in buona parte dall'uomo; 2. I limiti sulle emissioni sono stati accettati *da tutti i* paesi; 3. L'inquinamento va *ridotto* il prima possibile; 4. Gli spazi verdi in città *saranno/verranno* ampliati nei prossimi anni; 5. I benefici delle energie verdi *sono* stati già dimostrati
Testualità
6. 1. l'ecoturismo; 2. Virzì, il suo nuovo film; 3. il prezzo molto alto dei biglietti; 4. la raccolta differenziata; 5. i nostri figli, i danni ambientali
Vocabolario
7. 1. ecosostenibile, 2. pannello solare, 3. cassonetti, 4. acustico, 5. fabbisogno energetico
8. 1. cinefilo, 2. pellicola, 3. la telecamera, 4. comparse, 5. sala cinematografica

Indice del CD audio

Edizioni Edilingua